ALBERTO MAZZETTI
MARINA FALCINELLI
BIANCA SERVADIO

Qui Italia

Corso elementare di lingua italiana per stranieri

1. Lingua e grammatica

NUOVA EDIZIONE

LE MONNIER
www.lemonnier.it

REALIZZAZIONE EDITORIALE

Redazione: studiobajetta, Milano; Elisabetta Zappia
Progetto grafico e impaginazione: Patrizia Innocenti
Disegni: Siro Garrone, Libero Gozzini; Il merlo parlante, Milano
Ricerca iconografica: Alberto Mori; studiobajetta, Milano
Controllo qualità e fotolito: Luciano Begali

CONTRIBUTI

Rilettura del testo: Annalisa Rossi e Maria Giovanna Socci

COPERTINA

Progetto grafico: Patrizia Innocenti
Realizzazione: Massimo Guasti

Prima edizione: gennaio 2002

Ristampa:

9 8 2007 2008 2009

La realizzazione di un libro comporta per l'Autore e la redazione
un attento lavoro di revisione e controllo sulle informazioni
contenute nel testo, sull'iconografia e sul rapporto
che intercorre tra testo e immagine.
Nonostante il costante perfezionamento delle procedure di controllo,
sappiamo che è quasi impossibile pubblicare un libro
del tutto privo di errori o refusi.
Per questa ragione ringraziamo fin d'ora i lettori che li vorranno indicare
alla Casa Editrice, al seguente indirizzo:

Via A. Meucci, 2
50015 Grassina (Firenze)
Fax 055.64.91.286
www.lemonnier.it

La Tipografica Varese S.p.A.

Introduzione

La consapevolezza che la perfezione sia molto difficile da raggiungere e che il dogmatismo, nella scienza, non debba avere ragione di esistere, ci spinge ad una continua ricerca e ad un continuo studio e confronto di metodologie, di approcci e di nuove tecniche nell'insegnamento-apprendimento dell'italiano come L2 e come lingua straniera.

Questo è il motivo che ci ha sollecitati alla produzione di questo nuovo strumento didattico, che non vuol significare ripudio dei precedenti lavori, ma continuazione e completamento di un discorso avviato anni fa e maturato nel tempo.

Mentre ci sembra naturale che il collega, che voglia consultare questi libri, vi trovi confermati i convincimenti filosofici e pedagogici che hanno ispirato quelli precedenti, nello stesso tempo ci conforta la speranza che vi avverta chiaramente anche l'arricchimento apportato dalle ricerche effettuate in questi ultimi anni dalla glottodidattica, dalla sociolinguistica e dalla psicolinguistica.

Non abbiamo la presunzione di aver creato il «testo universale» che vada bene per ogni tipo di utenza. Questo perché, coerenti con i principi appena richiamati, siamo convinti che ogni *syllabus* debba essere formulato dopo un'attenta e condizionante indagine conoscitiva dei propri allievi, che ne faccia emergere la preparazione culturale e linguistica, l'attitudine allo studio delle lingue e gli obiettivi che si vogliono raggiungere.

Ed è per questo che il nostro testo è ricco di stimoli, di esercitazioni, di situazioni di vita quotidiana, i più vari nei contenuti e nei modi di svolgimento.

Fra gli elementi più significativi del nostro testo vorremmo segnalare l'insistente richiamo all'aspetto normativo della lingua, attraverso la presenza di numerose strutture grammaticali, riflessioni e sintesi grammaticali, le frequenti categorie della funzione comunicativa e soprattutto l'invito, direttamente e indirettamente espresso, a utilizzare le forme più ricorrenti e più importanti del linguaggio non verbale, in modo particolare del linguaggio gestuale.

Le raffigurazioni linguistiche dipendono anche dai nostri gesti, dal nostro modo di inserirci nel mondo, dal modo con il quale, nella storia della nostra vita, entriamo in rapporto con la natura, con gli altri. Il linguaggio nasce, cioè, dai gesti della nostra persona psichica e corporea in rapporto ai gesti delle altre persone, e, in primo luogo, in rapporto ai gesti ai quali ci hanno educati nella famiglia e nell'ambiente extrafamiliare.

«La lingua», scrive Merleau-Ponty, «nasce dalla concretezza del gesto, ma il gesto vive nella storia personale e nella storia dell'ambiente e della civiltà alla quale apparteniamo. Abbiamo il nostro stile linguistico perché abbiamo un'autobiografia, perché apparteniamo ad una civiltà e all'incrocio di varie civiltà. [...] Linguaggio e personalità storica sono intimamente legati come sono legati alla lingua i personaggi di un romanzo».

Questo corso si rivolge a studenti giovani e adulti che si avvicinano per la prima volta alla lingua italiana, e si compone di due volumi: un libro di lingua e grammatica e un libro-quaderno per le esercitazioni orali e scritte.

All'inizio del corso non si propone un test d'ingresso per la verifica della competenza linguistica perché si presuppone che questa sia di livello zero. Richiamiamo, invece, l'attenzione sull'opportunità di compilare una scheda sociolinguistica al fine di adeguare nel miglior modo possibile il *syllabus* proposto dai nostri volumi alle necessità richieste per l'impostazione e lo sviluppo del corso reale. Si trovano, poi, alla fine, nel libro-quaderno, test di verifica.

Le unità didattiche, in cui si articola il corso, sono costruite facendo riferimento a situazioni comunicative di alta frequenza, nelle quali l'ipotetico utente della lingua verrà senza dubbio a trovarsi durante un eventuale soggiorno in Italia o nel corso di una conversazione con parlanti italiani. L'allievo, seguendo un metodo induttivo e utilizzando le funzioni linguistiche e le strutture grammaticali inserite nei contesti situazionali, potrà pervenire, dopo esercitazioni di vario tipo, alla regola grammaticale.

Le unità didattiche hanno un itinerario ciclico che prevede i seguenti momenti:

• la fase incoativa è costituita da un dialogo o da un brano (letto dall'insegnante o registrato nella cassetta) o da un testo pubblicitario o da una canzone. È stata posta molta attenzione nel riportare (compatibilmente con il livello elementare del corso) testi autentici;

• nella seconda fase abbiamo presentato le strutture grammaticali e gli stimoli per la loro riutilizzazione;

• nella terza fase abbiamo introdotto funzioni linguistiche, utilizzando gli opportuni registri richiesti dai diversi contesti presentati;

• nella quarta fase anticipiamo un breve momento esercitativo che viene poi sviluppato nel libro-quaderno;

• nella quinta fase proponiamo la riflessione grammaticale. Abbiamo fatto ricorso a grafici e a «scatole» per suggerire le immagini dell'atto comunicativo e per favorirne la memorizzazione;

• nella sesta fase proponiamo argomenti di civiltà, che compaiono anche in altre parti del libro.

L'opera non è accompagnata da una «guida per l'insegnante» perché riteniamo che i nostri colleghi abbiano senz'altro una base culturale e una professionalità tali da consentire loro l'immediato inserimento nella metodologia che è stata adottata nel testo; ed anche perché il docente che abbia scelto il nostro volume, utilizzando le funzioni linguistiche, le strutture grammaticali e il lessico nella gradualità proposta, si sentirà accompagnato e seguito per tutta la durata del corso fino al raggiungimento degli obiettivi finali. Quegli obiettivi, intermedi e finali, che possono corrispondere ai livelli stabiliti per il conseguimento del *Certificato di conoscenza della lingua italiana* rilasciato da uno degli organismi appositamente creati per la *certificazione*.

GLI AUTORI

Legenda simboli

Lisa Gagliardi lisagagliardi@rogers.com

Testo registrato sulla cassetta

Produzione orale: lavoro individuale

Produzione orale: lavoro a coppie

Produzione scritta

Linguaggio gestuale

Canzone

UNITÀ 1

1 Una festa

Robert: Ciao! Bella festa, eh?
Daniel: Sì, **è** una bella festa…
Robert: Chi **è** quella ragazza?
Daniel: **È** una ragazza tedesca, credo… Aspetta un momento.

è → is

Daniel: Come ti chiami?
Ingrid: Mi chiamo Ingrid.
Daniel: **Sei** tedesca, vero?
Ingrid: Sì, **sono** di Monaco.

Sei - you are

una - a
un - a
qui - here

Daniel: Io **sono** Daniel, **sono** francese, di Parigi, e questo è Robert.
Robert: Piacere.
Ingrid: Piacere, Ingrid.

Ingrid: **Sei** inglese, Robert?
Robert: No, **sono** americano, di Boston. Anche tu **sei** qui per studiare l'italiano?

Ingrid: Sì, anch'io. Domani comincio il corso con la professoressa Paolini.
Robert: Bene… Anch'io comincio domani il corso e **siamo** nella stessa classe.

con - with
cominco - start
siamo - we are
stessa - same

A Rispondete alle domande:

1. Come ti chiami?

Mi chiamo Ingrid.

Mi chiamo ....

2. Di che nazionalità sei?

Sono tedesca.

....

3. Di dove sei?

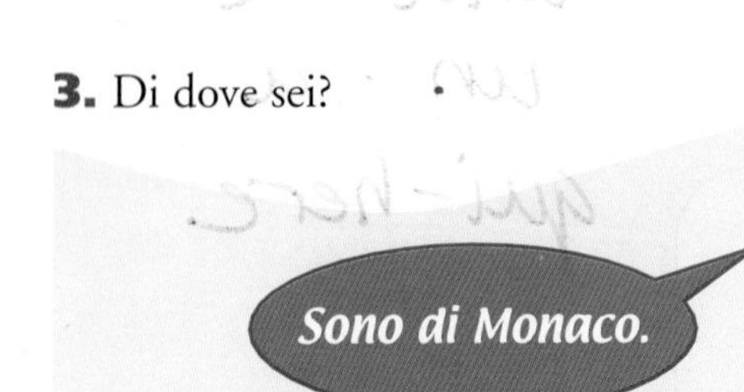

....

B Completate secondo il modello:

1. Chi è?

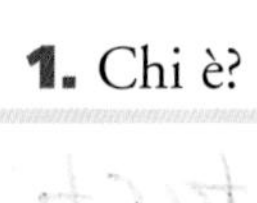

È Ingrid.

.... ***Robert.***

.... ***Daniel.***

2. È Jenny?

No, non è Jenny, è Ingrid.

È Pierre? No, noné Pierre, è Robert

È John? No, non è John, è Daniel

3. Di che nazionalità è?

Robert è americano.

Ingrid a tedesca

Daniel ....

C Completate secondo il modello:

Questa è Ingrid.
È una ragazza tedesca, di Monaco.
È qui per studiare l'italiano.

1. Questo è Robert.
È un ragazzo americanio, di boston.
È qui per studiare l'italiano

2. Questo è Daniel
È un ragazzo ~~fran~~ francese, di Parigi
È qui studiare l'italiano

G.B.
LONDRA
Elizabeth

3. Questa è ....

4. ....
È una ragazza inglese, di Londra. È qui studiare l'italiano

D **Collegate ogni domanda con la relativa risposta, secondo l'esempio:**

Come ti chiami?	Sono argentina.
Di che nazionalità sei?	Sono qui per studiare l'italiano.
Di dove sei?	Mi chiamo Carmela.
Perché sei in Italia?	Sono di Buenos Aires.

E **Completate secondo il modello:**

Paola è a Parigi per studiare il francese.

1. *Carla* ....

....

....

Barcellona

2. *Stefano* ....

Londra

3. *Lucia* ....

Mosca

4. *Roberto* ....

F Rispondete alle domande:

1. Come ti chiami? ....

....

2. Di che nazionalità sei? ....

....

3. Di dove sei? ....

....

4. Perché sei in Italia? ....

....

G Completate:

Ingrid e Claudia sono tedesche.
Giorgio e Carlo sono italiani.
Daniel e Alain sono francesi.
Elizabeth e Jane sono inglesi.

1. Martin e Dirk sono .... Monaco, sono tedeschi.

2. Delia e Piera sono .... Milano, sono ....

3. Corinne e Marie sono .... Parigi, sono ....

4. Paul e John sono .... Londra, sono ....

5. Robert e Richard sono .... New York, sono ....

6. Meryl e Sandy sono .... Boston, sono ....

2 Dopo la lezione

Ingrid: Robert, a Boston studi o lavori?
Robert: Sono studente di architettura, e tu che fai?
Ingrid: Io sono commessa in un grande magazzino. Daniel che fa?
Robert: Daniel è insegnante di storia al liceo.
Ingrid: Ah sì? Ma quanti anni **ha**?
Robert: **Ha** ventisei anni. È veramente bravo! Io **ho** ventiquattro anni e sono ancora studente. E tu, Ingrid, quanti anni **hai**?
Ingrid: Io **ho** ventuno anni.

A Completate:

1. Ingrid è .... Ha ....
2. Robert è .... Ha ....
3. Daniel è .... Ha ....

B Completate secondo il modello:

Paolo Rossi è ingegnere.

società di ingegneria
Paolo Rossi
ingegnere
NET srl - società di ingegneria
00166 Palermo - Italy - via Ugo Baldi, 32
tel. (+39) 091.71.39.27 fax (+39) 091.71.38.41
www.net.it

AUTOFFICINA
BINI
Fausto Bini
BINI srl - AUTOFFICINA
00166 Roma - Italy - via M. Bucci, 78
tel. (+39) 06.15.81.95
fax (+39) 06.15.85.68
www.bini.com

Fausto Bini

....

desk top
design - grafica
architettura
Alfredo Bianchi
desktop srl -
Firenze - Italy - via Rosa Bolai, 105
tel. (+39) 055.28.39.42
fax (+39) 055.28.40.91
www.desktop.it

Alfredo Bianchi

....

Valeria Venti

....

....

Anna Borghi

....

....

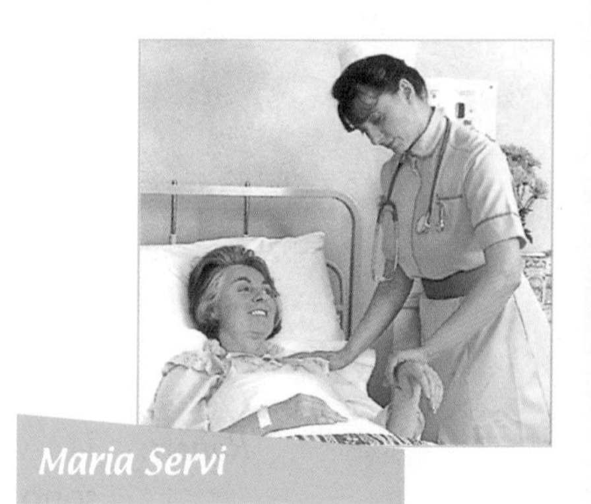

Maria Servi

....

....

C Rispondete alle domande:

1. E tu, che cosa fai? ....

2. Quanti anni hai? ....

Come si dice?

- Buongiorno, ragazzi!
- Buongiorno!

- Ciao, Robert!
- Ciao, Daniel!

- Arrivederci!
- ArrivederLa, signora!

- Ciao, Robert! Ci vediamo!
- Ciao, Daniel, a domani!

- Buonasera, signor Carli!
- Buonasera!

- Buonanotte, Paul!
- Buonanotte, Maria!

Collegate le parole ai gesti:

«Arrivederci!»; «Piacere!»; «Ciao!».

1. .... 2. .... 3. ....

Chiedete al vostro compagno:

- il nome e cognome
- la nazionalità
- la città di provenienza
- la professione
- l'età

Riferite alla classe le informazioni ricevute.

D **Completate il dialogo con le battute mancanti:**

■ ....

■ Mi chiamo Claudio Cordaro.

■ ....

■ Sono brasiliano.

■ ....

■ Sono di San Paolo.

■ ....

■ Sono cantante.

■ ....

■ Ho ventiquattro anni.

E **Costruite, sul modello precedente, il dialogo fra Corinne ed Elizabeth Smith, di Londra, impiegata in un'agenzia di viaggi, di ventisei (26) anni:**

Corinne: Come ti chiami?

Elizabeth: ....

Corinne: ....

Elizabeth: ....

Corinne: ....

Elizabeth: ....

Corinne: ....

Elizabeth: ....

3 Tu... Lei...

- Signora, Lei è di Madrid?
- No, sono di Barcellona.

- John, tu **sei** di Londra?
- No, sono di Edimburgo.

- **Sei** inglese?
- No, sono spagnola.

■ Signore, Lei è svizzero?
■ Sì, sono svizzero.

■ Scusi, professore, **ha** una penna?
■ No... mi dispiace.

■ **Hai** una penna?
■ No... mi dispiace.

A Completate:

1. Paul, ... di Boston?
No, sono di Filadelfia.

2. Signorina, Lei .... straniera?
Sì, sono spagnola.

3. Dottor Tini, Lei .... architetto?
No, sono ingegnere.

4. Giorgio, ... studente?
No, lavoro.

5. Andrea, ... una penna rossa?
No, mi dispiace.

6. Scusi, professore .... il libro di italiano?
Sì, è sul tavolo.

B **Completate i dialoghi con le battute mancanti:**

C Completate i dialoghi con le battute mancanti:

ROSA CROCI
BARI
ALDO BINI
ANCONA

Il ragazzo: ....?
La ragazza: Mi chiamo Katia, e tu?
Il ragazzo: ....
....?
La ragazza: Sono di Reggio Calabria, e tu?
Il ragazzo: ....

Il signore: Come si chiama?
La signora: ...., e Lei?
Il signore: ....
....?
La signora: Sono di Bari, e Lei?
Il signore: ....

Riflessione grammaticale

Questo ragazzo	è	tedesco americano italiano russo francese inglese giapponese	Questa ragazza	è	tedesca americana italiana russa francese inglese giapponese

Questi ragazzi	sono	italiani stranieri americani francesi inglesi	Queste ragazze	sono	italiane straniere americane francesi inglesi

ESSERE		
(io) **sono** (tu) **sei** (lui, lei) è (noi) **siamo** (voi) **siete** (loro) **sono**	di	Parigi Zurigo New York
	a	Roma Milano Perugia
	in	Italia

AVERE	
(io) **ho** (tu) **hai** (lui, lei) **ha** (noi) **abbiamo** (voi) **avete** (loro) **hanno**	un amico tedesco un'amica greca molti / pochi — amici
	venti (20) ventuno (21) ventidue (22) trenta (30) — anni

4 Vorrei...

Il ragazzo: Io vorrei **una** penna nera, **un** quaderno, **una** gomma, **un** righello e... dei fogli bianchi.

La ragazza: Buongiorno... vorrei **una** penna rossa, **un** dizionario... e **una** matita.

A Completate secondo l'esempio:

Il ragazzo: **Vorrei una penna nera**

La ragazza:

Il ragazzo: **Un** caffè e **una** pasta, per favore!
La ragazza: Vorrei **un** cappuccino, **un** cornetto e **un** bicchiere d'acqua.

B Completate:

Il ragazzo: ....
....

La ragazza: ....
....
....

C Completate secondo il modello:

1. *Vorrei un francobollo, per favore.*
2. ....
3. ....
4. ....
5. ....
6. ....
7. ....
8. ....
9. ....

1 2 3 4 5 6 7 8 9

Riflessione grammaticale

<table>
<tr><td rowspan="2">Vorrei</td><td>un</td><td>quaderno
righello
cappuccino
cornetto</td></tr>
<tr><td>una</td><td>penna
gomma
pasta
birra</td></tr>
</table>

5 Dov'è...? Dove sono...?

Dov'è **il** libro?	È sul tavolo.
Dov'è **la** gomma?	È sul tavolo.
Dov'è **il** bicchiere?	È sul tavolo.
Dove sono **le** penne?	Sono nel cassetto.
Dove sono **i** fogli?	Sono nel cassetto.

A Completate con le parole indicate sotto:

.... il .... ? È nella borsa.
.... il .... ? È nella borsa.
.... l' .... ? È nella borsa.
.... i .... ? Sono nel portafoglio.
.... le .... ? Sono nella borsa.

chiavi – cellulare – soldi – agenda – passaporto

Conversate come nell'esempio:

■ Dov'è il rossetto?
■ È nella borsa della ragazza.
■ E il vocabolario?

B Completate secondo il modello:

Penna *borsa* → *La penna è nella borsa.*

Penna / *tavolo* → *La penna è sul tavolo.*

1. lavagna aula
 ....

2. penne cassetto
 ....

3. libro / tavolo ....

4. chiave borsa
 ....

5. giornale / banco ....

6. studenti aula
 ....

7. borsa / sedia ....

8. matite / tavolo ....

Riflessione grammaticale

Il	libro quaderno giornale	è nella borsa
La	matita penna chiave	è sul tavolo

I	libri quaderni giornali	sono sulla sedia
Le	matite penne chiavi	sono nel cassetto

Sintesi grammaticale

PLURALE DEI NOMI E AGGETTIVI

	singolare/plurale
nomi maschili	-o → -i -e → -i
nomi femminili	-e → -i -a → -e

PRESENTE INDICATIVO

ESSERE	
(io)	**sono**
(tu)	**sei**
(lui, lei)	**è**
(noi)	**siamo**
(voi)	**siete**
(loro)	**sono**

AVERE	
(io)	**ho**
(tu)	**hai**
(lui, lei)	**ha**
(noi)	**abbiamo**
(voi)	**avete**
(loro)	**hanno**

Civiltà

Monumenti famosi

Dov'è...?

1. *Il Colosseo è a Roma.*

Roma,
Il Colosseo

Siena,
Piazza del Campo

2. ....

....

....

Firenze,
Il Ponte Vecchio

3.

Pisa,
La Torre Pendente

4.

Venezia,
Il Palazzo Ducale

5.

UNITÀ 2

1 Giorgio Armani

Giorgio Armani è uno stilista italiano famoso in tutto il mondo. È il secondo stilista di moda, dopo Christian Dior, ad apparire sulla copertina di "Time".
Vive in Italia, a Milano.
Abita in un grande palazzo nel centro della città. Ama la campagna e il mare. Quando non **lavora**, **viaggia** molto o va in una delle sue ville, a Broni, a Forte dei Marmi, a Pantelleria, a Saint-Tropez: lì fa passeggiate nel parco con il cane, **nuota**, **legge** libri e giornali e **cucina**.

A Completate:

1. Giorgio Armani è ....
2. Vive ....
3. Abita ....
4. Quando non lavora ....

Un'intervista

- Signor Armani, dove vive?
- Vivo in Italia, a Milano.
- Abita in città o in campagna?
- Abito in città, in centro.
- Che cosa fa, quando non lavora?
- Quando non lavoro, viaggio molto, passeggio, nuoto, leggo libri e giornali e cucino.

B Completate:

Io .... in Italia, a Milano.
.... in un palazzo nel centro della città.
Quando non ...., ... molto,
...................., ..., ... libri e giornali
e ....

Completate:

1. Che fai?

Ascolto la radio e .... la TV.

Leggo il giornale e .... un'e-mail.

Marta

Finisco gli esercizi e poi ....

Marco .... la radio e poi ....

Claudio .... il giornale e poi ....

Marta .... gli esercizi e poi ....

2. Che fate?

Marco e Giorgio

Ascoltiamo la radio e poi ....

Claudio e Sara

Leggiamo il giornale e poi ....

Marta e Anna

Finiamo gli esercizi e poi ....

Marco e Giorgio ascoltano ....

Claudio e Sara leggono ....

Marta e Anna finiscono ....

Completate scegliendo fra i verbi indicati:

3. Che fai?

- ballare
- cantare
- lavorare
- scrivere
- leggere
- mangiare
- bere
- studiare

Canto una canzone.

....

---   ---   ---

---   ---   ---

B Completate i dialoghi con le battute mancanti:

ABITO IN CAMPAGNA.
CON CHI ABITI?
PARLI ITALIANO?
NO, SOLTANTO INGLESE.
CHE FAI ?
IN PISCINA E A TENNIS.
JA YES OUI DA
CHE LINGUE PARLI?

2 La casa

Anna: Che fai?
Roberto: Cerco un appartamento in affitto, ma è difficile... Tu, dove abiti?

Anna: Abito in via Manzoni, n. 10.
Roberto: È in centro?
Anna: No, in periferia, vicino allo stadio.
Roberto: Vai a lezione a piedi?
Anna: Di solito prendo l'autobus, ma qualche volta faccio una passeggiata.
Roberto: Hai una camera o un appartamento?

Anna: Abito in un piccolo appartamento al secondo piano.
Roberto: Com'è?
Anna: È comodo, luminoso e silenzioso. C'è la cucina, il bagno, la camera da letto e il soggiorno.
Roberto: C'è un bel panorama?
Anna: Sì, molto bello.
Roberto: Quanto paghi?
Anna: Trecentodieci (310) euro al mese.

ANNUNCI ECONOMICI

A Completate:

Roberto cerca ....

Anna abita ....

....

Di solito, per venire a lezione, ...

....

L'appartamento di Anna è ....

....

Anna paga ....

B Completate con le preposizioni:

Anna abita .... via Manzoni, n. 10, ... periferia, vicino .... stadio.
Abita .... un piccolo appartamento .... secondo piano.
L'appartamento è comodo, luminoso e silenzioso; c'è la cucina, il bagno, la camera .... letto e il soggiorno.
Anna paga trecentodieci (310) euro .... mese.

C Collegate gli aggettivi di significato contrario secondo l'esempio:

buio	scomodo
piccolo	silenzioso
comodo	luminoso
rumoroso	moderno
antico	grande

D Rispondete alle domande:

1. Dove abiti? ....
2. In centro o in periferia? ....
3. Per venire a lezione prendi l'autobus? ....
4. Hai una camera o un appartamento? ....
5. Com'è? ....
6. Quanto paghi? ....

Utilizzando le risposte alle domande precedenti, scrivete un testo:

Abito ....

....

....

....

....

....

Riflessione grammaticale

ABITARE			
(io)	abito	in	Italia centro/periferia Via Manzoni n. 10 Piazza Cavour n. 2
(tu)	abiti		
(lui, lei)	abita	al	secondo piano
(noi)	abit**iamo**		
(voi)	abit**ate**		
(loro)	abit**ano**	vicino a lontano da	Roma

SCRIVERE			
(io)	scriv**o**	una cartolina una lettera un'e-mail un messaggio un biglietto	a un amico / un'amica
(tu)	scriv**i**		
(lui, lei)	scriv**e**		
(noi)	scriv**iamo**	gli esercizi le parole nuove	
(voi)	scriv**ete**		
(loro)	scriv**ono**		

APRIRE		
(io)	apr**o**	il libro
(tu)	apr**i**	il quaderno
(lui, lei)	apr**e**	la porta
(noi)	apr**iamo**	la finestra
(voi)	apr**ite**	la valigia
(loro)	apr**ono**	

FINIRE		
(io)	fin-*isc*-**o**	il lavoro
(tu)	fin-*isc*-**i**	i compiti
(lui, lei)	fin-*isc*-**e**	gli esercizi di italiano
(noi)	fin**iamo**	di lavorare / studiare / mangiare tardi
(voi)	fin**ite**	
(loro)	fin-*isc*-**ono**	

CERCARE	
cerc**o**	una penna
cerc-*h*-**i**	un libro
cerc**a**	un lavoro
cerc-*h*-**iamo**	un albergo
cerc**ate**	una casa
cerc**ano**	una camera
	un amico

PAGARE		
pag**o**	il conto l'affitto	
pag-*h*-**i**		
pag**a**		
pag-*h*-**iamo**	trecentodieci euro	al mese
pag**ate**		
pag**ano**		

3 L'appartamento di Anna

Questo è l'appartamento di Anna: **c'è** la cucina, **c'è** una camera da letto, il bagno e il soggiorno; il soggiorno è grande e confortevole; **c'è** il televisore, **ci sono** due poltrone, **c'è** un divano e **ci sono** quadri molto belli alle pareti.

A **Completate guardando il disegno sopra:**

	In camera da letto	In cucina	In soggiorno	In bagno
C'è	*Il letto*			
Ci sono				

B Completate:

Questo è il mio appartamento:

1. In camera da letto ....
....
2. ....
....
3. ....
....
4. ....
....

C Completate secondo il modello:

La matita/il tavolo
La matita è sotto il tavolo.

su/sopra — in/dentro — vicino (a)
sotto — dietro — davanti (a) — lontano (da)

1. Il latte/il frigorifero ....
2. La borsa/l'armadio ....
3. Il bar/la stazione ....
4. La casa di Mario/l'Università ....
5. Il giardino/la casa ....
6. Gli occhiali/la poltrona ....
7. Il gatto/il divano ....
8. Il cinema/la posta ....
9. Il libro/il comodino ....
10. Il televisore/la poltrona ....

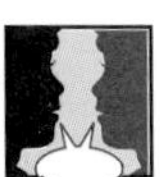

Osservate il disegno e chiedete al vostro compagno dove sono i vari oggetti:

Riflessione grammaticale

<table>
<tr><td rowspan="2">In camera da letto</td><td>c'è</td><td>il letto
l'armadio
la lampada</td></tr>
<tr><td>ci sono</td><td>i comodini
le sedie</td></tr>
</table>

<table>
<tr><td>il</td><td>comodino
letto
tavolo
frigorifero
televisore</td><td>i
(dei)</td><td>letti

tavoli</td></tr>
<tr><td>l'</td><td>armadio</td><td rowspan="2">gli
(degli)</td><td rowspan="2">armadi
specchi
zaini</td></tr>
<tr><td>lo</td><td>specchio
zaino</td></tr>
<tr><td>la</td><td>sedia
poltrona</td><td rowspan="2">le
(delle)</td><td rowspan="2">sedie
poltrone
amiche
aule</td></tr>
<tr><td>l'</td><td>amica
aula</td></tr>
</table>

1	uno
2	due
3	tre
4	quattro
5	cinque
6	sei
7	sette
8	otto
9	nove
10	dieci
11	undici
12	dodici
13	tredici
14	quattordici
15	quindici
16	sedici
17	diciassette
18	diciotto
19	diciannove
20	venti
21	ventuno
22	ventidue
23	ventitré
24	ventiquattro
25	venticinque
30	trenta
40	quaranta
50	cinquanta
60	sessanta
70	settanta
80	ottanta
90	novanta
100	cento

4 I numeri

1	M	PREZ. SANG.
2	M	ss. OTTONE e S.
3	G	s. TOMMASO a.
4	V	s. ELISABETTA
5	S	s. ANTONIO Z.
6	D	s. M. GORETTI
7	L	s. APOLLONIO
8	M	s. PRISCILLA
9	M	s. ARMANDO
10	G	s. RUFINA m.
11	V	s. BENEDETTO
12	S	s. FORTUNATO
13	D	s. ENRICO
14	L	s. CAMILLO L.
15	M	s. BONAVENT.
16	M	B. V. del CARM.
17	G	s. ALESSIO conf.
18	V	s. CALOGERO
19	S	s. SIMMACO p.
20	D	s. ELIA profeta
21	L	s. LORENZO B.
22	M	s. M. MADDAL.
23	M	s. BRIGIDA
24	G	s. CRISTINA v.
25	V	s. GIACOMO ap.
26	S	s. ANNA
27	D	s. CELESTINO
28	L	s. NAZARIO m.
29	M	s. MARTA v.
30	M	s. PIETRO CRIS.
31	G	s. IGNAZ. di L.

Che ora è? Che ore sono?

Sono le sette.

Sono le undici.

Sono le otto e mezzo.

Sono le dieci e un quarto.

Sono le due e tre quarti.

Sono le nove meno cinque.

È mezzogiorno.

È mezzanotte.

Sono le tredici.
È l'una.

Scrivete che ore sono:

7.10	11.23	16.30	18.40	23.00	13.00
....	....	....	....	....	....
....	....	....	....	....	....

12.00	9.05	8.50	17.20	19.45	11.15
....	....	....	....	....	....
....	....	....	....	....	....

Chiedete al vostro compagno:

– Che ora è a/in .... quando a Roma è mezzogiorno?

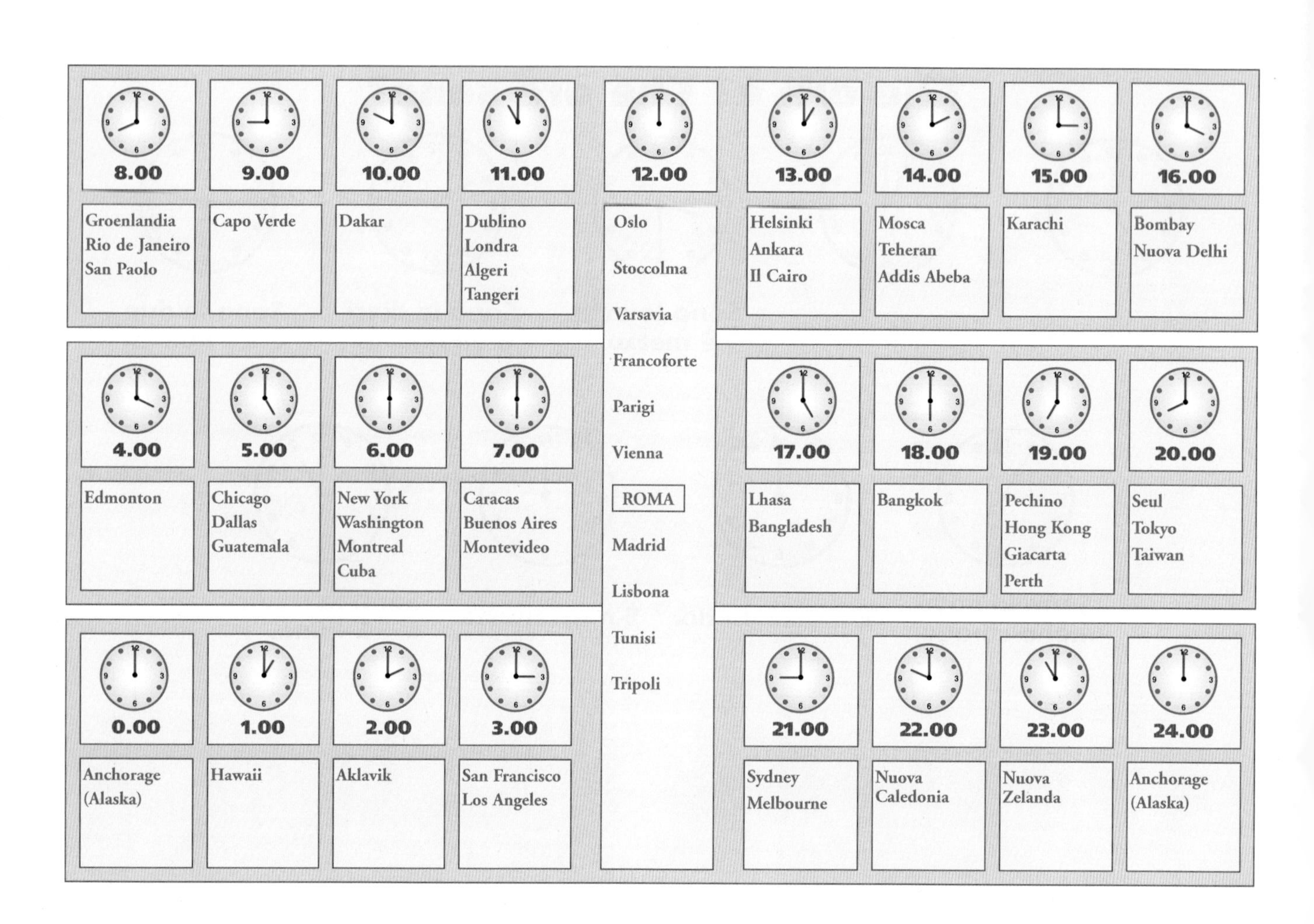

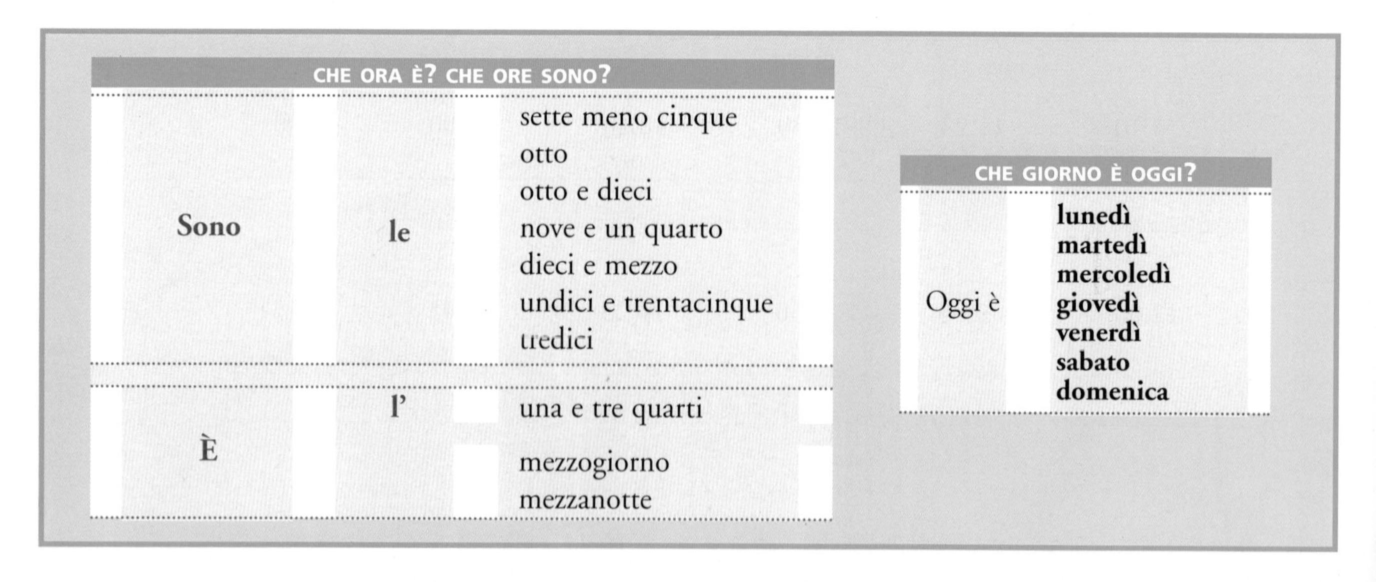

CHE ORA È? CHE ORE SONO?		
Sono	le	sette meno cinque otto otto e dieci nove e un quarto dieci e mezzo undici e trentacinque tredici
È	l'	una e tre quarti
		mezzogiorno mezzanotte

CHE GIORNO È OGGI?	
Oggi è	**lunedì** **martedì** **mercoledì** **giovedì** **venerdì** **sabato** **domenica**

Come si dice?

Modi di ringraziare, rispondere a un ringraziamento

- Scusi, signorina, a che ora apre la banca?
- Alle 8.20.
- E a che ora chiude?
- La banca chiude alle 13.20.
- **Grazie mille**!
- **Prego**!

- Dino, a che ora aprono i negozi la mattina?
- Alle 9.
- E a che ora chiudono?
- All'una.
- **Grazie**.
- **Di niente.**

- A che ora comincia il film?
- Il film comincia alle 21.
- **Grazie tante**.
- **Prego.**

RINGRAZIARE	RISPONDERE A UN RINGRAZIAMENTO
Grazie Grazie mille Grazie tante	Prego Di niente

A Completate i dialoghi con le battute mancanti:

1

■ ______________________________ ?
■ Sono le 7.
■ ______________________________
■ Di niente.

2

■ ______________________________
■ Via Pindaro è la prima strada dopo il semaforo.
■ ______________________________
■ Prego.

3

■ Che ora è?
■ ______________________________ ?
■ Grazie.
■ ______________________________

4

■ ______________________________
■ La pizzeria chiude alle 24.
■ ______________________________
■ Prego.

B Completate secondo l'esempio:

Dott. Franco Silvestri
STUDIO DENTISTICO
Lunedì e Mercoledì 10 - 13
Giovedì e Venerdì 15 - 19

***1.** Lo studio dentistico del dottor Silvestri il lunedì e il mercoledì apre alle 10 e chiude alle 13; il giovedì e il venerdì apre alle 15 e chiude alle 19.*
Il martedì, il sabato e la domenica è chiuso.

2. L'ambulatorio medico del dottor Figorilli ....

Dott. Carlo Figorilli
AMBULATORIO MEDICO
Martedì e Giovedì 9 - 12 / 16 - 19

Dott. Eugenio Flori
AMBULATORIO VETERINARIO
Giovedì e Venerdì 8 - 13 / 16 - 19
Sabato 8 - 13

3. L'ambulatorio veterinario del dottor Flori ....

4. Lo studio dell'architetto Salvati ....

Arch. Stefano Salvati
STUDIO D'ARCHITETTURA
Tutti i giorni 8 - 13
escluso Sabato e Domenica

Avv. Elio Busi
STUDIO LEGALE
Lunedì, Mercoledì e Venerdì
15 - 19

5. Lo studio dell'avvocato Busi ....

Osservate lo schema:

	Mattina	Pomeriggio	
Museo archeologico	9.30 13.00	15.00 18.30	apertura chiusura
Farmacia	9.00 13.00	16.00 20.00	apertura chiusura
Negozi	9.00 13.00	16.00 20.00	apertura chiusura
Banca Commerciale	8.20 13.20	14.45 15.45	apertura chiusura
Grandi magazzini	9.00	20.00	apertura chiusura

Chiedete ora informazioni al vostro compagno, secondo l'esempio:

– *A che ora apre la farmacia?*
– *A che ora chiude?*

C Completate secondo l'esempio:

1. *Nunzio lavora al museo archeologico.*
La mattina comincia a lavorare alle 9.30 e finisce di lavorare alle 13.00.
Il pomeriggio lavora dalle 15.00 alle 18.30.

2. Maria lavora in banca.

....

....

....

3. Giovanni lavora in farmacia.

....

....

....

4. Pina e Rosa sono commesse in un negozio di scarpe.

....

....

....

D Scrivete alcune frasi secondo l'esempio:

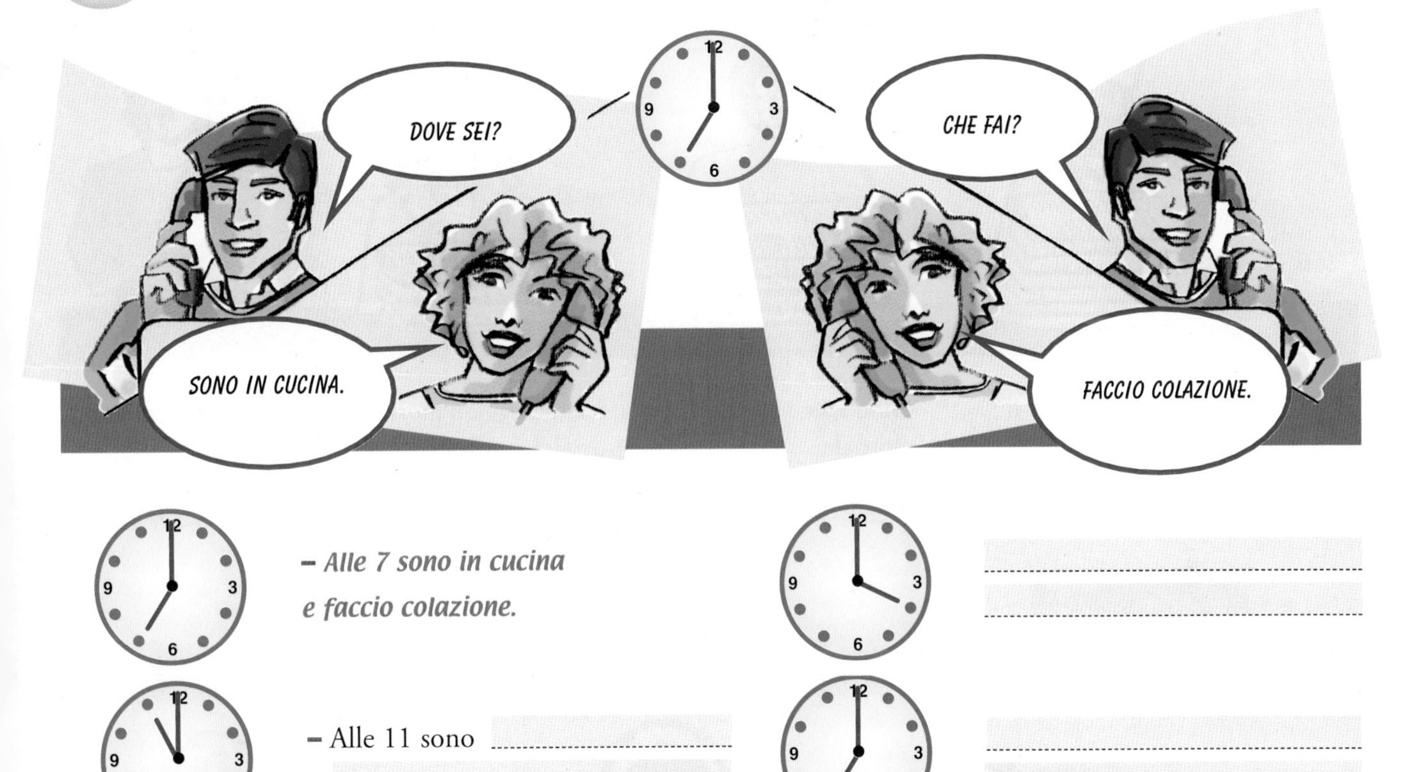

– Alle 7 sono in cucina e faccio colazione.

– Alle 11 sono ....
e ....

....
....

....
....

....
....

....
....

A CHE ORA?					
A che ora	apre	la banca? il museo?	Apre	alle	8.20 9.30
	aprono	i negozi? gli uffici?	Aprono		9.00 8.00
A che ora	chiude	l'ufficio postale?	Chiude	a	mezzogiorno
		questo negozio?		alle	20.00
	chiudono	i bar? le discoteche?	Chiudono		all'una alle tre

E Scrivete alcune frasi secondo l'esempio:

Paola legge **sempre** il giornale.

Gino legge **spesso** il giornale.

Maria legge il giornale **qualche volta**.

Piero **non** legge **mai** il giornale.

E tu?

Io guardo** spesso **la TV.

Sintesi grammaticale

PRESENTE INDICATIVO DELLE TRE CONIUGAZIONI		
-are	-ere	-ire
(io) ________ o	(io) ________ o	(io) ________ o
(tu) ________ i	(tu) ________ i	(tu) ________ i
(lui, lei) ______ a	(lui, lei) ______ e	(lui, lei) ______ e
(noi) _____ iamo	(noi) _____ iamo	(noi) _____ iamo
(voi) _______ ate	(voi) _______ ete	(voi) _______ ite
(loro) ______ ano	(loro) ______ ono	(loro) ______ ono

-ire
(io) _______ isc-o
(tu) _______ isc-i
(lui, lei) _____ isc-e
(noi) ______ iamo
(voi) ________ ite
(loro) ___ isc-ono

capire —> cap-isc-o
finire —> fin-isc-o
spedire —> sped-isc-o
preferire —> prefer-isc-o

ARTICOLO DETERMINATIVO	singolare	plurale
maschile	il	i
	lo l'	gli
femminile	la l'	le

ARTICOLO INDETERMINATIVO	singolare	plurale
maschile	un	(dei)
	uno un	(degli)
femminile	una un'	(delle)

Civiltà

Abitare in Italia

Osservate le foto. Leggete i testi che seguono e scrivete per ogni foto il nome delle persone che abitano nella casa.

1. Filippo vive in una baita in montagna.

2. Silvio abita e lavora in un grattacielo di trenta piani a Milano.

3. Marino e Claudia Salom abitano vicino a Lucca, a Villa Torrigiani.

4. I signori Hammer sono di Monaco, ma abitano in una casa colonica in Umbria.

5. Lorenzo e Giulio abitano in Sicilia, in una piccola casa bianca.

6. Torquato abita con la famiglia in Sardegna, in una villa sul mare.

Piemonte - Alpi

Lombardia - Milano

Sicilia - Ustica

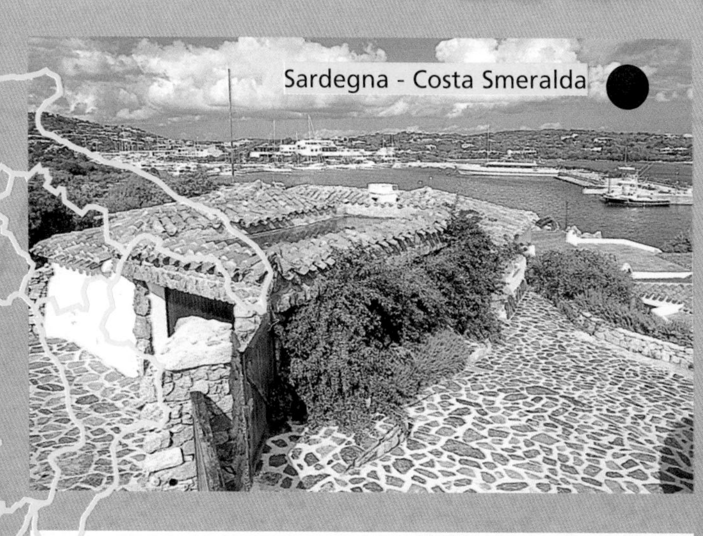
Sardegna - Costa Smeralda

UNITÀ 3

1 La settimana di Stella

20 luglio, ore 23

Oggi è lunedì. Sabato mattina finalmente cominciano le vacanze.
Sono molto stanca perché lavoro tutto il giorno: la mattina vado in ufficio alle otto, all'una vado alla mensa, poi torno in ufficio e ci resto fino alle 17. Dopo il lavoro torno a casa, guardo la TV e ascolto un po' di buona musica.
Il martedì e il giovedì vado in piscina con Patrizia.
La sera di solito mangio a casa, qualche volta vado in pizzeria con Marco, ma vado a letto sempre prima delle undici.
Domenica mattina parto: vado in Sardegna, al mare. Forse Marco viene con me...
Adesso vado a dormire...

Stella

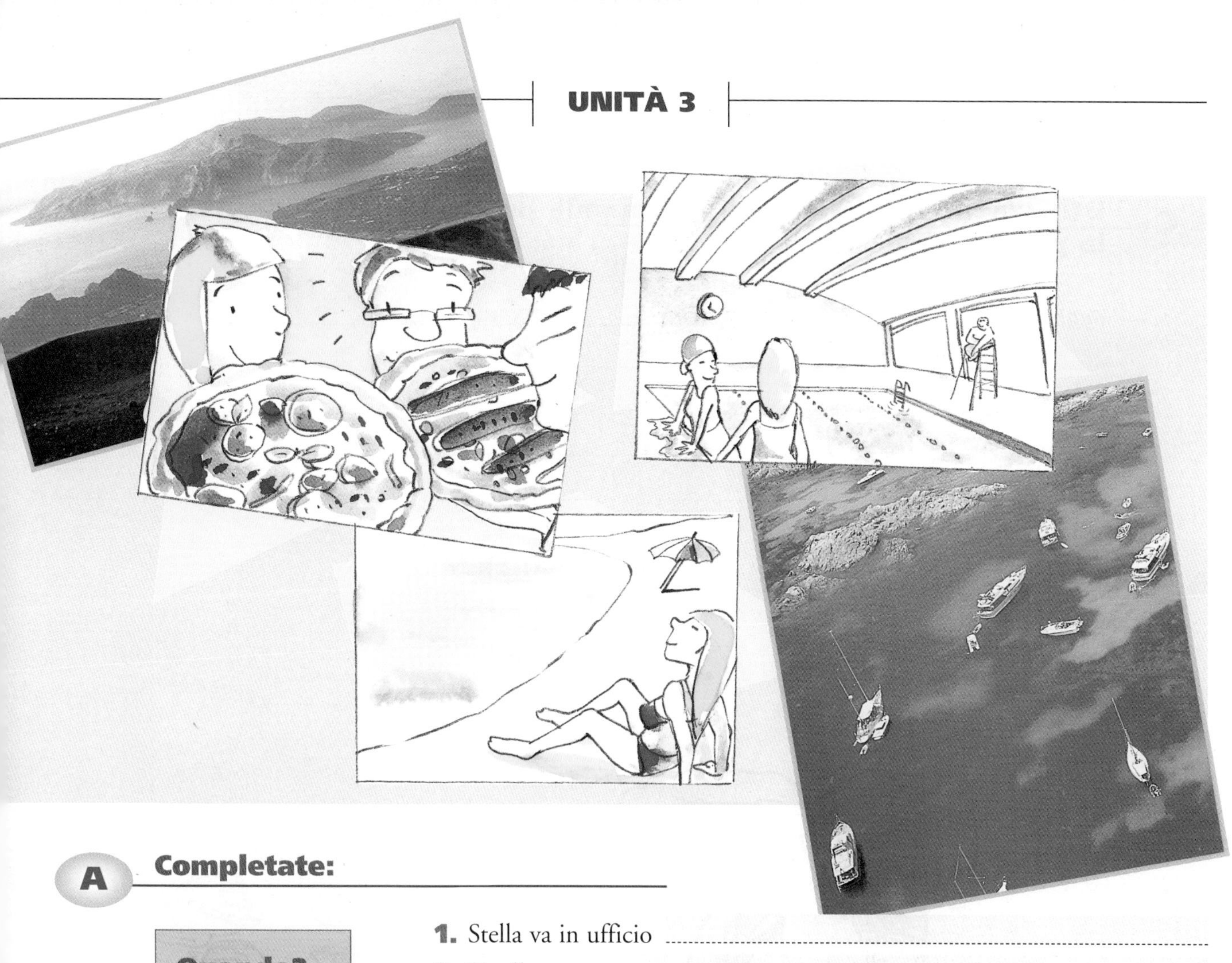

A **Completate:**

Quandо?

1. Stella va in ufficio ....
2. Va alla mensa ....
3. Resta in ufficio ....
4. Va in piscina ....
5. Va a letto ....

B **Rispondete alle domande:**

1. Che giorno è oggi? ....
2. Perché Stella è molto stanca? ....
3. A che ora va in ufficio? ....
4. A che ora va alla mensa? ....
5. Che cosa fa dopo pranzo? ....
6. Fino a che ora resta in ufficio? ....
7. Che cosa fa dopo il lavoro? ....
8. Quando va in piscina? ....
9. Con chi ci va? ....
10. Dove mangia di solito la sera? ....
11. Con chi va in pizzeria? ....
12. A che ora va a letto? ....
13. Quando parte per il mare? ....
14. Dove va? ....
15. Che cosa fa Marco? ....

C **Utilizzando le risposte alle domande precedenti, ricostruite la pagina di diario:**

Oggi è lunedì. Stella è molto stanca perché ....

....

....

....

....

....

....

....

ANDARE

- Ciao, Paolo, dove vai?
- Vado **in** banca e poi devo andare **alla** posta. E tu, Claudia, dove vai?
- Vado **al** supermercato, devo fare la spesa, poi vado **in** farmacia.

Paolo va **in** banca e poi va **alla** posta.
Claudia va **al** supermercato e poi va **in** farmacia.

- Buongiorno, dottor Donnini, dove va?
- Vado **all'**aeroporto, parto **per** Madrid. E Lei, signor Rossi, va **in** ufficio?
- No, vado **alla** stazione, devo andare **a** Firenze.

Il dottor Donnini va **all'**aeroporto.
Il signor Rossi va **alla** stazione.

- Ragazzi, andate **in** piscina?
- No, andiamo **al** cinema e poi, dopo il film, andiamo **al** ristorante.

I ragazzi vanno **al** cinema e poi, dopo il film, vanno **al** ristorante.

Rispondete secondo il modello:

Dove andate? *Andiamo all'ospedale.*

1. Dove andate?

2. Dove vai?

3. Dove va Sandro?

TAXI

4. Dove va Claudia?

5. Dove vanno i ragazzi?

6. Dove va Ernesto?

7. Dove andate?

8. Dove va David?

TEATRO

9. Dove vanno le tue amiche?

10. Dove vai?

VENIRE

- Hans, tu sei tedesco?
- Sì, sono tedesco, vengo **da** Amburgo.
- Anche Dieter è tedesco?
- No, lui è austriaco, viene **da** Vienna.

- Rafael, **da** dove vieni?
- **Dal** Brasile, anche le mie amiche sono brasiliane, vengono **da** San Paolo.
- E voi venite **dall'**Inghilterra?
- Sì, veniamo **da** Londra.

Rispondete alle domande:

1. Da dove vieni? — Praga

2. Da dove viene Andreas? — Berlino

3. Da dove venite? — Grecia

4. Da dove vengono i tuoi amici? — Olanda

5. Da dove vieni? — Svizzera

6. Da dove viene Helga? — Belgio

7. Da dove venite? — Inghilterra

8. Da dove vengono le tue amiche? — Oslo

9. E tu da dove vieni?

Guardate le foto e chiedete al vostro compagno:

– dove va – quando – perché

USCIRE

■ Che fai stasera, esci? ■ No, resto a casa.	■ A che ora escono i tuoi amici dall'Università? ■ Oggi escono all'una.	■ Con chi uscite stasera? ■ Io esco da solo. Anna esce con sua sorella.

Completate:

■ .... tardi dall'ufficio stasera?

■ No, ... alle 17.

■ .... o restiamo a casa?

■ È una bella giornata, ...!

■ Sono stanca di studiare, ...

■ Con chi .... ?

■ .... con Andrea, andiamo al cinema.

Riflessione grammaticale

ANDARE		
(io) vado (tu) vai (lui, lei) va (noi) andiamo (voi) andate (loro) vanno	a	Parigi, Milano, lezione, teatro, casa, letto, mangiare, studiare, lavorare
	al	cinema, ristorante, bar, mare
	alla	mensa, posta, stazione
	all'	Università
	in	Francia, Grecia, centro, ufficio, farmacia, montagna, biblioteca
	da	Gianni, mio fratello
	dal	professore, giornalaio, dottore, parrucchiere
	dalla	professoressa, dottoressa

VENIRE		
(io) vengo	**da**	Parigi, Monaco, Sidney, Los Angeles
(tu) vieni	**dalla**	Cina, Svizzera, Polonia, Spagna
(lui, lei) viene	**dal**	Brasile, Marocco, Giappone, Portogallo
(noi) veniamo	**dall'**	Italia, Olanda, Australia, Inghilterra
(voi) venite	**dall'**	Iran, Egitto, Equador
(loro) vengono	**dagli**	Stati Uniti, Emirati Arabi

USCIRE	
(io) esco (tu) esci (lui, lei) esce (noi) usciamo (voi) uscite (loro) escono	**dalla** stanza
	per comprare il giornale
	ogni sera **con** gli amici

PARTIRE				
(io) parto	**da**	Napoli	**per**	Milano Roma Parigi

PARTIRE				
(io) parto (tu) parti (lui, lei) parte (noi) partiamo (voi) partite (loro) partono	**per**	Roma Parigi Atene, New York	**in** **con il**	treno
			in **con la**	nave
		la Francia il Giappone gli Stati Uniti	**in** **con l'**	aereo, autobus
			in **con l'**	automobile

I MESI DELL'ANNO			
Quando parti?	Parto	**nel mese di** **in**	gennaio / febbraio / marzo / aprile / maggio / giugno / luglio / agosto / settembre / ottobre / novembre / dicembre

DOVERE

Completate secondo l'esempio:

Lunedì 3 dicembre devo andare alla posta per pagare la bolletta del telefono.

1. ....

2. ....

3. ....

4. ....

5. ....

6. ....

7. ....

DICEMBRE

SAGITTARIO 23/11 - 21/12 mese XII giorni 31

1 SAB	s. Eligio	
2 DOM	I d'Avvento	
3 LUN	s. Francesco	Posta - ore 10.30 bolletta del telefono (49)
4 MAR	s. Giovanni	
5 MER	s. Giulio	
6 GIO	s. Nicola	
7 VEN	s. Ambrogio	Dentista - ore 11
8 SAB	Immac. Concez.	
9 DOM	II d'Avvento	
10 LUN	N.S. di Loreto	(50)
11 MAR	s. Damaso	
12 MER	s. Giovanna	Meccanico - ore 18 motorino
13 GIO	s. Lucia	
14 VEN	s. Giovanni	
15 SAB	s. Valeriano	Paolo ore 21 festa di compleanno
16 DOM	III d'Avvento	
17 LUN	s. Lazzaro	Banca - appuntamento con direttore - ore 9 (51)
18 MAR	s. Graziano	
19 MER	s. Fausta	
20 GIO	s. Macario	Medico ore 9 visita di controllo
21 VEN	s. Pietro	
22 SAB	s. Francesca	
23 DOM	IV d'Avvento	
24 LUN	s. Delfino	(52)
25 MAR	Natività N.S.	
26 MER	s. Stefano	
27 GIO	s. Giovanni	
28 VEN	ss. Innoc. Martiri	
29 SAB	s. Tommaso	Silvana e Franco cena - ore 20
30 DOM	s. Eugenio	
31 LUN	s. Silvestro	Signori Nannini cenone fine anno

Come si dice?

Modi di formulare un invito, accettare un invito, rifiutare un invito, esprimere incertezza, dubbio

Stella: Marco, **vieni** al mare con me domenica mattina?
Marco: **Non so, non sono sicuro**: forse devo andare a Roma con i miei genitori.

Stella: Patrizia, **andiamo** in piscina giovedì sera?
Patrizia: **Sì, volentieri**, ho voglia di nuotare.

Stella: Direttore, **vuole** venire in pizzeria con noi stasera?
Direttore: **Mi dispiace, non posso**, devo lavorare fino a tardi.

Formulare, accettare, rifiutare un invito, esprimere incertezza, dubbio

FORMULARE UN INVITO
Vieni ....?
Viene ....?
Andiamo ....?
Vuoi / Vuole venire ....?

ACCETTARE UN INVITO
Sì, volentieri.
Certo, è una buona idea.
Perché no?

RIFIUTARE UN INVITO
Mi dispiace, non posso.
No, non ho voglia.
No, grazie, ho da fare.

ESPRIMERE INCERTEZZA, DUBBIO
Non so, non sono sicuro.
Forse...
Può darsi...

A Rispondete agli inviti:

accettate l'invito:

- Ragazzi, facciamo due passi in centro?

....

- Elisabetta, vuoi venire a prendere un gelato?

....

rifiutate l'invito:

- Mauro, perché non facciamo un giro in macchina?

....

non siete sicuri di accettare l'invito:

- Marco, andiamo al mare, domenica?

....

- Anna, vieni a sciare con noi?

....

- Direttore, vuole venire in pizzeria con noi?

....

Chiedete a un amico se vuole venire con voi:

- al bar
- in montagna
- al cinema
- in discoteca

Chiedete a un signore/una signora se vuole venire con voi:

- a teatro
- a prendere un caffè
- al concerto
- al ristorante

Scrivete un dialogo tenendo conto delle indicazioni che seguono:

Massimo invita Susanna e Paola a giocare a tennis; Susanna accetta e Paola rifiuta.

Massimo: ....

Susanna: ....

Paola: ....

Massimo: ....

2 Al bar

Lino: Guido... che cosa prendi?
Guido: Un caffè e una pasta.
Lino: E tu Clara? Preferisci un cappuccino o un caffè?
Clara: Preferisco un cappuccino.
Guido: Non mangi niente?
Clara: No, grazie, di solito non mangio la mattina.

Lino: Allora, un caffè, una pasta e un cappuccino.
Barista: E per Lei?
Lino: Per me un succo di frutta e un cornetto.

A Completate:

Guido prende ....

Clara prende ....

Lino prende ....

B Completate il dialogo con le battute mancanti:

Francesco: ....

Andrea: Un cappuccino e una pasta.

Francesco: E Lei, professore, ...

Il professore: ....

C Completate i dialoghi con le battute mancanti:

Siete al bar. Chiedete al vostro compagno che cosa prende. Fate l'ordinazione al cameriere per il vostro compagno e per voi:

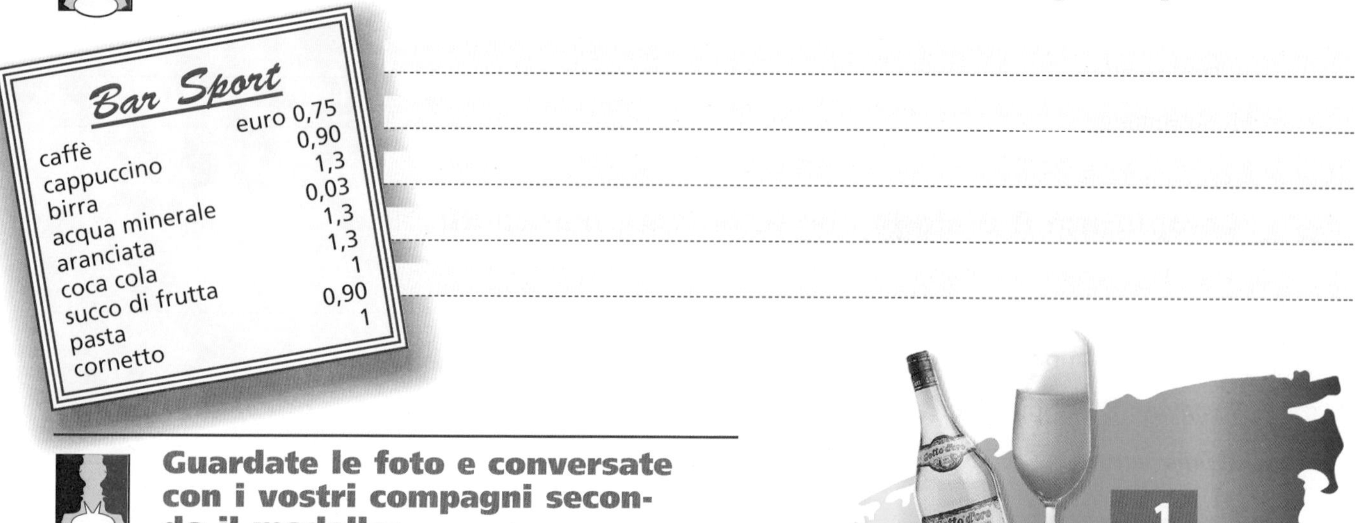

Guardate le foto e conversate con i vostri compagni secondo il modello:

- Preferisci il vino o la birra?
- Preferisco la birra, e tu?
- Anch'io.
- Io, invece, preferisco il vino.

	PREFERIRE		
Che cosa prendi, un caffè o un tè?	(io)	Prefer**isco**	un caffè
	(tu)	Prefer**isci**	un caffè o un tè?
Che cosa prende Paolo (Maria), una birra o un tè?	(lui, lei)	Prefer**isce**	un tè
Volete uscire o stare a casa?	(noi)	Prefer**iamo**	stare a casa stasera
	(voi)	Prefer**ite**	viaggiare in treno o in macchina?
Vogliono ascoltare la musica classica o la musica leggera?	(loro)	Prefer**iscono**	ascoltare la musica classica

LE STAGIONI DELL'ANNO		
Quale stagione preferisci?	Preferisco	**la primavera** **l'estate** **l'autunno** **l'inverno**

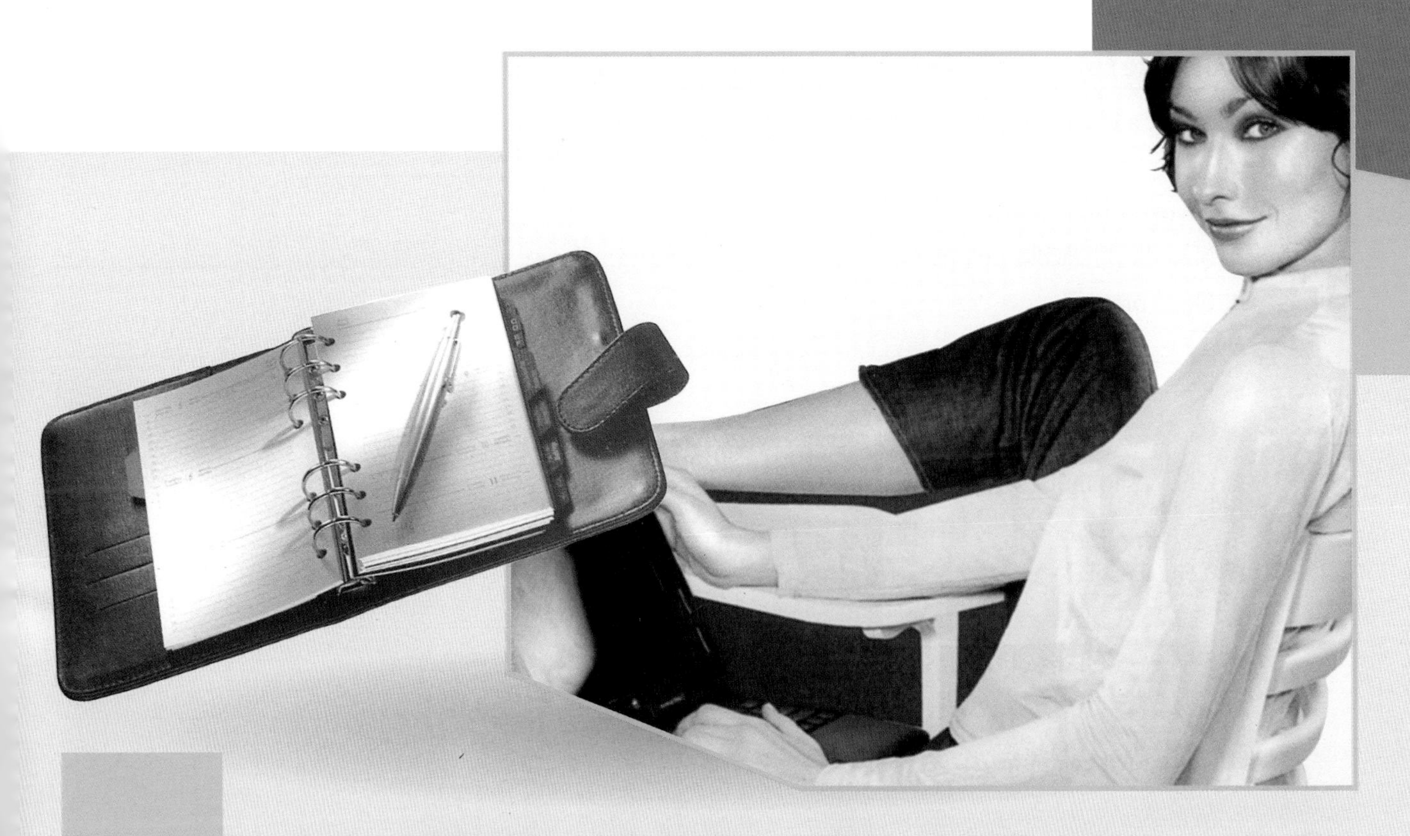

3 La giornata di Stella

ore 8.00	ufficio
ore 11.00	pausa - caffè
ore 13.00	mensa - pranzo - colleghi
ore 14.00	ufficio
ore 17.00	casa - doccia - spuntino
ore 18.00	spesa
ore 19.00	palestra - ginnastica
ore 21.00	casa - Marco - cena - TV - musica - libro

A Completate il racconto:

Tutte le mattine Stella va in ufficio alle 8 e comincia a lavorare. Dopo tre ore fa una pausa, va al bar e prende un caffè.

All'una va ....

Dopo un'ora ....

Stella finisce di lavorare ....

Dopo il lavoro ....

Verso le 19 Stella ....

Poi ....

B Completate il dialogo tra Stella e un amico:

■ Stella, a che ora cominci a lavorare?
■ ....
■ Lavori tutta la mattina?
■ No, alle 11 faccio una pausa ....
■ Dove pranzi?
■ ....
■ Fino a che ora lavori?
■ ....
■ Che cosa fai dopo il lavoro?
■ ....
■ Ceni da sola?
■ ....
■ Che cosa fai di solito dopo cena?
■ ....

FARE

C Osservate le foto e scegliete, fra le espressioni che seguono, quella relativa a ogni foto:

Che fanno?

fare la valigia – fare una fotografia – fare il bagno – fare le ore piccole – fare la doccia – fare una passeggiata – fare colazione – fare un viaggio

1

....

2

....

3

....

4

....

5

6

7

8

Chiedete al vostro compagno:

- Dove fai colazione?
- Dove e con chi pranzi?
- Dove ceni?
- Che cosa fai la mattina?
- Che cosa fai il pomeriggio?
- Che cosa fai dopo cena?

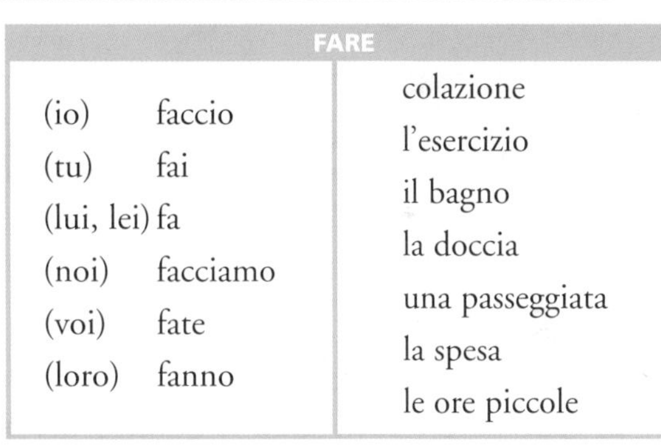

FARE		
(io)	faccio	colazione
(tu)	fai	l'esercizio
(lui, lei)	fa	il bagno
(noi)	facciamo	la doccia
(voi)	fate	una passeggiata
(loro)	fanno	la spesa
		le ore piccole

Scrivete una lettera a un amico/un'amica e raccontate le vostre abitudini:

15 marzo, ore 22

Caro/a ....

sono a ....

Voglio raccontarti che cosa faccio ogni giorno: la mattina ....

....

Dopo pranzo ....

....

Il pomeriggio ....

....

Dopo cena ....

....

Ciao ....

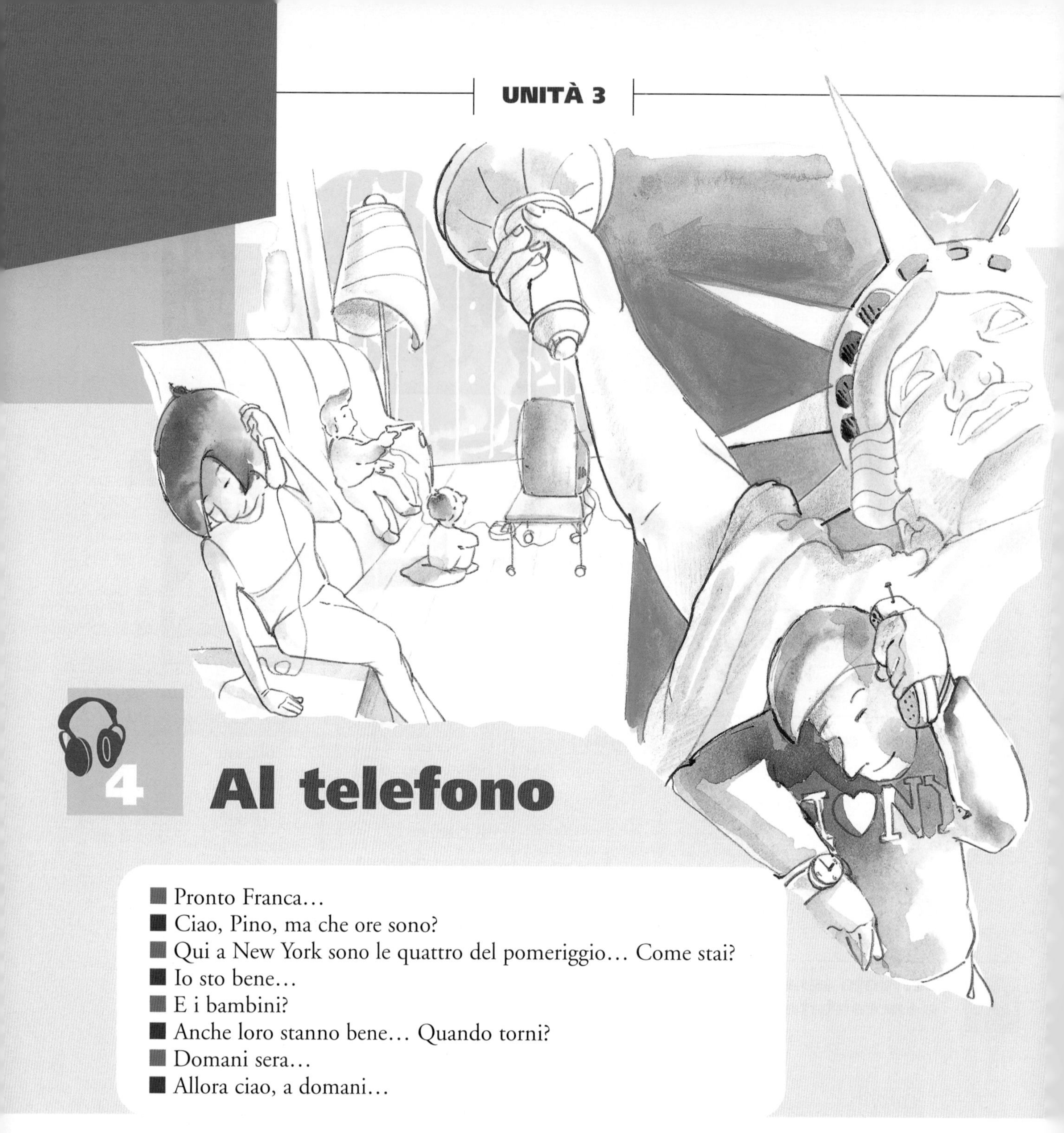

4 Al telefono

- Pronto Franca...
- Ciao, Pino, ma che ore sono?
- Qui a New York sono le quattro del pomeriggio... Come stai?
- Io sto bene...
- E i bambini?
- Anche loro stanno bene... Quando torni?
- Domani sera...
- Allora ciao, a domani...

A Rispondete alle domande:

1. Dov'è Pino? ....
2. Che ore sono a New York? ....
3. Quando torna Pino? ....
4. Che cosa fa Franca? ....
5. Come stanno Franca e i bambini? ....

- Pronto, sono Giuseppe Mari, c'è il dottor Roggi?
- Sono io, signor Mari, come sta?
- Non c'è male, grazie, e Lei?
- Abbastanza bene, grazie.
- È in ufficio tutto il pomeriggio?
- Eh sì, ho molto lavoro...
- Allora verso le 18 vengo in ufficio, ho un pacco per Lei.

B Rispondete alle domande:

1. Dov'è il dottor Roggi? ....
2. Perché resta in ufficio tutto il pomeriggio? ....

C Completate i dialoghi:

1. ■ Ciao Teresa, come ....?
   ■ Bene, e tu?
   ■ Anch'io ....

2. ■ Buongiorno, professore, ...?
   ■ Non c'è male, grazie.
   ■ È in ufficio il pomeriggio?
   ■ ....

<table>
<tr><th colspan="6">STARE</th></tr>
<tr><td rowspan="6">Come</td><td rowspan="3">stai?</td><td>Bene, grazie</td><td>(io)</td><td>sto</td><td rowspan="2">bene</td></tr>
<tr><td>Non c'è male</td><td>(tu)</td><td>stai</td></tr>
<tr><td>Benino</td><td>(lui, lei)</td><td>sta</td><td>male</td></tr>
<tr><td rowspan="3">sta?</td><td>Abbastanza bene</td><td>(noi)</td><td>stiamo</td><td>a casa il pomeriggio</td></tr>
<tr><td rowspan="2">Non molto bene</td><td>(voi)</td><td>state</td><td rowspan="2">con i bambini tutto il giorno</td></tr>
<tr><td>(loro)</td><td>stanno</td></tr>
</table>

1.
- Vuoi una fetta di torta?
- No, grazie.

2.
- Vuoi rimanere a cena da noi?
- Grazie, volentieri...

3.
- Esci stasera?
- No, sono stanco, voglio andare a letto presto.

1. Offrite a Diego una birra.

....

2. Invitate Diego a guardare la TV con voi.

....

3. Dite che cosa **volete** fare stasera.

....

DOVERE

1.
- Claudio, vieni in piscina con noi?
- No, devo studiare.

1. Dite che cosa **dovete** fare stasera.

....

1.
- Posso entrare?
- Prego... avanti!

2.
- Puoi chiudere la finestra per favore?
- Sì, certo...

1. **Chiedete** a Diego il **permesso** di fumare.

----

2. **Dite** a Diego di **chiudere** la porta.

Riflessione grammaticale

VOLERE		
(io)	voglio	un caffè
(tu)	vuoi	un gelato
(lui, lei)	vuole	
(noi)	vogliamo	parlare italiano
(voi)	volete	fare un giro in macchina
(loro)	vogliono	

DOVERE		
(io)	devo	partire presto
(tu)	devi	preparare un esame
(lui, lei)	deve	lavorare fino a tardi
(noi)	dobbiamo	
(voi)	dovete	
(loro)	devono	

POTERE		
(io)	posso	restare un po'? / fare una domanda?
(tu)	puoi	chiudere la finestra?
(lui, lei)	può	aspettare un momento? / ripetere per favore?
(noi)	possiamo	entrare?
(voi)	potete	parlare più piano?
(loro)	possono	capire la lingua italiana

Civiltà

Andiamo al bar

Dite qual è il bar ideale per ciascuna esigenza:

Franco: «Vado al bar per passare un po' di tempo, per mangiare un dolce speciale in un ambiente speciale».

Vittorio: «Vado al bar per incontrare gli amici, bere una birra, mangiare un buon dolce in un ambiente giovane e simpatico».

Sandro: «Vado al bar per prendere un po' d'aria, chiacchierare e guardare la gente che passa».

Mario: «Vado al bar dopo cena per incontrare gli amici, giocare a carte e bere un bicchiere di vino».

Giulia: «Vado al bar per fare una pausa: prendo un cappuccino e un cornetto e do uno sguardo al giornale».

Roma, da Panattoni in Viale Trastevere

Venezia, Harry's Dolci alla Giudecca

Roma,
Bar del Mattatoio

Roma,
Bar Rosati in Piazza del Popolo

Milano,
Tapa Kitchen'n'Bar

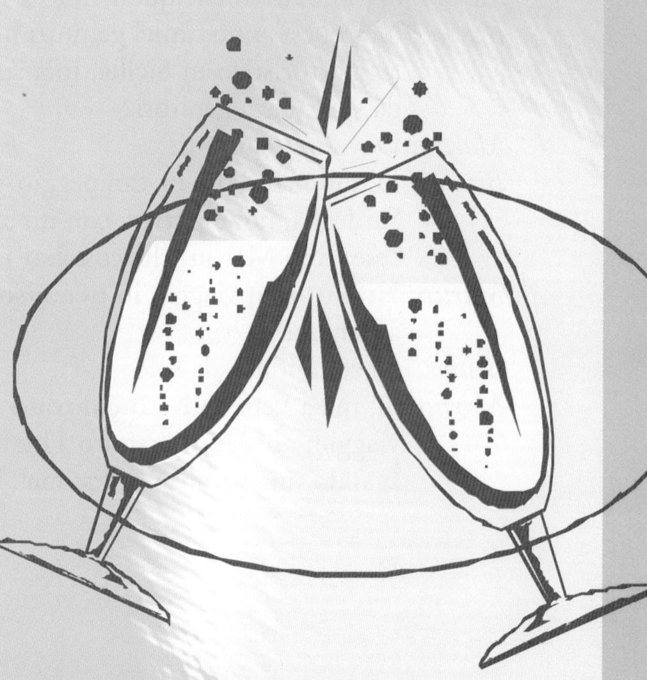

UNITÀ 4

1 In vacanza

Martin: Ciao, Bruno... Quando **sei tornato** dalle vacanze?
Bruno: **Sono tornato** due giorni fa.
Martin: **Sei andato** anche quest'anno a Riccione?
Bruno: No, quest'anno i miei genitori **hanno preso** in affitto un miniappartamento in un villaggio turistico in Sicilia; mia sorella Lucia e io **abbiamo fatto** le vacanze finalmente da soli, senza genitori.
Martin: Dove **siete andati**?
Bruno: Io **sono andato** in campeggio all'Isola d'Elba e Lucia **ha passato** una settimana in Sardegna, poi **è partita** con un amico per Parigi dove **ha frequentato** un corso di francese. E tu Martin, che cosa **hai fatto** di bello durante l'estate?
Martin: **Ho fatto** un viaggio in treno: **sono partito** da Milano il primo agosto e **sono andato** a Venezia.
Bruno: Ci **sei andato** da solo?
Martin: Sì, ma a Venezia **ho incontrato** un gruppo di amici e insieme **abbiamo continuato** il viaggio; **abbiamo visitato** Firenze e Roma e **siamo tornati** a Milano il sedici agosto. **È stata** una vacanza bellissima!

A Collegate i nomi con i luoghi di vacanza:

Bruno	Venezia, Firenze, Roma
Lucia	Isola d'Elba
I genitori di Bruno e Lucia	Sardegna, Parigi
Martin	Sicilia

B Rispondete alle domande:

1. Dove è andato Bruno in vacanza? ....
2. E Lucia che cosa ha fatto durante le vacanze? ....
3. E i genitori di Bruno e Lucia? ....
4. Dove è andato Martin durante l'estate? ....
5. Con chi ci è andato? ....
6. Con che cosa ci è andato? ....
7. Quanto tempo è stato in vacanza? ....

C Utilizzando le risposte alle domande precedenti, completate:

Durante l'estate Bruno ....

....

Lucia ....

....

I genitori di Bruno e Lucia ....

....

Martin ....

....

VISITARE	
Ho visitato	Venezia l'Italia il Duomo di Firenze il Museo archeologico

PASSARE		
Ho passato	le vacanze	al mare in montagna
	tutto il pomeriggio	a casa in biblioteca
	il fine settimana	in campagna

D Leggete le cartoline e scrivete l'ultima:

Firenze, Cupola di Santa Maria del Fiore

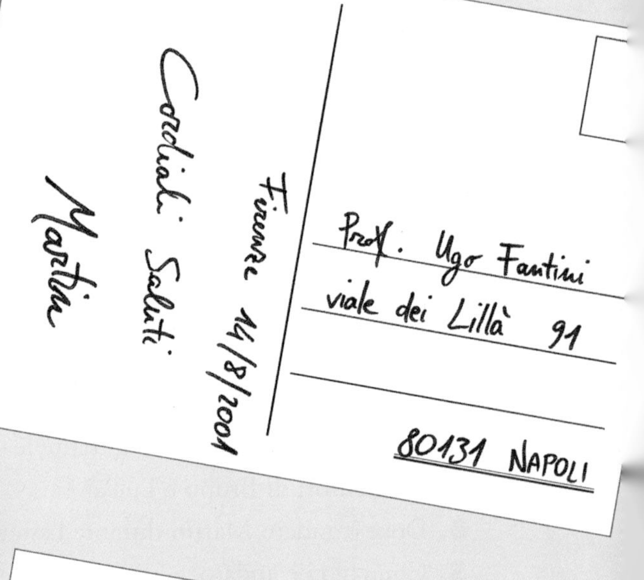

Firenze 14/8/2001
Cordiali Saluti
Martina
Prof. Ugo Fantini
viale dei Lillà 91
80131 NAPOLI

Sicilia, la costa di Cefalù

Sicilia, Calavà
3/8/01

Un abbraccio
e a presto
mamma
Lucia papà

Per
Bruno Innocenti
Via A. Manzoni, 1
20121 MILANO

Roma, Castel Sant'Angelo

L'estate scorsa...

- Ho passato le vacanze al mare.
- Ho fatto un viaggio all'estero.
- Ho frequentato un corso di tedesco a Heidelberg.
- Abbiamo fatto un giro in Europa.
- Abbiamo visitato l'Europa dell'Est.
- Ho cambiato casa.
- Ho lavorato.
- Ho viaggiato per l'Europa.

- Sono andato in montagna.
- Sono tornata, come ogni anno, a Riccione.
- Siamo state a Madrid.
- Siamo andati in Sicilia.
- Sono rimasto in città, perché sono venuti i miei amici da New York.
- Sono andata in campagna, in Toscana.

Completate:

Due anni fa...

1. (Io - *passare*) .... l'estate in città.

2. (Noi - *fare*) .... un giro in Sicilia.

3. (Tu - *frequentare*) .... un corso di spagnolo a Santander?

4. (Io - *cambiare*) .... lavoro.

5. (Voi - *viaggiare*) .... all'estero tutta l'estate?

6. Giorgio (*visitare*) .... Mosca.

7. I genitori di Arturo (*fare*) .... un viaggio in Africa.

8. Elena (*lavorare*) .... in un'agenzia di viaggi.

9. (Io - *andare*) .... in Grecia.

10. Roberto (*tornare*) .... in Italia.

11. Paolo e io (*stare*) .... a Mosca due settimane.

12. (Tu - *andare*) .... in vacanza?

13. (Voi - *rimanere*) .... in città durante l'estate?

14. Anna (*andare*) .... in Portogallo per quattro settimane.

Enrico: Ciao, quando sei tornato dalle vacanze?
Martin: Sono arrivato pochi minuti fa.
Enrico: Dove sei stato?
Martin: Ho viaggiato per l'Italia. Adesso ti racconto...

1 agosto
Milano, ore 16.30 - Venezia, ore 19.

2-6 agosto.
Venezia: Piazza San Marco, il Palazzo Ducale, il Ponte dei Sospiri.

7 agosto
Venezia, ore 5 - Firenze, ore 11.
Giro per la città: il Duomo, il Battistero, il Campanile di Giotto, Piazza della Signoria.

8-11 agosto
Firenze: Galleria degli Uffizi e spese nei negozi del centro.

12-15 agosto
Roma. Giro per la città: il Colosseo, Piazza di Spagna, il Vaticano, spese in centro.

16 agosto
Roma, ore 6 - Milano, ore 12.

A Completate con le domande o con le risposte:

■ A che ora sei partito da Milano?
■ ....
■ Che cosa hai visitato a Venezia?

■ ....
■ A che ora sei arrivato a Firenze?
■ ....

■ Quanto tempo sei stato a Firenze?
■ Dopo, dove sei andato?
■ ....
■ Che cosa hai fatto a Roma?

■ ....

■ ....
■ Sono arrivato a Venezia alle 19.
■ ....
....
■ Sono partito alle 5.
■ ....
■ Ho fatto un giro per la città, ho visitato il Duomo, il Battistero, il Campanile di Giotto, Piazza della Signoria, la Galleria degli Uffizi e ho fatto spese nei negozi del centro.
■ ....
■ ....
■ Ci sono stato tre giorni.
■ ....
....
■ Sono tornato a Milano il sedici agosto.

B Completate il racconto:

Martin è partito da Milano il primo agosto alle 16.30 ed è arrivato a Venezia alle 19 ....
....
....
....
....

Riflessione grammaticale

<table>
<tr><td rowspan="4">(io) ho
(tu) hai
(lui, lei) ha
(noi) abbiamo
(voi) avete
(loro) hanno</td><td>parlato</td><td>italiano
inglese
francese
tedesco
spagnolo</td><td>con</td><td>il professore
la signorina
gli studenti</td></tr>
<tr><td>ripetuto</td><td>l'esercizio
la lezione</td><td></td><td>d'italiano</td></tr>
<tr><td rowspan="2">capito</td><td>la domanda
la lezione</td><td></td><td>dello studente
del professore</td></tr>
<tr><td>che cosa ha detto</td><td></td><td>la signorina
la professoressa</td></tr>
</table>

<table>
<tr><td rowspan="3">(io) sono
(tu) sei
(lui, lei) è</td><td rowspan="3">arrivato/a</td><td rowspan="7">in Italia</td><td>poco
pochi minuti
un'ora
due ore</td><td>fa</td></tr>
<tr><td colspan="2">ieri
l'altro ieri
tre giorni fa</td></tr>
<tr><td>una settimana
due settimane</td><td>fa</td></tr>
<tr><td rowspan="4">(noi) siamo
(voi) siete
(loro) sono</td><td rowspan="4">arrivati/e</td><td>un mese
alcuni mesi</td><td>fa</td></tr>
<tr><td>un anno
due anni</td><td>fa</td></tr>
<tr><td>la settimana</td><td>scorsa
passata</td></tr>
<tr><td>il mese
l'anno</td><td>scorso
passato</td></tr>
</table>

<table>
<tr><th colspan="3">AVERE</th></tr>
<tr><td>(io) ho
(tu) hai
(lui, lei) ha
(noi) abbiamo
(voi) avete
(loro) hanno</td><td>avuto</td><td>paura
mal di testa / denti
la febbre
l'influenza</td></tr>
</table>

<table>
<tr><th colspan="4">ESSERE</th></tr>
<tr><td rowspan="3">(io) sono
(tu) sei
(lui, lei) è
(noi) siamo
(voi) siete
(loro) sono</td><td rowspan="2">stato/a</td><td>bene
male</td><td>in Italia</td></tr>
<tr><td>a</td><td>scuola
casa
letto   fino a tardi</td></tr>
<tr><td>stati/e</td><td>in biblioteca
dal dottore</td><td></td></tr>
</table>

2 Alla stazione

■ Vorrei un biglietto per Napoli, per favore!
■ Solo andata o andata e ritorno?
■ Andata e ritorno. Quant'è?
■ 33 (trentatré) euro.
■ Scusi, da quale binario parte il treno per Napoli?
■ Dal binario numero 2.

A Completate il dialogo con le battute mancanti:

■ Vorrei ....
■ Solo andata?
■ No, ...
.... ?
■ 26,20 euro (ventisei euro e venti centesimi).
■ A che ora ....
■ Alle 10,30.
■ ....
■ Dal primo binario.

B **Completate i dialoghi con le battute mancanti:**

Osservate l'orario degli autobus in partenza e in arrivo:

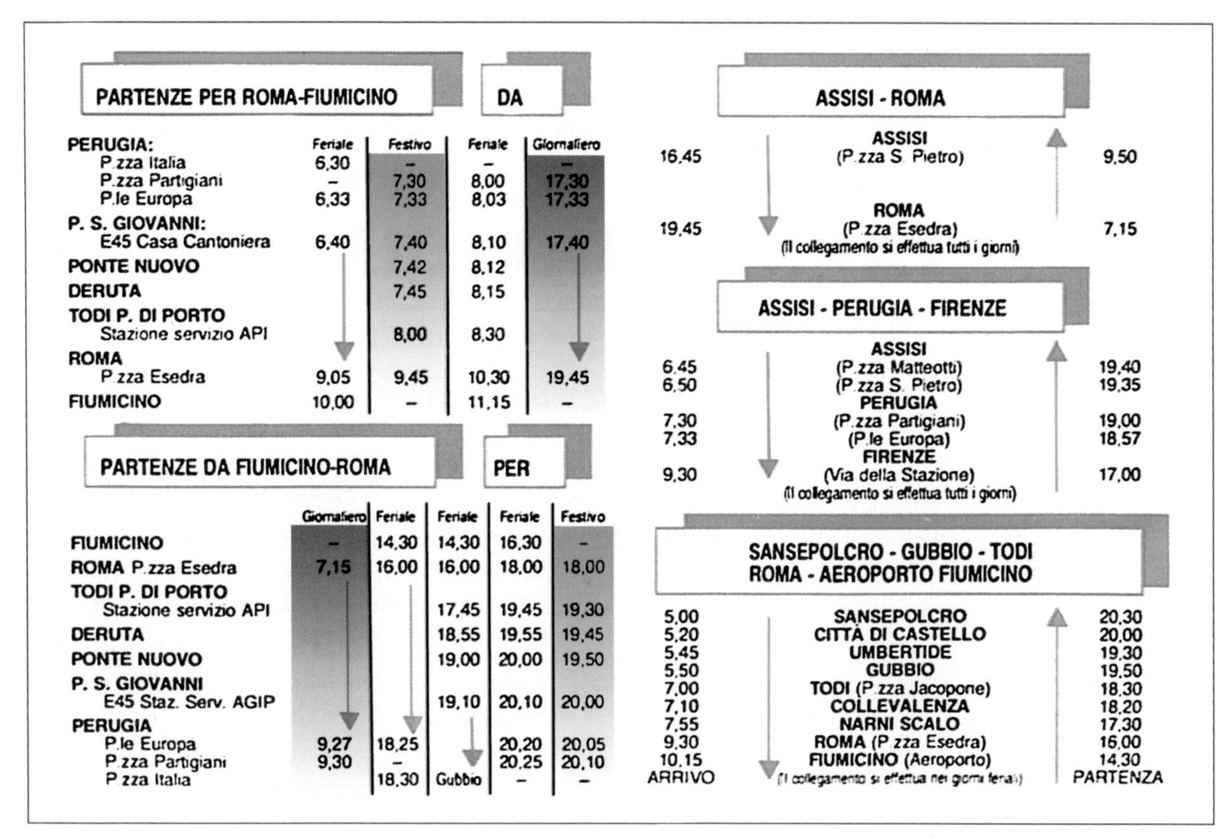

PARTENZE PER ROMA-FIUMICINO | **DA**

	Feriale	Festivo	Feriale	Giornaliero
PERUGIA:				
P.zza Italia	6,30	–	–	–
P.zza Partigiani	–	7,30	8,00	17,30
P.le Europa	6,33	7,33	8,03	17,33
P. S. GIOVANNI:				
E45 Casa Cantoniera	6,40	7,40	8,10	17,40
PONTE NUOVO	↓	7,42	8,12	↓
DERUTA		7,45	8,15	
TODI P. DI PORTO				
Stazione servizio API		8,00	8,30	
ROMA				
P.zza Esedra	9,05	9,45	10,30	19,45
FIUMICINO	10,00	–	11,15	–

PARTENZE DA FIUMICINO-ROMA | **PER**

	Giornaliero	Feriale	Feriale	Feriale	Festivo
FIUMICINO	–	14,30	14,30	16,30	–
ROMA P.zza Esedra	7,15	16,00	16,00	18,00	18,00
TODI P. DI PORTO Stazione servizio API	↓	↓	17,45	19,45	19,30
DERUTA			18,55	19,55	19,45
PONTE NUOVO			19,00	20,00	19,50
P. S. GIOVANNI E45 Staz. Serv. AGIP			19,10	20,10	20,00
PERUGIA					
P.le Europa	9,27	18,25	↓	20,20	20,05
P.zza Partigiani	9,30	–		20,25	20,10
P.zza Italia		18,30	Gubbio	–	–

ASSISI - ROMA

↓		↑
16,45	**ASSISI** (P.zza S. Pietro)	9,50
19,45	**ROMA** (P.zza Esedra)	7,15

(Il collegamento si effettua tutti i giorni)

ASSISI - PERUGIA - FIRENZE

↓		↑
	ASSISI	
6,45	(P.zza Matteotti)	19,40
6,50	(P.zza S. Pietro)	19,35
	PERUGIA	
7,30	(P.zza Partigiani)	19,00
7,33	(P.le Europa)	18,57
	FIRENZE	
9,30	(Via della Stazione)	17,00

(Il collegamento si effettua tutti i giorni)

SANSEPOLCRO - GUBBIO - TODI ROMA - AEROPORTO FIUMICINO

↓		↑
5,00	**SANSEPOLCRO**	20,30
5,20	**CITTÀ DI CASTELLO**	20,00
5,45	**UMBERTIDE**	19,30
5,50	**GUBBIO**	19,50
7,00	**TODI** (P.zza Jacopone)	18,30
7,10	**COLLEVALENZA**	18,20
7,55	**NARNI SCALO**	17,30
9,30	**ROMA** (P.zza Esedra)	16,00
10,15	**FIUMICINO** (Aeroporto)	14,30
ARRIVO	(Il collegamento si effettua nei giorni feriali)	PARTENZA

Chiedete ora al vostro compagno:

- a che ora parte l'autobus da ....
- da dove parte ....
- a che ora arriva a ....
- dove arriva ....

I numeri

100	cento
200	duecento
300	trecento
450	quattrocentocinquanta
780	settecentottanta
900	novecento
1.000	mille
1.500	millecinquecento
2.000	duemila
3.000	tremila

10.000	diecimila
20.000	ventimila
25.000	venticinquemila
50.000	cinquantamila
100.000	centomila

1.000.000	un milione
2.000.000	due milioni
3.000.000	tre milioni

1.000	mille	
2.000	due	mila
5.000	cinque	
10.000	dieci	
150.000	centocinquanta	

Chiedete al vostro compagno:

– Quanto costa il volo da Roma a ....

Con le nuove offerte, voli ancora più sicuri ed economici

ALITALIA: PER TUTTA L'EUROPA

TARIFFE INVIDIABILI

da ROMA

- **154 euro** *Barcellona*
- **181 euro** *Atene*
- **206 euro** *Marsiglia, Lione, Francoforte, Vienna, Madrid*
- **233 euro** *Londra, Manchester, Parigi, Berlino, Stoccarda, Dusseldorf, Norimberga, Colonia, Malaga, Valencia, Amsterdam, Bruxelles, Dublino, Varsavia, Ginevra, Zurigo*
- **258 euro** *Amburgo, Lisbona, Copenaghen, Budapest, Praga, Istanbul, Ankara*
- **310 euro** *Oslo, Stoccolma*

Alitalia

Da Roma tariffe speciali per tutte le città europee.

Quanto	**costa**	il biglietto di andata e ritorno per Napoli?	Costa 33 euro
	costano	due biglietti per Parigi?	Costano 466 euro

Come si dice?

Modi di chiedere di raccontare, raccontare

Madre: Paolo, ma sai che ore sono? Sono le quattro... **Che cosa è successo**?

Paolo: Sta' tranquilla... non è successo niente di grave...

Madre: E allora perché torni a quest'ora?

Paolo: Beh... adesso ti spiego. Ieri sera sono uscito... ti ricordi... verso le nove, sono andato in centro, **poi** davanti al Duomo, come al solito, ho incontrato gli amici...

Madre: Sì... sì... **e allora**?

Paolo: Abbiamo fatto quattro chiacchiere e **dopo un po'** siamo andati a cena in pizzeria... Abbiamo cenato, **poi** siamo andati in discoteca... Abbiamo ballato... Abbiamo incontrato un sacco di gente...

Madre: **E poi**?

Paolo: **E poi** verso le due... siamo usciti... e siamo saliti in macchina per tornare a casa, ma il problema è che... siamo saliti in otto...

Madre: Otto ragazzi in una macchina?

Paolo: Sì... otto... la polizia ci ha fermato, ha controllato i documenti di tutti e **alla fine** ci ha fatto una bella multa...

CHIEDERE DI RACCONTARE
Che cosa è successo? Che cosa hai fatto?

RACCONTARE
Prima... Allora... Poi... Dopo un po'... E così... Alla fine...

A **Ascoltate il testo di pagina 83 e mettete in ordine i disegni.**

1. *a* 2. 3. 4. 5. 6. 7. 8.

B **Guardate i disegni dell'esercizio precedente e raccontate la storia utilizzando i verbi che seguono:**

uscire – chiacchierare – cenare – fare – incontrare – ballare – salire – fermare

Leggete il testo e completate il dialogo con le battute mancanti:

Francesco è nato a Milano. A 8 anni, con la sua famiglia, ha cambiato città, è andato a vivere a Roma, dove ha frequentato la scuola. A 18 anni Francesco ha deciso di partire per l'Inghilterra: per due anni ha lavorato come cameriere in un pub a Londra e ha imparato la lingua inglese. Poi è tornato a Roma, ha frequentato l'Università, ha preso la laurea in Lingue e Letterature straniere. Non ha trovato subito un buon lavoro: prima ha dato lezioni private d'inglese, poi ha fatto la guida turistica, alla fine ha trovato lavoro in un'agenzia di viaggi di Milano, la città dove è nato: è molto soddisfatto perché guadagna abbastanza bene e perché può anche viaggiare molto.

■ Francesco, dove sei nato?
■ ....
■ Sei rimasto sempre a Milano?
■ ....
■ Che cosa hai fatto a diciott'anni?
■ ....
■ Che cosa hai fatto a Londra?
■ ....
■ Per quanto tempo sei rimasto in Inghilterra?
■ ....
■ Che cosa hai fatto quando sei tornato a Roma?
■ ....
■ Dopo la laurea, che cosa hai fatto?
■ ....
■ Che lavoro hai trovato a Milano?
■ ....
■ Sei soddisfatto del tuo lavoro?
■ ....
■ Perché?
■ ....

Chiedete al vostro compagno notizie sulla sua vita:

- Dove sei nato?
- Sei rimasto sempre nella tua città?
- Che studi hai fatto?
- Hai frequentato l'Università?
- Che lavori hai fatto?
- Adesso lavori?
- Sei contento del tuo lavoro?

Riflessione grammaticale

Vai Vieni	**al bar?** **a Roma** con me?
Sei Stai Resti Rimani	**a casa** stasera?
Sei andato	**al cinema** ieri sera?

CI		
Sì, **ci**	vado dopo la lezione vengo volentieri	
	sono sto resto rimango	fino alle 19
	sono andato	

ENTRARE		
(io) sono (tu) sei (lui, lei) è	entrat**o/a**	nella stanza in biblioteca / casa / chiesa a scuola alle nove in punto
(noi) siamo (voi) siete (loro) sono	entrat**i/e**	

USCIRE		
(io) sono (tu) sei (lui, lei) è	uscit**o/a**	dalla classe dal bar / cinema dall'Università dalla casa di Sandro di casa
(noi) siamo (voi) siete (loro) sono	uscit**i/e**	

FINIRE		
Ho finito		l'esercizio i soldi le sigarette la benzina il lavoro in poco tempo
	di	lavorare all'una scrivere una lettera leggere il libro mangiare

COMINCIARE		
Ho cominciato		un nuovo lavoro
	a	studiare l'italiano leggere il libro lavorare alle sette

Che cosa è successo nel mondo nel secolo scorso?

A *Completate con i verbi indicati sotto:*

essere – cadere – andare – nascere – amare – scoppiare – rappresentare – fare

.... il muro di Berlino.

A Chernobyl c' .... un grande disastro nucleare.

.... l'Europa.

.... sulla Luna.

Che cosa è successo nel mondo nel secolo scorso?

I ragazzi di tutto il mondo ....
le canzoni dei Beatles.

Marylin Monroe ....
il mito della femminilità.

.... in Giappone
la bomba nucleare.

Christian Barnard ....
il primo trapianto di cuore.

Che cosa è successo in Italia nel secolo scorso?

B *Completate con i verbi indicati sotto:*

ferire – vincere – nascere

Nel 1948 ____________________
la Repubblica italiana.

Nel 1982 l'Italia ____________________
i mondiali di calcio.

Un terrorista ____________________
gravemente papa Wojtyla.

Rita Levi Montalcini ____________________
il premio Nobel della medicina.

C **Che cosa è successo nel tuo paese?**

Sintesi grammaticale

PASSATO PROSSIMO		
presente di **avere** o **essere**	+	*participio passato*

PARTICIPIO PASSATO	
verbi in -are ⟶	**ato**
verbi in -ere ⟶	**uto**
verbi in -ire ⟶	**ito**

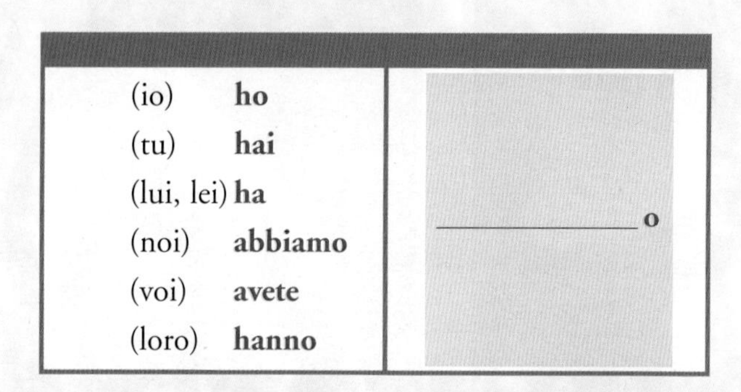

(io) **ho** (tu) **hai** (lui, lei) **ha** (noi) **abbiamo** (voi) **avete** (loro) **hanno**	________ **o**

(io) **sono** (tu) **sei** (lui, lei) **è**	________ **o/a**
(noi) **siamo** (voi) **siete** (loro) **sono**	________ **i/e**

ALTRE FORME DI PARTICIPIO PASSATO			
accendere ⟶	acceso	leggere ⟶	letto
chiudere ⟶	chiuso	scrivere ⟶	scritto
perdere ⟶	perso (perduto)	chiedere ⟶	chiesto
prendere ⟶	preso	rimanere ⟶	rimasto
spendere ⟶	speso	rispondere ⟶	risposto
mettere ⟶	messo	vedere ⟶	visto
correggere ⟶	corretto	spegnere ⟶	spento
dire ⟶	detto	aprire ⟶	aperto
fare ⟶	fatto	venire ⟶	venuto

In vacanza in Italia

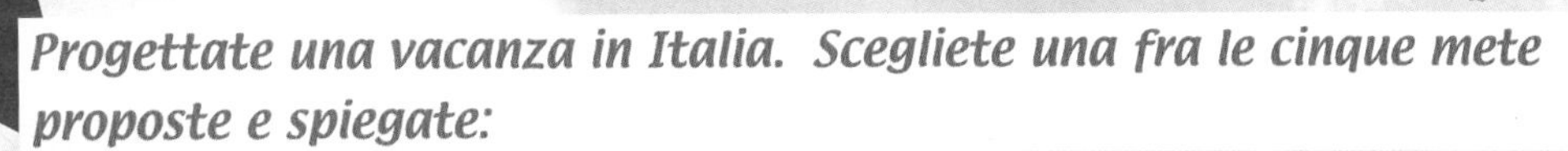

Progettate una vacanza in Italia. Scegliete una fra le cinque mete proposte e spiegate:

- perché | volete andarci
- quando | volete andarci
- con chi | volete andarci
- che cosa volete fare durante la vacanza

1

Molti turisti italiani e stranieri passano le vacanze sulle spiagge dell'Adriatico. Qui possono fare lunghe passeggiate, possono mangiare pesce fresco e divertirsi nelle discoteche più famose d'Italia.

2

Ogni anno aumentano le persone che passano le vacanze in campagna: qui è possibile fare lunghe passeggiate nei boschi, andare a cavallo, fare giri in bicicletta e fermarsi in una delle tante aziende agrituristiche.

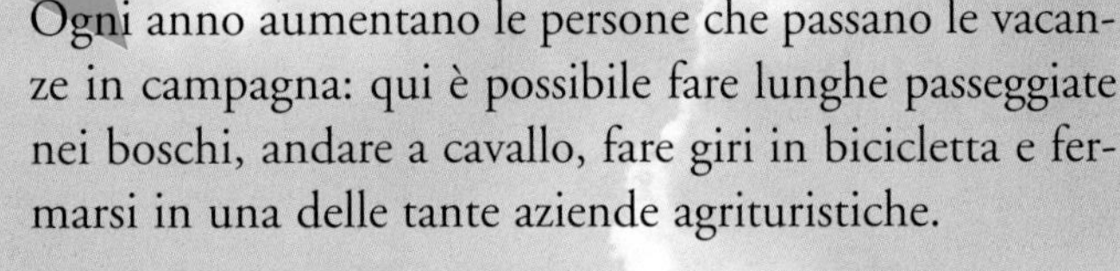

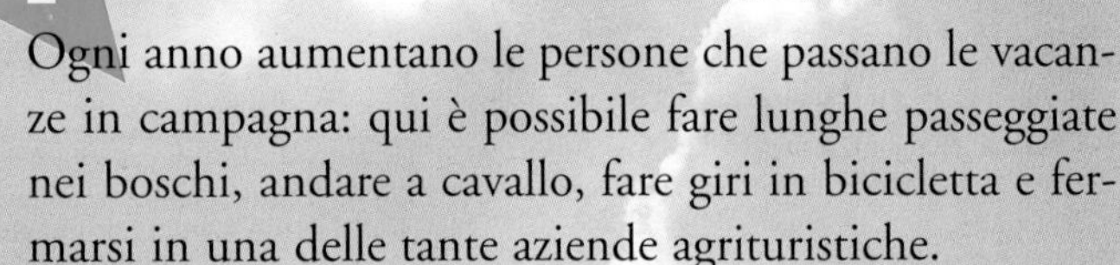

3

Le isole italiane sono il luogo ideale per chi ama il sole e il mare pulito, per chi ama nuotare, pescare, fare pesca subacquea, andare in barca e fare wind-surf.

4

Tutte le città d'arte sono il luogo di vacanza ideale per moltissimi turisti che vogliono visitare musei, mostre, monumenti, passeggiare nelle vie antiche delle città, fare fotografie e... comprare souvenir.

5

In estate e in inverno molte persone passano le vacanze in montagna: possono sciare, fare trekking, passeggiare nei boschi e stare a contatto con la natura.

1 Che confusione!

- Che confusione! Che disordine! Di chi è questo maglione? Michele, è **il tuo**?
- Sì, è **il mio**.
- E le calze sotto il letto? Sono **le tue**?
- No, le calze sono di Adriano... anche i guanti sono **i suoi**.
- E questa camicia? Di chi è? È **la tua**?
- Sì, è **la mia**.

A Completate:

.... sono di Michele.

.... sono di Adriano.

B Guardate le immagini e completate:

Di chi è...? Di chi sono...?

1. .... è il mio.
2. .... è la mia.
3. .... sono le mie.
4. .... sono i miei.
5. .... è la mia.
6. .... sono i miei.

1. .... è la mia.
2. .... è il mio.
3. .... sono le mie.
4. .... sono i miei.
5. .... è la mia.
6. .... è la mia.

C Leggete le frasi e completate:

Questa è la mia camicia. Questo è il mio maglione. Queste sono le mie calze. Questi sono i miei guanti.	.... io	La mia camicia è bianca. .... maglione è nero. .... calze sono marroni. .... guanti sono verdi.
Maria, questa è la tua gonna? Maria, questo è il tuo golf? Maria, queste sono le tue scarpe? Maria, questi sono i tuoi pantaloni?	.... tu	.... gonna è di seta? .... golf è di lana? .... scarpe sono di pelle? .... pantaloni sono di cotone?
Questa è la nostra casa. Questo è il nostro giardino. Questi sono i nostri vicini. Queste sono le nostre nuove biciclette.	.... noi	.... casa è piccola. .... giardino è grande. .... vicini sono simpatici. .... biciclette sono nuove.

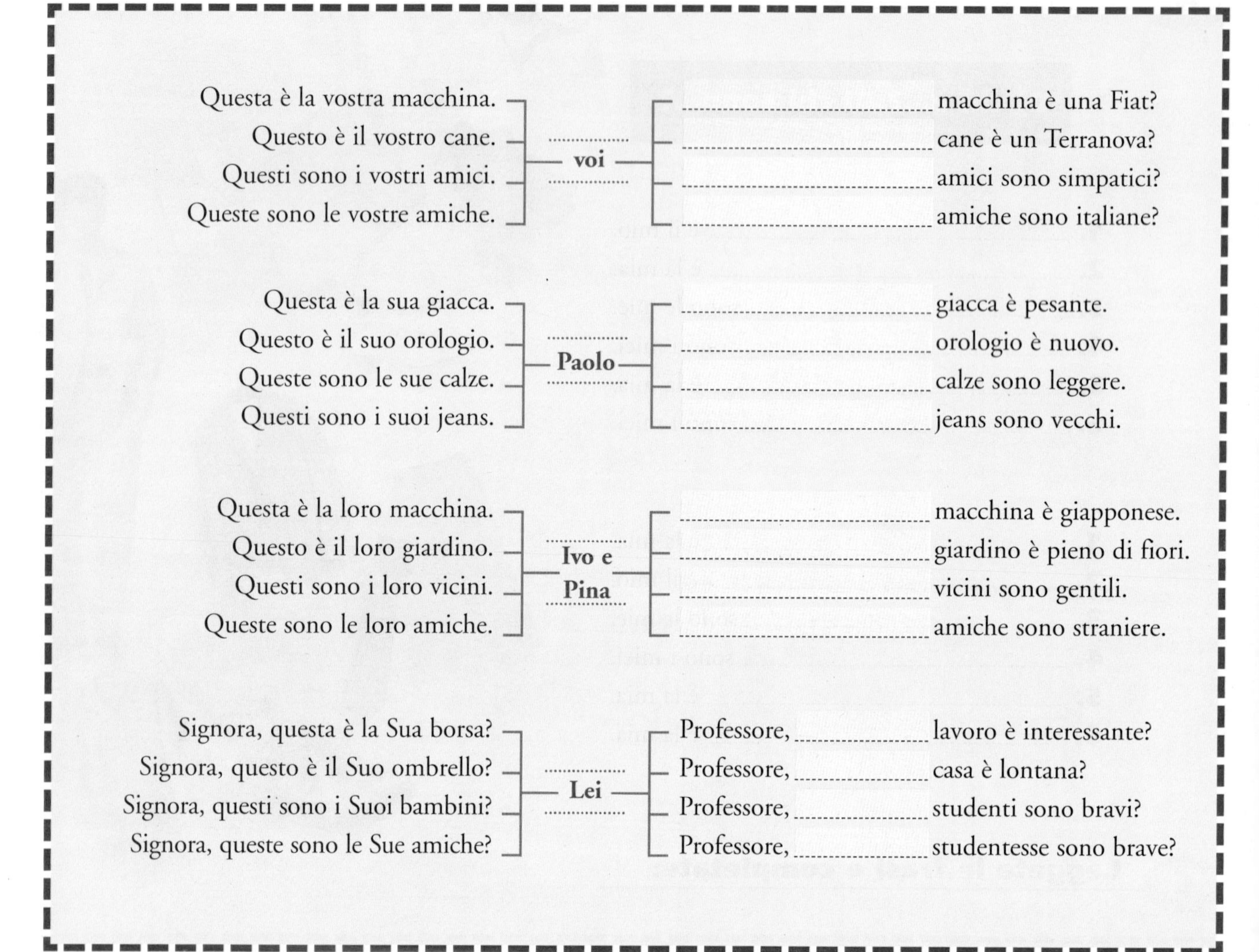

Questa è la vostra macchina. / Questo è il vostro cane. / Questi sono i vostri amici. / Queste sono le vostre amiche. — voi —
.... macchina è una Fiat?
.... cane è un Terranova?
.... amici sono simpatici?
.... amiche sono italiane?

Questa è la sua giacca. / Questo è il suo orologio. / Queste sono le sue calze. / Questi sono i suoi jeans. — Paolo —
.... giacca è pesante.
.... orologio è nuovo.
.... calze sono leggere.
.... jeans sono vecchi.

Questa è la loro macchina. / Questo è il loro giardino. / Questi sono i loro vicini. / Queste sono le loro amiche. — Ivo e Pina —
.... macchina è giapponese.
.... giardino è pieno di fiori.
.... vicini sono gentili.
.... amiche sono straniere.

Signora, questa è la Sua borsa? / Signora, questo è il Suo ombrello? / Signora, questi sono i Suoi bambini? / Signora, queste sono le Sue amiche? — Lei —
Professore, ... lavoro è interessante?
Professore, ... casa è lontana?
Professore, ... studenti sono bravi?
Professore, ... studentesse sono brave?

Riflessione grammaticale

Di chi	è	questo cappotto?
		questa giacca?
	sono	questi guanti?
		queste camicie?

È	(il) mio
	(la) mia
Sono	(i) miei
	(le) mie

Osservate le immagini, dite di chi sono, secondo voi, gli oggetti raffigurati sotto e spiegate perché:

In un negozio di abbigliamento

Vorrei vedere un vestito nero, molto elegante; avete un vestito di seta lungo e leggero?

A Completate utilizzando le indicazioni che seguono:

paio di pantaloni – giacca – paio di scarpe – maglione – rosso – verde – marrone – grigio – pelle – cotone – lana – pesante – sportivo – largo – moderno – lungo – corto – stretto

– Vorrei vedere una ....
– Avete ....?

– Vorrei vedere un ....
– Avete ....?

– Vorrei vedere un ....
– Avete ....?

– Vorrei vedere un ....
– Avete ....?

Un paio Due paia	di	pantaloni jeans scarpe stivali calze guanti

B Collegate gli aggettivi di significato contrario secondo l'esempio:

vecchio →	pesante
leggero	sportivo
lungo	**nuovo**
stretto	corto
elegante	antipatico
simpatico	grande
piccolo	vuoto
pieno	largo

2 La famiglia di Giuseppina

Cara Katherine, *Perugia, 8 gennaio*

mi chiamo Giuseppina Storti, ho venti anni e frequento il primo anno di Lingue all'Università. Ho studiato l'inglese a scuola per otto anni, ma non lo parlo molto bene, perciò vorrei venire in Inghilterra per tre mesi e vivere in una famiglia. Raffaella, la ragazza che hai conosciuto l'estate scorsa in Sardegna, mi ha detto che tu desideri imparare bene l'italiano. Se vuoi, possiamo fare uno scambio di ospitalità.

A Perugia c'è l'Università per Stranieri, dove puoi fare un corso di lingua, e in casa potrai parlare italiano con noi. Vivo con la mia famiglia in un appartamento vicino alla stazione; siamo cinque persone: mio padre, 48 anni, lavora in banca; mia madre, 45 anni, è insegnante; mio fratello, 10 anni, va a scuola e mia nonna lavora in casa.

Abbiamo anche un gatto: Romeo.

Ti mando una nostra foto e aspetto una tua risposta.

A presto
Giuseppina

A Completate con le informazioni presenti nel testo:

Giuseppina Storti	
Età:	Padre: ....
Studi:	Madre: ....
Conoscenza inglese:	Fratello: ....
Abitazione:	Altri: ....
Persone della famiglia:	Animali: ....

B Completate il racconto:

Giuseppina Storti ha venti anni e frequenta il primo anno di ....

....

....

....

C Leggete le seguenti informazioni:

Nome: Katherine Hobbs
Età: 21 anni
Studi: frequenta il secondo anno di Sociologia
Conoscenza dell'italiano: ha studiato per cinque anni in una scuola privata e per due anni all'Università
Abitazione: una villetta a 18 km da Londra
Persone della famiglia: quattro
Padre: 50 anni, avvocato
Madre: 50 anni, psicologa
Altri: una sorella, Tina, 19 anni, studia in una scuola di moda
Animali: un cane Terranova, Fritz

Scrivete, usando le informazioni appena lette, la lettera di risposta di Katherine a Giuseppina:

Londra, 19 gennaio

Cara Giuseppina,
ho ricevuto ieri la tua lettera e ti rispondo subito. Ho 21 anni ......

D Guardate la foto sopra e completate il dialogo:

■ Chi è questo signore?
■ ...... padre.
■ Che cosa fa?
■ ...... impiegato.
■ E questa signora?
■ ......
■ ......?
■ ...... Maria.
■ ......?
■ ...... casalinga.
■ E la bambina?
■ ...... sorella.
■ ......?
■ ...... Francesca.
■ E l'altro bambino?
■ ...... fratello, si chiama Claudio.

Chiedete al vostro compagno:

- quante persone ci sono nella sua famiglia
- il nome, la professione, l'età di ogni persona
- se in casa c'è qualche animale

Riferite alla classe le informazioni ricevute.

Osservate la fotografia e immaginate che cosa dice la ragazza che descrive all'amica la sua famiglia.

Riflessione grammaticale

il	mio tuo suo nostro vostro loro	maglione orologio cappotto

la	mia tua sua nostra vostra loro	camicia sciarpa amica

i	miei tuoi suoi nostri vostri loro	pantaloni guanti amici fratelli zii nonni

le	mie tue sue nostre vostre loro	scarpe calze amiche zie sorelle nonne

MA:

	mio tuo suo nostro vostro	padre fratello zio cugino nonno
il	loro	nipote

MA:

	mia tua sua nostra vostra	madre sorella zia cugina nonna
la	loro	nipote

Nella camera di	Carla	c'è	il suo cappotto la sua giacca
	Marco	ci sono	i suoi pantaloni le sue camicie

Nella camera di Michele e Adriano	c'è	il loro armadio la loro scrivania
	ci sono	i loro vestiti le loro camicie

Come si dice?

Modi di esprimere gioia, rammarico, disappunto

Che bello! ***Domani cominciano le vacanze!***

- **Che bella giornata!** Finalmente è tornato il sole!
- **Che bella notizia!** Sono contenta che aspetti un bambino.
- **Che fortuna!** Ecco il mio passaporto! Lo cerco da un'ora!

■ Indovina chi arriva stasera!? Arriva Corrado!
■ Davvero? **Che bella sorpresa!**

■ Vogliamo passare il Capodanno in montagna?
■ **Che bella idea!** Sono d'accordo.

Ho finito la benzina. *Accidenti!*

- **Che peccato!** Oggi è l'ultimo giorno di vacanza!
- **Che brutta giornata!** Piove, sono stanco morto e devo lavorare fino alle otto.
- Devi partire subito? **Questa è proprio una brutta notizia!**

■ Vieni al cinema con noi stasera?
■ Non posso... oggi non sto bene.
■ **Peccato!** C'è un bel film al cinema «ARISTON».

ESPRIMERE GIOIA	ESPRIMERE RAMMARICO, DISAPPUNTO
Che bello!	Che peccato!
Che fortuna!	Che brutta notizia!
Che bella idea!	Che brutta giornata!
Che bella notizia!	Peccato!
Che bella giornata!	Accidenti!
Che bella sorpresa!	

A Completate con le esclamazioni che seguono:

Peccato! – Accidenti! – Che fortuna! – Che bello!
Che bella idea! – Che bella notizia! – Accidenti! – Che fortuna!
Peccato! – Accidenti!

1. ....! Domattina potrò dormire fino a tardi!

2. ■ Vieni a pranzo da noi?
■ Mi dispiace, ma oggi devo saltare il pranzo, devo finire un lavoro importante...
■ ....! È tanto tempo che non stiamo un po' insieme!

3. Oggi offro io... ma ....! Ho lasciato il portafogli a casa!

4. ■ Franca, perché non ceniamo fuori in giardino, stasera?
■ ....! Hai proprio ragione!

5. .... ! Non c'è niente in frigorifero! Ho una fame da lupi!

6. .... ! Ho trovato un appartamento proprio vicino all'Università e non è affatto caro!

7. ....! Ho perso le chiavi di casa!

8. Sono arrivato troppo tardi. ....! Sono già andati via tutti!

9. ■ Stasera arrivano Paul e Mary da Boston!
■ ....! Ho voglia di rivederli!

10. ■ Sai che Giovanni ha vinto 50 milioni al Totocalcio?
■ È vero? ....!

Collegate i gesti alle situazioni:

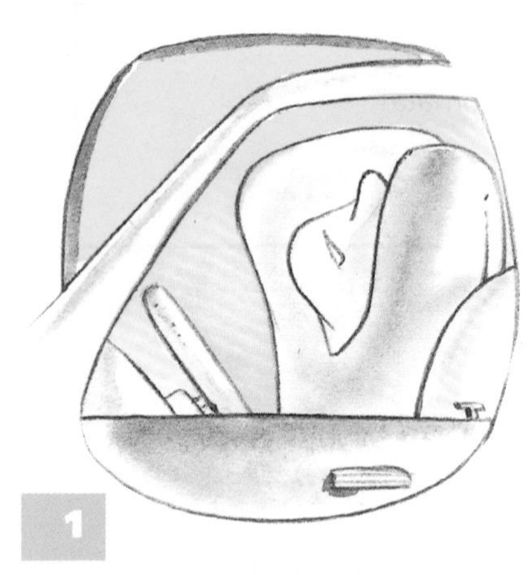

1

«Che bello! Domani finalmente parto per le vacanze!»

2

«La polizia! Accidenti! Ho dimenticato la patente a casa!»

3

«Marta esce con Lucio? Accidenti, volevo invitarla io!»

- Che giorno è oggi?
- È il **primo** novembre.

- Vorrei un biglietto, solo andata, per Firenze!
- Di **prima** o di **seconda** classe?
- Di **seconda**.

- È la **prima** volta che vieni in Italia?
- No, è la **terza** volta! Ci sono già stato per le vacanze.

- Dove abita Stefano?
- Abita al **sesto** piano.

- Hai cambiato la macchina? È nuova?
- No, è di **seconda** mano.

- Hai trovato i biglietti per il teatro?
- Sì, in **quarta** fila.

- Sono felice: oggi è l'**ultimo** giorno di scuola!

- Che cosa prendi, Maria?
- Non prendo il **primo**, perché sono a dieta. Per **secondo** vorrei pollo arrosto e un'insalata mista!

- Non ricordo bene il nome del Papa attuale...
- Si chiama Benedetto **sedicesimo**.

Sintesi grammaticale

PRONOMI E AGGETTIVI POSSESSIVI		
singolare		plurale
il mio la mia	io	i miei le mie
il tuo la tua	tu	i tuoi le tue
il suo la sua	lui, lei	i suoi le sue
il nostro la nostra	noi	i nostri le nostre
il vostro la vostra	voi	i vostri le vostre
il loro la loro	loro	i loro le loro

AGGETTIVI NUMERALI ORDINALI		
primo / a / i / e	undicesimo / a / i / e	
secondo	dodic________	vent________
terzo	tredic________	ventun________
quarto	quattordic________	ventidu________
quinto	quindic________	ventitr________
sesto	sedic________	ventott________
settimo	diciassett________	trent________
ottavo	diciott________	cent________
nono	diciannov________	mill________
decimo		

Civiltà

La vita è più lunga e l'Italia è dei nonni

Eravamo un paese di poeti, santi e navigatori. Stiamo diventando un paese di anziani. L'Italia, infatti, ha il primato di "paese più vecchio del mondo". Oggi le persone con più di 65 anni hanno raggiunto il 20% della popolazione e, secondo gli esperti, nel 2020 la "speranza di vita" raggiungerà i 76 anni per gli uomini e gli 80 per le donne. Non aumentano solo gli anziani ma anche i "grandi vecchi", cioè i centenari. All'inizio del Novecento erano 50 su 30 milioni di italiani; oggi sono più di 5000.

A *Rispondete alle domande:*

1. Perché si dice che "l'Italia è dei nonni"?

....

2. Quanti anni ha oggi il 20% degli Italiani?

....

3. Nel 2020 quale sarà la "speranza di vita" per le donne e gli uomini italiani?

....

4. Chi sono i centenari?

....

5. Quanti ce ne sono oggi in Italia?

....

B *Guardate le fotografie, leggete il breve testo e rispondete alle domande che seguono:*

Andrea Camilleri

Scrittore, è nato a Porto Empedocle in Sicilia nel 1925.

Rita Levi Montalcini

Premio Nobel per la medicina, è nata a Torino nel 1909.

Dario Fo

Attore, autore e regista teatrale, è nato a San Giano in Lombardia nel 1926.

– Conoscete questi tre italiani?
– Nel vostro paese ci sono personaggi famosi molto anziani?
– Conoscete persone molto anziane?

I 112 anni di Antonio il più vecchio del mondo

L'uomo più vecchio del mondo è sardo

E' entrato nel Guinness dei primati per la sua età: 112 anni compiuti a gennaio. Antonio Todde (nella foto) è l'uomo più vecchio del mondo. E' nato il 22 gennaio 1889, l'anno in cui fu terminata la costruzione della Tour Eiffel. Todde vive a Tiana, un paesino di 582 abitanti del Nuorese, in Sardegna. La sua ricetta: «Mangio ogni giorno un po' di carne e bevo un bicchiere di

Antonio Todde ha l'età della Torre Eiffel: 112 anni. Antonio ha sempre fatto il pastore ed è andato in pensione a 90 anni. Al capodanno del Duemila ha detto: «Ho visto il mio terzo secolo, credo che sarà l'ultimo». Ha fatto una vita sana: «Non ho mai fumato, ho soltanto bevuto un bicchiere di vino a pranzo e uno a cena». Per decenni è andato a cavallo con il suo gregge di 150 pecore. La madre è morta a 99 anni, la sorella anche a 99 e la cugina a 100. Oggi Antonio, a 112 anni, passa le sue giornate tranquillamente: fa lunghe passeggiate per il paese, va al bar a fare quattro chiacchiere con gli amici e fa qualche visita in chiesa. È ancora lucidissimo. Quando gli dicono che è l'uomo più vecchio del mondo, si meraviglia: «Io il più vecchio? Forse c'è qualche cinese più vecchio di me!».

C *Completate il dialogo:*

■ Signor Antonio, quanti anni ha?
■ ....

■ È vero che Lei è l'uomo più vecchio del mondo?
■ ....

■ Dove vive?
■ ....

■ Che cosa ha fatto nella Sua vita?
■ ....

■ Come ha fatto ad arrivare a questa età?
■ ....

■ Ci sono state altre persone nella Sua famiglia che hanno vissuto così a lungo?
■ ....

■ A 112 anni, come passa le Sue giornate?
■ ....

UNITÀ 6

Il palazzo dell'Escorial, presso Madrid

1 I progetti di Angelo

Lucca, 30 luglio 2001

Caro Pablo,

ho finito la scuola!
Finalmente sono libero per qualche mese e posso fare progetti per il futuro...
Verrò in Spagna come ho sempre sognato. Partirò fra quindici giorni e starò da te fino al 31 agosto.
A novembre comincerò l'Università, farò odontoiatria a Pisa. Ci sono molti studenti che vogliono frequentare questo corso e c'è il numero chiuso; so che l'esame sarà difficile.
Studierò in Italia, poi andrò negli Stati Uniti per la specializzazione.
Diventerò un dentista bravissimo!
Se avrai mal di denti, potrai venire da me...
E tu? Che farai? Dove studierai? Ci vediamo fra due settimane.

A presto
Angelo

A Completate:

1. Perché sei così felice, Angelo? ....
2. Che cosa farai? ....
3. Quando partirai? ....
4. Quanto tempo starai in Spagna? ....
5. Che cosa farai a novembre? ....
6. Quale corso farai? ....
7. Dove studierai? ....

B Completate secondo l'esempio:

1. Angelo è felice ***perché ha finito la scuola.***
2. Andrà in Spagna ....
3. Partirà ....
4. Starà da Pablo ....
5. Comincerà l'Università ....
6. Farà il corso di odontoiatria ....
7. Sa che l'esame sarà ....
8. Studierà ....
9. Poi andrà ....
10. Diventerà ....

C Completate il racconto:

Angelo è felice perché ....

D Collegate gli aggettivi di significato contrario secondo l'esempio:

felice	brutto
facile	chiuso
aperto	infelice
bello	difficile

AVERE MAL DI...		
Ho	mal di	denti testa gola stomaco

SAPERE	
(io) **so** (tu) **sai** (lui, lei) **sa** (noi) **sappiamo** (voi) **sapete** (loro) **sanno**	il francese molte lingue il numero di telefono di Mauro
	cucinare giocare a tennis *dove* è andata Carla *quando* parte il treno per Firenze *che* l'esame sarà difficile

So **Sono capace di** **Sono bravo/a a**	cucinare giocare a tennis suonare il piano navigare in Internet ballare

CONOSCERE	
(io) **conosco** (tu) **conosci** (lui, lei) **conosce** (noi) **conosciamo** (voi) **conoscete** (loro) **conoscono**	il tedesco tre lingue l'indirizzo di Alessandro
	Francesco Venezia l'Italia abbastanza bene

– Che progetti hai?

Maria: Frequenterò un corso di computer!
Antonello: Leggerò la *Divina Commedia*!
Livio: Partirò per l'Egitto.
Ruggero: Farò un corso di francese!

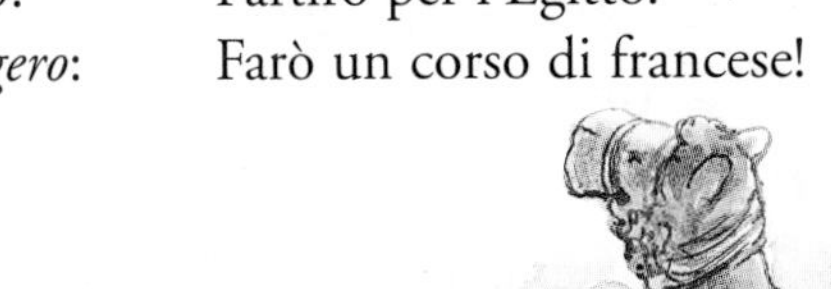

– Che progetti ha...?

Maria frequenterà un corso di computer.
Antonello leggerà la *Divina Commedia*.
Livio partirà per l'Egitto.
Ruggero farà un corso di francese.

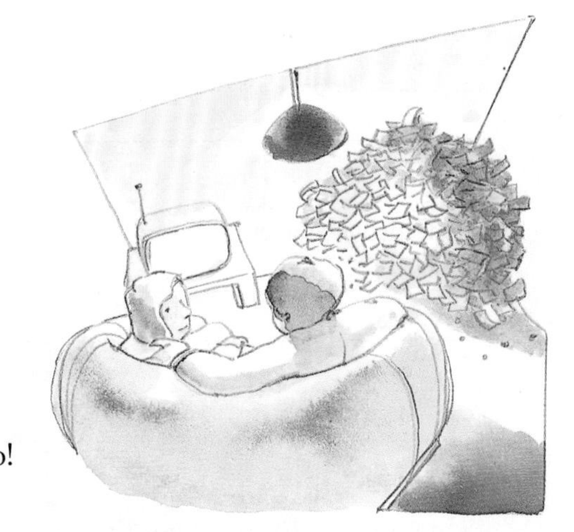

– Che progetti avete?

Rosa e Stella: Studieremo il cinese!
Federico e Simone: Metteremo da parte un po' di soldi!
I signori Migni: Apriremo un negozio di abbigliamento!
I signori Micheli: Andremo alle Maldive!

– Che progetti hanno...?

Rosa e Stella studieranno il cinese.
Federico e Simone metteranno da parte un po' di soldi.
I signori Migni apriranno un negozio di abbigliamento.
I signori Micheli andranno alle Maldive.

– E tu?

■ Lavorerai o continuerai a studiare?
■ Lavorerò.

– E voi?

■ Partirete o resterete in città?
■ Partiremo.

A Rispondete alle domande:

– Che progetti hai?

.... (lavorare per qualche mese)
.... (mettere da parte un po' di soldi)
.... (partire per Praga)
.... (fare un giro per l'Europa)

– Che progetti ha Francesco?

.... (cercare un lavoro)
.... (leggere molti libri)
.... (comprare una nuova casa)
.... (andare al mare)

– Che progetti avete?

.... (cercare una casa in campagna)
.... (prendere le ferie in agosto)
.... (partire per la montagna)
.... (andare sulle Alpi)

– Che progetti hanno i tuoi figli?

.... (frequentare un corso di specializzazione)
.... (prendere una casa in affitto)
.... (partire fra qualche giorno per l'Austria)
.... (fare una gita a Roma)

B Completate con le indicazioni scritte sotto:

1. Fritz Muller fa progetti.

A giugno ....

....

....

....

....

....

....

finire la scuola, frequentare un corso di cucina italiana, viaggiare in molte città italiane, andare in molti ristoranti, tornare nel mio paese, aprire un ristorante italiano, diventare un cuoco famoso

2. Marco Rinaldi fa progetti.

Sabato prossimo ....

....

....

....

....

....

....

andare al mare, fare il bagno, nuotare, prendere il sole, mangiare il pesce al ristorante, giocare a palla sulla spiaggia, tornare a casa

3. Mario Rossi fa progetti.

Da lunedì ....
....
....
....
....
....
....

fare una dieta, smettere di fumare, non bere vino, non fare le ore piccole, mangiare verdure, andare in palestra, fare passeggiate, leggere, frequentare gli amici, guardare meno la TV, avere pazienza con i figli

1. Chiedete al vostro compagno:
- dove andrà il prossimo fine settimana
- con chi e con che cosa ci andrà
- l'ora della partenza
- per quanto tempo rimarrà a...
- che cosa farà a...

2. Chiedete al vostro compagno quali progetti ha per quanto riguarda:
- lo studio
- il lavoro
- la salute
- il luogo dove vivere
- i paesi da visitare

Riferite alla classe le informazioni ricevute.

Scrivete una lettera a un amico/un'amica e parlate dei vostri progetti di studio e di lavoro:

....

Caro/a ....,
sto frequentando un corso di italiano ....
....
....
....
....
....
....
....

A presto ....

Riflessione grammaticale

TELEFONARE			
(io)	telefon**erò**	a	casa
(tu)	telefon**erai**	a	Corrado
(lui, lei)	telefon**erà**	a	Berlino
(noi)	telefon**eremo**	in	Germania
(voi)	telefon**erete**		
(loro)	telefon**eranno**		

LEGGERE		
(io)	legg**erò**	il giornale
(tu)	legg**erai**	la rivista
(lui, lei)	legg**erà**	il libro
(noi)	legg**eremo**	un romanzo giallo
(voi)	legg**erete**	fino a tardi
(loro)	legg**eranno**	fino a mezzanotte
		fino all'una
		fino alle due

PARTIRE		
(io) part**irò** (tu) part**irai** (lui, lei) part**irà** (noi) part**iremo** (voi) part**irete** (loro) part**iranno**	domani dopodomani	
	fra	poco / pochi minuti mezz'ora / due ore una settimana / un mese / un anno qualche giorno / settimana / mese alcuni giorni / mesi alcune settimane
	la settimana l'estate la primavera	prossima
	il mese l'anno l'inverno l'autunno	prossimo

Ieri	mattina / pomeriggio sera / notte	ho studiato ho lavorato
Stamattina		ho studiato ho lavorato

Stamattina / oggi pomeriggio Stasera / stanotte Domattina		studio (studierò) lavoro (lavorerò)
Domani	pomeriggio sera notte	studio (studierò) lavoro (lavorerò)

Completate con le forme del futuro semplice:

Valentina, amore mio, ti (*amare*) .... per tutta la vita, non ti (*lasciare*) .... mai!
Fra un po' di tempo (io - *lavorare*) ...., allora ti (*potere*) .... sposare; (noi - *andare*) .... a vivere in campagna, (*avere*) .... un bambino, (*prendere*) .... un cane e la nostra famiglia (*essere*) .... perfetta! (Noi - *coltivare*) .... un piccolo orto e (*avere*) .... due galline per le uova e una mucca per il latte. Oh, Valentina, la nostra vita .... (*essere*) felice!

Nella mia sfera di cristallo vedo un magnifico futuro!
Lei (*diventare*) .... una ballerina famosa e (*fare*) .... una carriera brillante.
Fra qualche anno (*incontrare*) .... un giovane straniero, che (*essere*) .... il Suo grande amore.
(*Andare*) .... a vivere all'estero, (*sposare*) .... il Suo fidanzato e (*avere*) .... due belle bambine.
E (*continuare*) .... la Sua carriera!

Fa bel tempo ed è caldo

È sereno

Piove

Fa brutto tempo ed è freddo

È nuvoloso

2 Che tempo fa?

Nevica

Tira vento

Osservate le foto e completate i biglietti con il maggior numero di informazioni sul tempo:

Caro Paolo,
a Venezia il tempo ....
....
....
....
A presto ....

Cara Elisabetta,
a Torre dell'Orso il tempo
A presto
Carissimi mamma e papà,
a Cortina il tempo
A presto

Chiedete al vostro compagno com'è il tempo in questo periodo di solito nel suo paese. Riferite alla classe le informazioni ricevute.

Completate secondo l'esempio:

Domani il tempo sarà bello, ci sarà il sole e sarà sicuramente molto caldo. Se finirò di lavorare presto andrò al lago.

Domani il tempo ....
....
....
Starò tutto il pomeriggio in casa.

Durante il fine settimana il tempo ....
....
....
Se avrò tempo, andrò a sciare.

Fare promesse

■ Domani smetterò di fumare. Prometto!

■ La tua pagella è orribile.
■ Da ora in poi studierò di più! Prometto!

Fare previsioni

■ Secondo me, domani tornerà il bel tempo!

■ Tu mangi troppo, ingrasserai!

Fare progetti

■ Tu non sei in forma, secondo me!
■ È vero, non sto bene: farò delle analisi!

■ L'anno prossimo farò un viaggio negli Stati Uniti!

■ Hai già fatto la tesi di laurea?
■ No, non ancora: quando **avrò finito** gli esami, preparerò la tesi.

■ Quando tornerai nel tuo paese?
■ Ci tornerò dopo che **avrò dato** l'esame di lingua italiana.

■ Hai già un lavoro nel tuo paese?
■ No, cercherò un lavoro dopo che **sarò tornato**.

Riflessione grammaticale

Dopo che Quando Appena	**avrò**		uscirò
	avrai	**telefonato** a Pino	uscirai
	avrà	**letto** il giornale	uscirà
	avremo	**scritto** la lettera	usciremo
	avrete	**mangiato**	uscirete
	avranno		usciranno
	sarò	**arrivato/a**	telefonerò
	sarai	**tornato/a** a casa	telefonerai
	sarà	**uscito/a** dal lavoro	telefonerà
	saremo	**arrivati/e**	telefoneremo
	sarete	**tornati/e** a casa	telefonerete
	saranno	**usciti/e** dal lavoro	telefoneranno

Collegate i gesti alle situazioni seguenti:

a.

■ «So che ieri hai dato un esame: come è andato?»

■ «Benissimo: ho preso trenta e lode!»

b.

■ «So che domani hai un esame...: in bocca al lupo!»

■ «Crepi il lupo!»

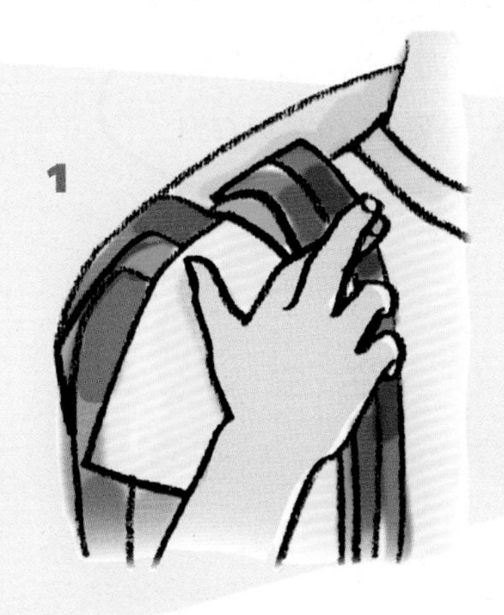

1. ....

2. ....

Come si dice?

Modi di chiamare qualcuno al telefono, modi di rispondere al telefono

Chiamare qualcuno al telefono
Pronto? Sono......... C'è.........?
Posso parlare con......... ?
Parlo con......... ?

Rispondere al telefono
Chi parla?
Sono io.
Sì, un attimo.
No, non c'è.

- **Pronto? Sono** Bianca. **C'è** Marina?
- Ciao, **sono io**.

- Pronto? Casa Frizzi?
- Sì, **chi parla**?
- Sono Elena Marzi, **posso parlare con** Giorgio?
- **Sì, un attimo.**
- Grazie.

- Pronto? **Parlo con** casa Rossi?
- No, qui è lo 02/2345678.
- Scusi, ho sbagliato numero.

A **Completate i dialoghi con le battute mancanti:**

?
NO, ANNA NON È IN CASA.
?
PUÒ RICHIAMARE STASERA, VERSO L'ORA DI CENA.

1. – ....

– Sì, sono io.

2. – ....

– Sì, è la Banca Commerciale.

– ....

– No, mi dispiace, il direttore non c'è in questo momento.

– ....

– Fra un paio d'ore.

3. – Pronto, parlo con casa Bellini?

– ....

– Sono Sara Berni, posso parlare con Carlo?

– ....

– Grazie.

B Osservate la scheda e completate il testo che segue:

– Gli italiani amano molto ....

– Nel 1990 in Italia ....

– Nel 2000 ....

Chiedete al vostro compagno:

- se ha il telefonino
- da quanto tempo ce l'ha
- se lo usa molto
- per che cosa lo usa

Riferite alla classe le informazioni ricevute.

Sintesi grammaticale

FUTURO SEMPLICE		
-are	-ere	-ire
(io) ______ **erò**	(io) ______ **erò**	(io) ______ **irò**
(tu) ______ **erai**	(tu) ______ **erai**	(tu) ______ **irai**
(lui, lei) ______ **erà**	(lui, lei) ______ **erà**	(lui, lei) ______ **irà**
(noi) ______ **eremo**	(noi) ______ **eremo**	(noi) ______ **iremo**
(voi) ______ **erete**	(voi) ______ **erete**	(voi) ______ **irete**
(loro) ______ **eranno**	(loro) ______ **eranno**	(loro) ______ **iranno**

VERBI IN -CARE E IN -GARE	
cercare	→ cercherò
pagare	→ pagherò

VERBI IN -CIARE E IN -GIARE	
cominciare	→ comincerò
mangiare	→ mangerò

Sintesi grammaticale

ALTRE FORME DI FUTURO			
essere → sarò		venire → verrò	
avere → avrò		volere → vorrò	
andare → andrò		tenere → terrò	
dovere → dovrò		tradurre → tradurrò	
potere → potrò		dare → darò	
sapere → saprò		dire → dirò	
vedere → vedrò		fare → farò	
bere → berrò		stare → starò	
rimanere → rimarrò			

FUTURO COMPOSTO (= futuro semplice di ESSERE o AVERE + participio passato)			
(io) **avrò**		(io) **sarò**	
(tu) **avrai**		(tu) **sarai**	______________ **o/a**
(lui, lei) **avrà**	______________ **o**	(lui, lei) **sarà**	
(noi) **avremo**		(noi) **saremo**	
(voi) **avrete**		(voi) **sarete**	______________ **i/e**
(loro) **avranno**		(loro) **saranno**	

PREPOSIZIONI ARTICOLATE

	DI	A	DA	IN	SU	CON	PER	TRA o FRA
IL	del	al	dal	nel	sul	con il (col)	per il	tra il
LO **L'**	dello dell'	allo all'	dallo dall'	nello nell'	sullo sull'	con lo con l'	per lo per l'	tra lo tra l'
LA **L'**	della dell'	alla all'	dalla dall'	nella nell'	sulla sull'	con la con l'	per la per l'	tra la tra l'
I	dei	ai	dai	nei	sui	con i (coi)	per i	tra i
GLI	degli	agli	dagli	negli	sugli	con gli	per gli	tra gli
LE	delle	alle	dalle	nelle	sulle	con le	per le	tra le

Civiltà

Cresce in Italia il numero di ragazzi "mammoni"

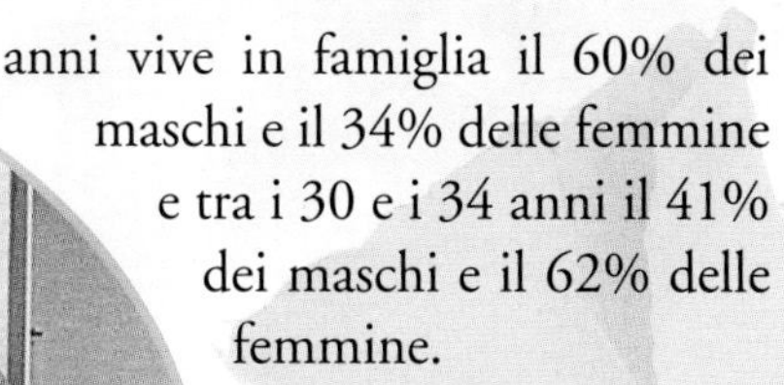

Sempre più giovani italiani restano a casa con mamma e papà fino dopo i trent'anni. Nel nostro paese praticamente nessun ragazzo lascia la famiglia prima dei vent'anni; tra i 20 e i 24 anni vivono con i genitori il 90,4% dei maschi e il 78,1% delle femmine. Tra i 25 e i 29 anni vive in famiglia il 60% dei maschi e il 34% delle femmine e tra i 30 e i 34 anni il 41% dei maschi e il 62% delle femmine.

Questo fenomeno si verifica forse per la mancanza di case, per la difficoltà a trovare presto un lavoro sicuro, ma certamente anche per comodità.

Completate:

- Nel mio paese di solito ....
- Io, per esempio, ...
- In futuro ....
- Secondo me, ...

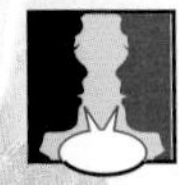

Chiedete al vostro compagno:

- che cosa succede di solito nel suo paese
- la sua esperienza
- la sua opinione

Confrontate le vostre esperienze.

UNITÀ 7

1 L'avventura di due sposi

1

Arturo Massolari lavora in una fabbrica e fa il turno di notte; anche sua moglie Elide è operaia e fa il turno di giorno.
Arturo finisce di lavorare alle sei di mattina, arriva a casa alle sei e mezzo e chiama sua moglie.
Lei **si alza**, lui prepara il caffè.

2

3

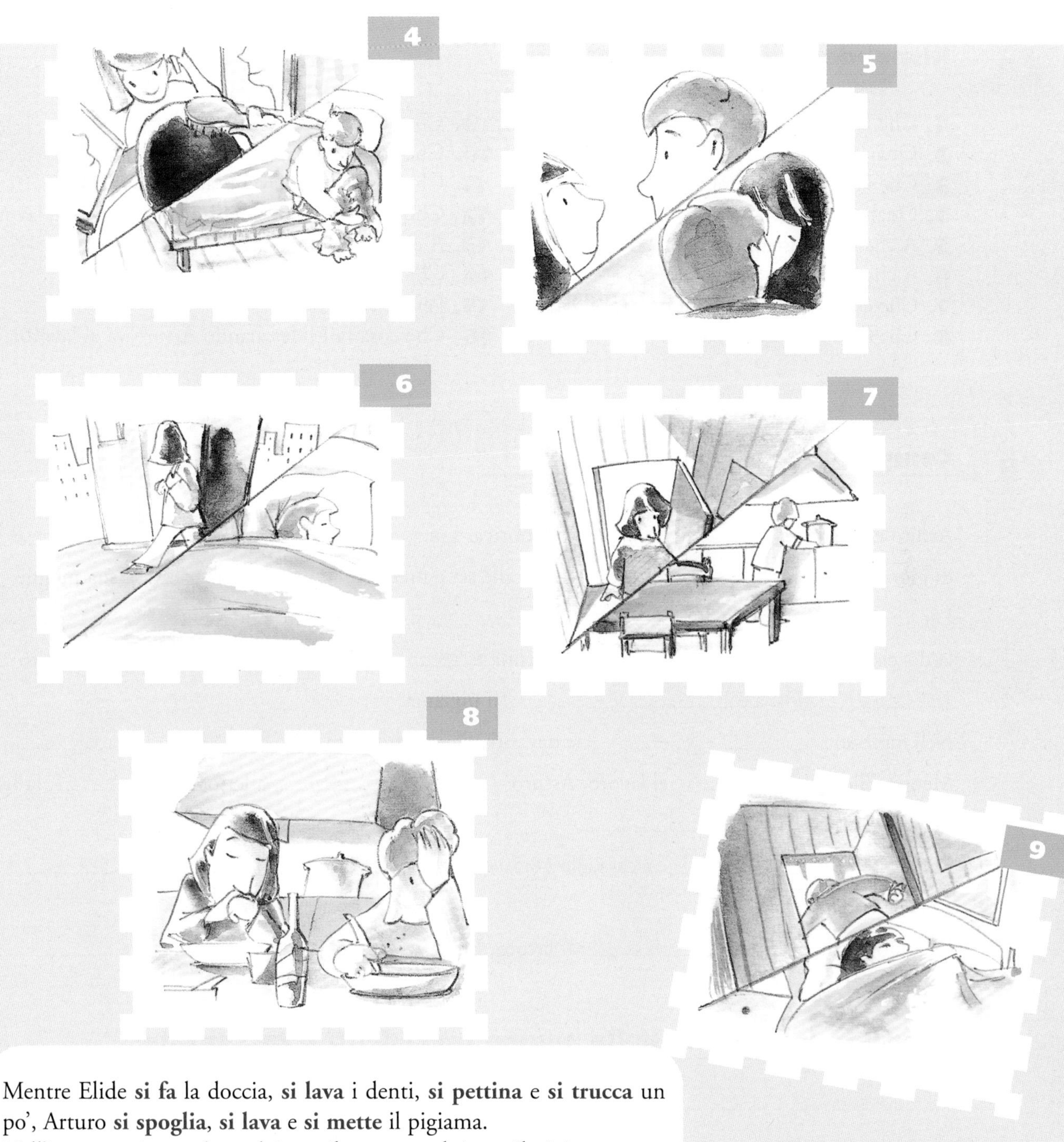

Mentre Elide **si fa** la doccia, **si lava** i denti, **si pettina** e **si trucca** un po', Arturo **si spoglia**, **si lava** e **si mette** il pigiama.
Nell'ingresso **si guardano**: lei con il cappotto, lui con il pigiama.
Si baciano davanti alla porta di casa. Mentre Elide va al lavoro, Arturo va a letto, spegne la luce e **si addormenta.**
Alle 18.30 Elide torna a casa e prepara la cena.
Più tardi Arturo ed Elide **si siedono** a tavola e mangiano; sono tristi perché hanno poco tempo per stare insieme. Parlano e fanno progetti per il futuro, quando lavoreranno tutti e due di giorno.
Quando Arturo esce per andare al lavoro, Elide mette in ordine e va a letto dalla parte del marito che è ancora calda.

(Rid. e ad. da Italo Calvino, *Gli amori difficili,* Mondadori)

A Rispondete alle domande:

1. Che lavoro fa Arturo Massolari?
2. Quando lavora?
3. Che lavoro fa sua moglie Elide?
4. Quando lavora?
5. A che ora finisce di lavorare Arturo?
6. A che ora arriva a casa?
7. Che cosa fa lei mentre lui prepara il caffè?
8. Che cosa fa Elide in bagno?
9. Che cosa fa Arturo in bagno?
10. Che cosa fanno nell'ingresso?
11. Che cosa fanno davanti alla porta di casa?
12. Che cosa fa Arturo mentre la moglie va al lavoro?
13. A che ora torna Elide?
14. Che cosa fanno Arturo ed Elide?
15. Perché sono tristi?
16. Che cosa fa Elide quando Arturo va al lavoro?

B Completate:

Arturo ed Elide .... in fabbrica. Lui .... di notte e lei di giorno. Arturo .... a casa alle sei e mezzo e .... sua moglie. Lei ....e lui .... il caffè. Mentre Elide .... la doccia, ... i denti, si pettina e .... un po', suo marito ...., si lava e .... il pigiama.

Nell'ingresso .... e davanti alla porta di casa ....

Mentre Elide .... al lavoro, Arturo .... a letto, ... la luce e ....

Elide .... a casa alle 18.30 e .... la cena. .... a tavola e mangiano.

Quando Arturo .... al lavoro, Elide .... a letto e ....

C Guardate le vignette delle pagine precedenti e raccontate:

....
....
....
....
....
....
....
....
....
....

D Collegate i verbi di significato contrario secondo l'esempio:

spegnere	addormentarsi
finire	uscire
vestirsi	accendere
svegliarsi	spogliarsi
mettersi	togliersi
entrare	cominciare

PREPARARE	
Preparo Ho preparato	la colazione il pranzo la cena la valigia la tavola l'esame

ACCENDERE – SPEGNERE	
Accendo Ho acceso	il fuoco la luce la radio
Spengo Ho spento	il computer la televisione la sigaretta

Mi vesto.	
Mi metto Mi tolgo	il cappello il cappotto la sciarpa i guanti gli stivali
Mi spoglio.	

Luciana guarda il quadro.

Luciana si guarda nello specchio.

Alfredo lava la sua macchina.

Alfredo si lava.

Maria pettina il suo bambino.

Maria si pettina.

Arturo guarda Elide.
Elide guarda Arturo.
→ Arturo ed Elide si guardano.

Arturo abbraccia Elide.
Elide abbraccia Arturo.
→ Arturo ed Elide si abbracciano.

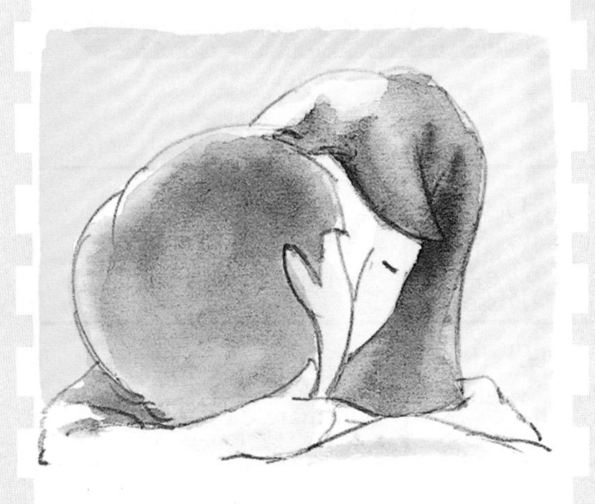

Arturo bacia Elide.
Elide bacia Arturo.
→ Arturo ed Elide si baciano.

Svegliarsi

- A che ora ti svegli la mattina?
- Di solito mi sveglio alle 6.
- E tuo marito?
- Lui si sveglia un po' più tardi.
- E i bambini?
- Loro si svegliano alle 7.
- Vi svegliate ogni giorno così presto?
- No, la domenica dormiamo di più: ci svegliamo verso le 10.

Completate:

Addormentarsi

- A che ora ti addormenti la sera?
- Di solito .... alle 10.
- E tuo marito?
- Anche lui .... presto.
- E i bambini?
- Loro .... verso le 8 e mezza.
- Vi addormentate sempre così presto?
- No, il sabato .... verso mezzanotte perché la domenica non dobbiamo svegliarci presto.

- E tu, a che ora ti svegli di solito?
- ....
- A che ora ti addormenti?
- ....

Ogni giorno Tutti i giorni	mi sveglio alle sette
Ogni sera Tutte le sere	mi addormento alle dieci

La domenica	mi sveglio alle dieci
Il sabato	mi addormento a mezzanotte

Riflessione grammaticale

SVEGLIARSI				
(io)	**mi** sveglio	presto		
(tu)	**ti** svegli	tardi		
(lui, lei)	**si** sveglia	alle sette		
(noi)	**ci** svegliamo	a mezzogiorno		
(voi)	**vi** svegliate	di	buon	umore
(loro)	**si** svegliano		cattivo	

	Devo Voglio Posso	svegliar**mi** presto fermar**mi** da Paolo
Mi	devo voglio posso	svegliare presto fermare da Paolo

Di solito	**mi** sveglio	alle sette
	mi lavo	con l'acqua fredda
	mi vesto	in fretta
	mi trucco	un po'
Ho l'abitudine di	sveglIar**mi** alle sette	
	lavar**mi** con l'acqua fredda	
	vestir**mi** in fretta	
	truccar**mi** un po'	

Alzarsi

- A che ora ti sei alzato stamattina, Francesco?
- Mi sono alzato alle 7.
- E tua moglie?
- Anche lei si è alzata presto.
- E i bambini?
- I bambini si sono alzati alle 8.
- Vi siete alzati così presto anche ieri mattina?
- No, ieri mattina ci siamo alzati tardi: era domenica!

Completate:

Addormentarsi

- A che ora .... ieri sera, Gianna?
- Ieri sera .... alle 10.
- E tuo marito?
- Lui .... un po' più tardi: prima ha letto una rivista.
- E i bambini?
- Loro .... presto.
- Anche sabato sera .... presto?
- No, sabato sera siamo usciti e .... dopo mezzanotte.

- E tu, a che ora ti sei addormentato/a ieri sera?
- ....
- A che ora ti sei alzato/a stamattina?
- ....

Riflessione grammaticale

ADDORMENTARSI		
(io) mi **sono** (tu) ti **sei** (lui, lei) si **è**	addormentato/a	alle dieci a mezzanotte
(noi) ci **siamo** (voi) vi **siete** (loro) si **sono**	addormentati/e	presto tardi

La mattina di Giovanni Rossi

Mi sveglio tutte le mattine alle 7, quando suona la sveglia. Dopo che mi sono svegliato, mi alzo, apro la finestra, faccio ginnastica e vado in bagno.

Mi faccio la doccia, mi asciugo, mi lavo i denti, mi faccio la barba e mi pettino. Dopo che mi sono pettinato, torno in camera da letto.

Mi metto la camicia, la cravatta, il vestito e, dopo che mi sono vestito, vado in cucina.

Accendo la radio per ascoltare le ultime notizie e faccio colazione: prendo un caffè e mangio qualche biscotto.

Nell'ingresso mi guardo nello specchio, mi metto il cappotto e la sciarpa; poi esco e vado al lavoro.

Osservate i disegni della pagina precedente e completate il racconto:

Giovanni si sveglia tutte le mattine alle 7...

Completate il racconto:

Ieri mattina Giovanni si è svegliato alle 7, ...

....

....

....

....

....

....

....

Chiedete al vostro compagno informazioni sulle azioni della mattina utilizzando le indicazioni che seguono, secondo l'esempio:

- A che ora ti svegli la mattina?
- *La mattina mi sveglio alle 7.*
- La mattina ti svegli presto o tardi?
- ....
- Di solito ti alzi subito?
- ....
- Dopo quanto tempo ti alzi?

....

la mattina	svegliarsi	presto – tardi	la gonna
di solito	alzarsi	subito – dopo un po'	la camicia
il sabato	lavarsi	con l'acqua calda – fredda	il maglione
la domenica	pettinarsi	i denti – la faccia –	i pantaloni
	vestirsi	le mani – i capelli	le calze
	mettersi	in fretta – con calma...	le scarpe
	farsi la barba		
	truccarsi		
	fare colazione		

Riferite alla classe le informazioni ricevute.

A Completate con il verbo indicato fra parentesi, secondo l'esempio:

1.
Bruno e Stella ***si incontrano*** in autobus.
(*incontrarsi*)

2.
Scendono dall'autobus e ....
(*salutarsi*)

3.
Dopo il lavoro, qualche volta .... a prendere un caffè insieme.
(*andare*)

4.
.... appuntamento per andare al cinema.
(*darsi*)

5.
.... spesso insieme.
(*uscire*)

6.
....
(*innamorarsi*)

7.
....
....
(*fidanzarsi*)

8.
A maggio ....
(*sposarsi*)

B Completate il racconto:

L'anno scorso Bruno e Stella si sono incontrati spesso in autobus, ...

Chiedete al vostro compagno/a:

- se ha un ragazzo/una ragazza, una moglie/un marito
- dove e quando si sono visti la prima volta
- dove e quando si sono conosciuti
- quando si sono innamorati
- quando si sono fidanzati
- dove e quando si sono sposati

Riferite alla classe le informazioni ricevute.

2 Che cosa è successo?

1

- Come va, Martin?
- Mi sento a terra.
- Che cosa è successo?
- Sono arrivato poco fa dall'Olanda, il viaggio è stato lungo e mi sono stancato molto: adesso voglio riposarmi.

Completate:

Martin si sente a terra perché ....

....

2

- Perché hai questa faccia, Delia?
- Sono di cattivo umore! Mi sono arrabbiata tutta la mattina con i colleghi di ufficio.

Completate:

Delia è di cattivo umore perché ....

....

3

- Che cosa hai fatto di bello ieri sera, Roberto?
- Sono andato alla festa di Hans.
- Ti sei divertito?
- No, mi sono annoiato da morire.

Completate:

Roberto ieri sera è andato alla festa di Hans, non ....
ma ....

4

- Dove andate, ragazzi?
- Andiamo ad Assisi.
- Dove si trova Assisi?
- Si trova in Umbria, a circa venti chilometri da Perugia.
- Quanto vi fermate?
- Ci fermiamo un paio di giorni.

Completate:

I ragazzi vanno ad Assisi e ....
un paio di giorni.
Assisi ....

TROVARSI		
Come **ti trovi a (in)...?**		
Mi trovo	abbastanza bene male	in Italia all'Università
	in una situazione difficile	
Dove **si trova Assisi?**		
Assisi si trova	in Italia in Umbria vicino a Perugia a circa venti chilometri da Perugia	

SENTIRSI	
Mi sento	in forma bene male giù a terra triste solo/a

Come si dice?

Modi di offrire la propria collaborazione, modi di accettare, modi di rifiutare

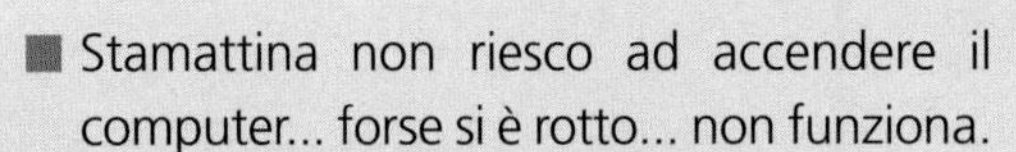

- Stamattina non riesco ad accendere il computer... forse si è rotto... non funziona.
- **Vuoi una mano**, Giovanni?
- **Grazie**, volentieri.

- E adesso come faccio? Farò tardi in ufficio!
- Signora, **ha bisogno di** aiuto?
- **Magari!** La macchina si è fermata e non riesco a ripartire.

- Signora, quanta roba ha comprato! **Devo aiutarLa? Posso** portare io una borsa?
- **Magari!** È molto gentile... sono così pesanti!

- Teresa, dove vai con questa pioggia? **Vuoi** un passaggio?
- **Grazie, non fa niente**... sono quasi arrivata.

Completate:

Hanno bisogno di aiuto perché

1. ....

2. ....

3. ....

Non ha bisogno di un passaggio perché

4. ....

RIUSCIRE			
(non) Riesco (non) Sono riuscito	a	accendere il computer	
		capire tutte le parole del professore	
		trovare	un posto sull'aereo per Parigi una casa in centro
		parcheggiare la macchina	

AVERE BISOGNO DI	
Ho bisogno di	aiuto un periodo di riposo un caffè
	prendere un po' d'aria parlare con Mario riposarmi

OFFRIRE LA PROPRIA COLLABORAZIONE	
Vuoi Vuole	una mano? .... ?
Hai Ha	bisogno di .... ?
Posso	.... ?
Devo	aiutarti? aiutarLa?

ACCETTARE
Grazie!
Grazie tante!
Magari!
Volentieri!

RIFIUTARE	
Grazie, non	fa niente importa
Ti La	ringrazio, ma faccio da solo/a

Offrite la vostra collaborazione nelle seguenti situazioni:

A un amico

■ .... ?

■ Magari! Fra un quarto d'ora devo essere in centro.

A una signora

■ .... ?

■ Grazie, non fa niente, scendo alla prossima fermata.

A un bambino

■ .... ?

■ Volentieri, è troppo difficile.

A un signore anziano

■ .... ?

■ Magari! Senza occhiali non riesco a leggere bene.

3 Al ristorante

Cameriere: Buonasera.
Lucio: Buonasera, avete un tavolo libero?
Cameriere: Va bene questo tavolo?
Lucio: Sì, va benissimo.

Cameriere: Avete scelto?
Caterina: Io vorrei un antipasto della casa e poi il filetto con un'insalata mista.
Lucio: Io prendo spaghetti all'amatriciana e per secondo una bistecca ai ferri con verdure miste alla griglia.

Ristorante
"Da Cesarino"

Antipasti
Antipasto della casa
Prosciutto e melone
Insalata di mare

Primi Piatti
Spaghetti all'amatriciana
Spaghetti alla carbonara
Tagliatelle al ragù
Spaghetti al pesto
Risotto alle verdure

Secondi Piatti
Bistecca ai ferri
Cotoletta alla milanese
Scaloppine al limone
Filetto al pepe verde e all'aceto balsam
Frittura di pesce

Contorni
Insalata verde
Insalata mista
Patatine fritte
Verdure miste alla griglia

Dolci
Bavarese alla vaniglia
Tiramisù
Fragole con gelato

Cameriere: E da bere? Vino bianco o rosso?
Lucio: Vino bianco della casa e acqua minerale naturale.

Cameriere: Desiderate il dolce?
Caterina: Due tiramisù, per favore.

Lucio: Il conto, per favore.

A Completate:

	antipasti	primi	secondi	contorni	dolci
Caterina					
Lucio					

B Immaginate di andare al ristorante "Da Cesarino" e completate i dialoghi con le battute mancanti:

■ ...., per favore!
■ Prego!

■ Vuole cominciare con un antipasto?
■ ....
■ E come primo piatto?
■ ....
■ E per secondo?

■ ....
■ Prende un dolce?
■ ....
■ E da bere?
....

■ ...., per favore!
■ Subito, signore.

C Inserite nel dialogo le battute mancanti scegliendole fra quelle a lato:

Salto il primo.

Buonasera.

Sì, sì, subito...

Ma... vorrei una bistecca ai ferri.

Un'insalata.

Ben cotta... grazie.

Questo va benissimo.

Mista... Mi porti anche una porzione di patatine fritte.

Sì, va bene del vino rosso e un'acqua minerale frizzante.

Sì, sono solo.

■ Buonasera, signore!

■ ....

■ È solo?

■ ....

■ Va bene questo tavolo o preferisce quello vicino alla finestra?

■ ....

■ Bene. Vuole ordinare subito?

■ ....

■ Per primo che cosa prende?

■ ....

■ E per secondo? Abbiamo scaloppine al limone, bistecca ai ferri...

■ ....

■ D'accordo... Al sangue o ben cotta?

■ ....

■ E per contorno?

■ ....

■ Verde o mista?

■ ....

■ E da bere? Le porto del vino rosso?

■ ....

Completate con le battute mancanti:

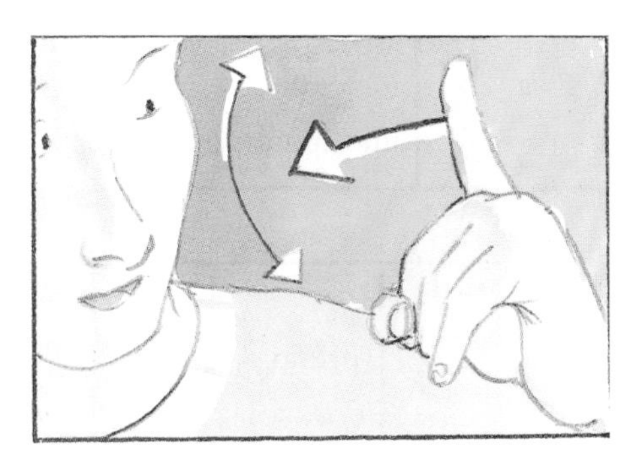

■ Com'è questo risotto alla marinara?

■ .... , niente di speciale.

■ Com'è il tartufo? Non l'ho mai mangiato!

■ Devi assaggiarlo: è ....!

D Osservate le foto.

a

b

c

d

e

Ora scegliete dove andare:

- per pranzare una domenica con la famiglia ....
- per invitare a cena la vostra ragazza/il vostro ragazzo ....
- prima di andare in discoteca ....
- per portare a cena il vostro fratellino di sette anni ....
- per festeggiare la vostra laurea ....
- dopo il cinema ....

Faccio	colazione merenda uno spuntino	a casa al bar

Pranzo Ceno		fuori a casa al ristorante in trattoria
Vado a	pranzo cena	

Per	primo	vorrei	gli spaghetti	all'amatriciana alla carbonara al pesto
			gli gnocchi le tagliatelle	al pomodoro al ragù
	secondo		la cotoletta alla milanese la bistecca ai ferri il filetto al pepe verde	
	contorno		l'insalata	mista verde di pomodori
			le patate	fritte al forno

Sintesi grammaticale

VERBI RIFLESSIVI					
PRESENTE				PASSATO PROSSIMO	
	-are	-ere	-ire		
(io) mi	_______ o	_______ o	_______ o	(io) mi sono	
(tu) ti	_______ i	_______ i	_______ i	(tu) ti sei	_______ o/a
(lui, lei) si	_______ a	_______ e	_______ e	(lui, lei) si è	
(noi) ci	____ iamo	____ iamo	____ iamo	(noi) ci siamo	
(voi) vi	_____ ate	_____ ete	_____ ite	(voi) vi siete	_______ i/e
(loro) si	_____ ano	_____ ono	_____ ono	(loro) si sono	

PRONOMI RIFLESSIVI	
(io)	mi
(tu)	ti
(lui, lei)	si
(noi)	ci
(voi)	vi
(loro)	si

La cucina italiana nel mondo

Civiltà

La cucina italiana ha un momento di grande successo e sta superando anche la cucina francese, da sempre al primo posto tra le gastronomie ad alto livello. Si può mangiare all'italiana in tutto il mondo, anche perché molti prodotti tipici italiani si trovano ormai in quasi tutti i paesi. All'estero esportiamo principalmente vino, acqua minerale, caffè tostato, parmigiano reggiano, salumi, conserve, succhi vegetali e dolci.

Dite:

- quali prodotti tipici italiani conoscete
- se nella vostra città ci sono ristoranti, bar e gelaterie italiane
- se avete mai mangiato in un ristorante italiano nel vostro paese
- che cosa avete mangiato

Confrontate le vostre osservazioni con quelle degli altri studenti.

1

"Brasserie Costa" a Oslo

2

"Pizza" in Australia

3

"Viva" Fine italian food Pizza a San Francisco

Civiltà

La cucina italiana nel mondo

4

Pasta italiana in Kenya

Bar italiano a Johannesburg

Gelateria in Olanda

Il menù di un anno a tavola

Ecco che cosa mangia e beve un italiano medio in un anno: 365 prime colazioni, pranzi, cene, spuntini e merende.

- Primo piatto: 60 kg di pasta al sugo di pomodoro;
- secondo: 82 kg di bistecche;
- contorno: 40 kg di insalata condita con 26 litri di olio d'oliva;
- 13 kg di torta e 715 tazzine di caffè;
- 1825 litri d'acqua e 75 bottiglie di vino.

Confrontate le abitudini alimentari italiane con quelle del vostro paese.

UNITÀ 8

1 Incontri

Michela

Io e Marcus ci siamo conosciuti in aereo: io **andavo** a Francoforte alla Fiera Internazionale del Libro e lui **tornava** in Germania dopo un breve viaggio di lavoro in Italia. **Avevo** paura perché **era** il mio primo viaggio in aereo. Mentre gli altri passeggeri **leggevano**, **ascoltavano** la musica o **dormivano**, io non **facevo** niente. Marcus, che **era** seduto vicino a me, mi **guardava** e **sorrideva**. Poi mi ha chiesto perché **andavo** in Germania, ma io non ho risposto subito perché **ero** nervosa. Dopo un po' mi ha offerto un cioccolatino.

Alberto

Ho incontrato Luciana in un'agenzia immobiliare: **cercavo** una casa in campagna, lontano dal traffico e dalla confusione. Mentre **aspettavo**, è entrata lei: mi ricordo ancora, **aveva** un paio di pantaloni neri e una maglietta verde, **portava** gli occhiali e **teneva** un cagnolino in braccio. **Aveva** il mio stesso problema: trovare un appartamento tranquillo fuori città.

Antonella

Quando ho incontrato Enrico, a una festa in casa di amici, **eravamo** tutti e due molto giovani. Lui **aveva** diciannove anni, occhi grandi e un bel sorriso; io **avevo** diciotto anni e **sognavo** di andare a New York e di fare la giornalista. Abbiamo parlato e abbiamo ballato tutta la sera. La mattina dopo, mentre **andavo** a scuola, Enrico è passato con la sua moto, si è fermato e mi ha offerto un passaggio. Io ho accettato.

A Completate:

1. Michela e Marcus si sono conosciuti ....

Michela andava ....

Marcus tornava ....

2. Alberto ha incontrato Luciana ....
Lui cercava ....
Lei cercava ....

3. Antonella ha incontrato Enrico ....
Erano tutti e due ....
Hanno parlato e ballato ....
La mattina dopo, mentre Antonella andava ...., lui è passato ....

B Rispondete alle domande, immaginando di essere Michela, Alberto e Antonella:

Michela

- Dove vi siete conosciuti? ....
- Dove andavate? ....
- Perché avevi paura? ....
- Che cosa facevi mentre gli altri passeggeri leggevano, ascoltavano la musica o dormivano? ....
- Dove era Marcus? ....
- Che cosa faceva? ....
- Come avete fatto amicizia? ....

Alberto

- Dove vi siete incontrati? ....
- Perché eravate in un'agenzia immobiliare? ....
- Ti ricordi come era Luciana? ....

Antonella

- Dove vi siete conosciuti? ....
- Quanti anni avevate? ....
- Che cosa avete fatto durante la festa? ....
- Quando vi siete rivisti? ....

(non) **Ho**	fame sete sonno fretta paura tempo

Ho paura	di	andare in aereo stare da solo
	del buio dei ragni dei topi degli esami	

OFFRIRE				
Offro	un caffè un passaggio un gelato		a	Pietro Martina mia sorella
Ho offerto	qualcosa da	bere mangiare	al	mio amico professore

SOGNARE		
Sogno	una casa al mare una famiglia numerosa	
	di	vivere in un'isola tropicale andare a New York diventare un attore famoso
La notte scorsa ho sognato	i miei genitori la mia ex-ragazza	
	di	volare essere un animale cadere dal terzo piano

Mentre gli altri passeggeri leggevano, ascoltavano la musica o dormivano, io non facevo niente.

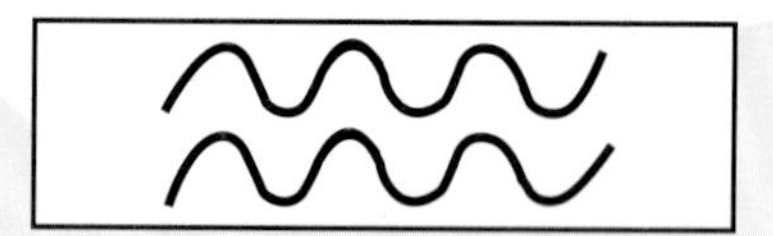

Completate:

1. Ieri, mentre io (*studiare*) ...., mio fratello (*guardare*) .... la televisione.
2. Ieri Pino, mentre (*leggere*) .... il giornale, (*ascoltare*) .... la musica.
3. Ieri, mentre (io - *parlare*) .... con mio padre, mia madre (*cucinare*) ....
4. Ieri, mentre Lucia (*nuotare*) ...., sua sorella (*prendere*) .... il sole.
5. Ieri, mentre (io - *scrivere*) .... una e-mail a Claudio, i bambini (*giocare*) .... in giardino.

Mentre aspettavo, è entrata Luciana.

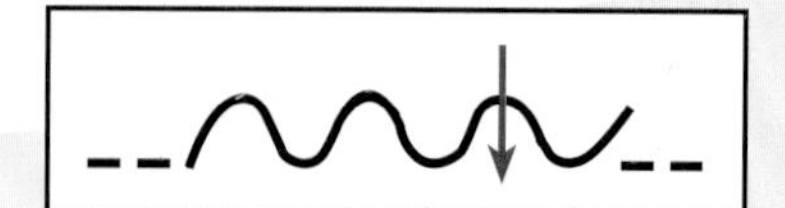

Completate:

1. Mentre Carlo (*mangiare*) ...., (*suonare*) .... il telefono.
2. Ieri, mentre (io - *salire*)........................ le scale, (*incontrare*) .... il professore.

3. Ieri, mentre Giulia (*studiare*) ...., (*arrivare*) .... Piero.

4. Ieri, mentre (io - *dormire*) ...., qualcuno (*bussare*) .... alla porta.

5. Ieri, mentre Claudia (*correre*) .... alla fermata dell'autobus, (*cadere*) ....

Non ho risposto perché ero nervosa.

Collegate secondo l'esempio:

Ho messo il maglione	perché mi sentivo male
Sono andato dal medico	perché non avevo il tuo indirizzo
Non ti ho aspettato	**perché avevo freddo**
Ho bevuto un bicchiere di birra	perché ero stanco
Non ti ho scritto	perché avevo fretta
Sono andato a letto presto	perché avevo sete

Chiedete al vostro compagno:

– dove ha incontrato la prima volta una persona cara
– dove andavano o che cosa facevano
– quanti anni avevano
– come hanno fatto amicizia

Riferite alla classe le informazioni ricevute.

Scrivete una lettera a un amico/un'amica, in cui raccontate un vostro incontro importante:

Caro/a ....,
voglio raccontarti dove e come ho conosciuto ....
Ho incontrato la prima volta ....
Lui/lei ....
Io ....
All'inizio ....
Dopo ....
Adesso ....

A Completate secondo l'esempio:

Quando la mamma è tornata a casa, i bambini guardavano la TV.

....
....
....
....
....
....
....
....
....

Blackout!

B Completate le descrizioni:

Quando ho conosciuto Lucia, lei aveva circa sedici anni, era molto carina, portava gli occhiali, aveva i capelli lunghissimi e studiava nella classe vicino alla mia.

Quando ho conosciuto il professor Rossi, ...
....
....
....
....
....
....
....

Quando ho conosciuto Francesco, ...
....
....
....
....
....
....
....

La prima volta che ho visto Sandra, lei ....

La prima volta che ho visto Angela, ...

La prima volta che ho visto Fufi, ...

C Completate le descrizioni:

Quando sono arrivato in montagna, il tempo ....

Quando mi sono iscritto all'Università, in segreteria ....

Quando sono partito per le vacanze, nella mia città ....

Il giorno della mia laurea, io ....

....

....

....

....

....

....

....

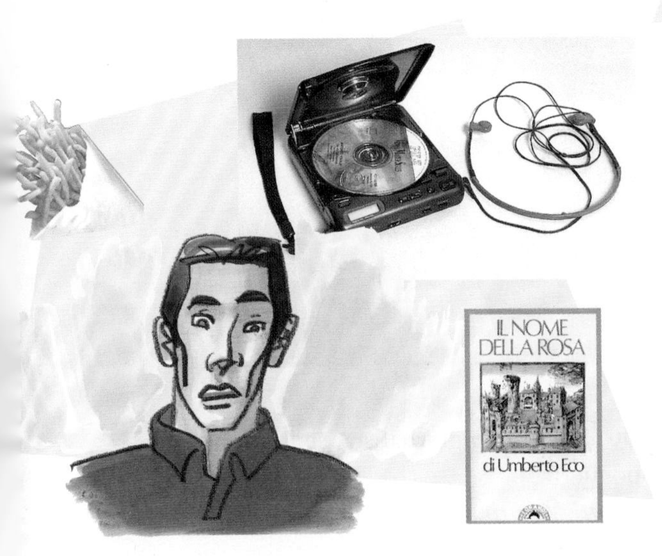

Il giorno del mio primo volo in aereo da solo,

....

....

....

....

....

....

....

....

Chiedete al vostro compagno di descrivere:

- il suo stato d'animo, il giorno
  del suo ultimo compleanno
  del suo primo viaggio da solo
  del suo primo lavoro
  della sua prima lezione del corso di italiano

- il tempo, il giorno in cui
  è partito dal suo paese in occasione dell'ultimo viaggio
  è andato in Italia la prima volta
  è andato a fare una gita

- la situazione, il giorno in cui
  è partito per le ultime vacanze
  ha organizzato una festa importante
  è entrato in un'aula dell'Università per la prima volta

Riferite alla classe le informazioni ricevute.

Nasce a Roma nel 1907 e muore nel 1990. Scrittore e giornalista, si afferma in Italia particolarmente nel secondo dopoguerra.
Tra i suoi romanzi ricordiamo: *Gli indifferenti*, *Agostino*, *La romana*, *La noia*.

2 Alberto Moravia lo scrittore ricorda

La mattina, Alberto Moravia cominciava a lavorare molto presto, si sedeva al suo tavolo e scriveva i suoi romanzi, i suoi articoli e i suoi saggi.

Ecco che cosa ha detto lo scrittore durante un'intervista:

- Scriveva anche quando era bambino?
- Da bambino raccontavo delle storie.
- Spesso?
- Quasi ogni giorno.

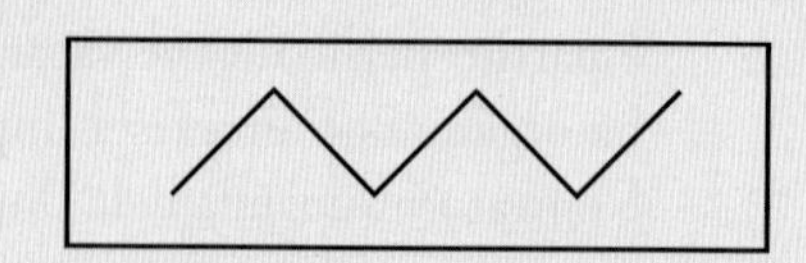

- Dove?
- Di solito mi **chiudevo** a chiave in una stanza, mi **sdraiavo** su un divano e **cominciavo** a parlare a voce alta.
- Quanti anni **aveva**?
- **Avevo** circa cinque anni.
- Ricorda le storie che **raccontava**?
- **Raccontavo** storie d'avventura e il giorno dopo, sempre alla stessa ora, **cambiavo** la trama e i personaggi o **raccontavo** un'altra storia.
- Dove è successo la prima volta?
- A Viareggio, durante le vacanze estive. Ogni anno la mia famiglia **affittava** la casa di un architetto che **era** piena di quadri scuri. Io **guardavo** quei quadri e **cominciavo** a parlare...

Completate con i verbi:

Alberto Moravia, da bambino, quando .... circa cinque anni, ... storie d'avventura. Quasi ogni giorno .... a chiave in una stanza, ... su un divano e .... a parlare a voce alta. Il giorno dopo, sempre alla stessa ora, ... la trama e i personaggi e .... un'altra storia.

La prima volta .... a Viareggio durante le vacanze estive. Ogni anno la sua famiglia .... la casa di un architetto che .... piena di quadri scuri. Lui .... quei quadri e .... a parlare.

A Completate i racconti:

Quando ero bambina, il pomeriggio ....

....

....

....

....

....

....

....

....

....

Quando ero bambino, l'estate ....

Quando ero bambino, durante le vacanze ....

Quando ero bambina, la mattina ....

Quando ero bambino, la sera ....

B Completate:

1. *Quando ero bambina/o, la mattina* ....

2. *Quando ero bambina/o, il pomeriggio* ....

3. *Quando ero bambina/o, la sera* ....

4. *Quando ero bambina/o, durante le vacanze* ....

5. *Quando ero bambina/o, l'estate* ....

6. *Quando ero bambina/o, l'inverno* ....

Riflessione grammaticale

<table>
<tr><td rowspan="6">Mentre</td><td>(io)</td><td>mangiavo</td><td rowspan="6">è suonato il telefono
hanno bussato alla porta
sono arrivati Ruggero e Rosina
è venuto il postino</td></tr>
<tr><td>(tu)</td><td>mangiavi</td></tr>
<tr><td>(lui, lei)</td><td>mangiava</td></tr>
<tr><td>(noi)</td><td>mangiavamo</td></tr>
<tr><td>(voi)</td><td>mangiavate</td></tr>
<tr><td>(loro)</td><td>mangiavano</td></tr>
</table>

<table>
<tr><td rowspan="6">Mentre</td><td>(io)</td><td>leggevo</td><td rowspan="12">Carlo guardava la TV
Maria giocava a carte
i bambini giocavano in giardino
i ragazzi ascoltavano la musica
Marta scriveva una lettera</td></tr>
<tr><td>(tu)</td><td>leggevi</td></tr>
<tr><td>(lui, lei)</td><td>leggeva</td></tr>
<tr><td>(noi)</td><td>leggevamo</td></tr>
<tr><td>(voi)</td><td>leggevate</td></tr>
<tr><td>(loro)</td><td>leggevano</td></tr>
<tr><td rowspan="6">Mentre</td><td>(io)</td><td>dormivo</td></tr>
<tr><td>(tu)</td><td>dormivi</td></tr>
<tr><td>(lui, lei)</td><td>dormiva</td></tr>
<tr><td>(noi)</td><td>dormivamo</td></tr>
<tr><td>(voi)</td><td>dormivate</td></tr>
<tr><td>(loro)</td><td>dormivano</td></tr>
</table>

<table>
<tr><td rowspan="6">Quando</td><td>(io)</td><td>ero</td><td rowspan="6">al mare</td><td>andavo</td><td rowspan="6">spesso in discoteca</td></tr>
<tr><td>(tu)</td><td>eri</td><td>andavi</td></tr>
<tr><td>(lui, lei)</td><td>era</td><td>andava</td></tr>
<tr><td>(noi)</td><td>eravamo</td><td>andavamo</td></tr>
<tr><td>(voi)</td><td>eravate</td><td>andavate</td></tr>
<tr><td>(loro)</td><td>erano</td><td>andavano</td></tr>
</table>

<table>
<tr><td rowspan="6">Non</td><td>(io)</td><td>sono</td><td rowspan="3">uscito/a</td><td rowspan="6">perché</td><td>avevo</td><td rowspan="3">mal di</td><td rowspan="3">stomaco
testa
denti</td></tr>
<tr><td>(tu)</td><td>sei</td><td>avevi</td></tr>
<tr><td>(lui, lei)</td><td>è</td><td>aveva</td></tr>
<tr><td>(noi)</td><td>siamo</td><td rowspan="3">usciti/e</td><td>avevamo</td><td rowspan="3">da</td><td rowspan="3">fare</td></tr>
<tr><td>(voi)</td><td>siete</td><td>avevate</td></tr>
<tr><td>(loro)</td><td>sono</td><td>avevano</td></tr>
</table>

3

Le vacanze al mare di Elena e Alberto

- Dove sei andato in vacanza l'estate scorsa, Alberto?
- Sono andato in Sardegna.
- Con chi ci sei andato?
- Con la mia ragazza, Elena.
- E come passavate la giornata?
- La mattina ci svegliavamo verso le dieci, lei andava a comprare il pane e io preparavo la colazione, poi andavamo alla spiaggia, facevamo lunghe nuotate, prendevamo il sole, leggevamo i nostri libri e giornali: verso le cinque tornavamo a casa, facevamo la doccia, ci riposavamo un po' e poi facevamo qualche gita nei dintorni.
- Vi siete divertiti?
- Sì, siamo stati molto bene.

A Completate:

Elena e Alberto .... in vacanza in Sardegna. La mattina .... verso le dieci, lei .... il pane e lui .... la colazione, poi .... alla spiaggia, ... il bagno, ... il sole e ....; verso le cinque .... a casa, ... la doccia e .... Più tardi .... qualche gita.
.... molto bene.

B Completate il dialogo:

– Dove sei andato in vacanza l'estate scorsa, Alberto?
– ....
– Con chi ci sei andato?
– ....
– Come passavate la giornata?
– ....
– Ti sei divertito?
– ....

Scrivete una lettera a un amico/un'amica, in cui raccontate le vostre ultime vacanze:

Caro/a ....,
sono appena tornato dalle vacanze.
Come già sai, sono andato ....
Di solito, la mattina ....
il pomeriggio ....
la sera ....
qualche volta ....
Siamo stati ....
E tu? Che hai fatto di bello durante le vacanze?
A presto

<table>
<tr><td rowspan="2">Quando ero nel paese</td><td>la
ogni</td><td>domenica</td><td rowspan="2">andavo al mare</td></tr>
<tr><td>tutte le</td><td>domeniche</td></tr>
</table>

<table>
<tr><td>Quando ero</td><td rowspan="2">bambino</td><td rowspan="2">giocavo</td><td>spesso</td><td rowspan="2">da solo</td></tr>
<tr><td>Da</td><td>raramente</td></tr>
</table>

<table>
<tr><td>Quando ero</td><td rowspan="2">giovane</td><td></td><td rowspan="2">andavo</td><td>sempre</td><td rowspan="2">in discoteca</td></tr>
<tr><td>Da</td><td>non</td><td>mai</td></tr>
</table>

C Collegate secondo l'esempio:

presto →	lentamente
in fretta	non... mai
spesso	**tardi**
sempre	con calma
facilmente	raramente
velocemente	difficilmente

D Confrontate:

Da bambino Giovanni era ....

Adesso è ....

E Completetate:

1. *Da bambino ero molto vivace, adesso sono tranquillo.*
2. Da bambino .... grasso, adesso ....
3. Da bambino .... gli occhiali, adesso .... le lenti a contatto.
4. Da bambino .... i capelli biondi, adesso .... i capelli castani.
5. Da piccolo .... i capelli ricci, adesso .... i capelli lisci.
6. Da bambino .... chiuso, adesso ....
7. Da bambino .... introverso, adesso ....
8. Da ragazzo .... ottimista, adesso ....
9. Da ragazzo .... egoista, adesso ....
10. Prima .... allegro, adesso ....
11. Prima .... di buon umore, adesso ....
12. Prima .... nervoso, adesso ....

F Collegate secondo l'esempio:

grasso	estroverso
vivace	pessimista
chiuso	**magro**
introverso	triste
ottimista	di cattivo umore
egoista	tranquillo
allegro	calmo
di buon umore	altruista
nervoso	aperto

Chiedete al vostro compagno che cosa è cambiato:

- nel suo aspetto fisico
- nel suo carattere
- nel suo modo di pensare

Riferite alla classe le informazioni ricevute.

Ieri... ...*Perugia*... ...e oggi

Una volta il centro storico di Perugia era aperto al traffico. Piazza IV Novembre era piena di automobili: la gente non poteva passeggiare tranquillamente.

Oggi, invece, è molto difficile andare in centro con la macchina: non c'è traffico e si può camminare abbastanza tranquillamente.

Individuate alcuni cambiamenti che sono avvenuti...

- nella vostra città
- nel vostro paese

utilizzando le seguenti indicazioni:

Una volta... Un tempo... Prima...	adesso invece...

Formate dei gruppi e individuate i cambiamenti che sono avvenuti negli ultimi anni:

- nella casa
- nella famiglia
- negli studi
- nel lavoro

Confrontate le vostre conclusioni.

Come si dice?

Modi di ricordare

1.

- **Ricordi quella volta** a casa di Ernesto? Quanto ci siamo divertiti!
- Certo che **mi ricordo**... Quanto abbiamo riso! Quella notte abbiamo alzato tutti un po' il gomito, vero?

2.

- Questi giovani di oggi... non sanno mai che cosa vogliono...
- È vero... hanno troppe cose: il motorino, la macchina, i soldi in tasca... **Mi ricordo che** ai miei tempi non c'erano le possibilità di oggi, ero sempre al verde, ma ero contento lo stesso.

RICORDARE
Ricordi quella volta... Mi ricordo che... Non dimenticherò mai quando...

Completate:

1. I due ragazzi ricordano ....

2. I due signori ricordano ....

Completate i dialoghi con le battute mancanti:

1. *La nipote*: Come eri bella, nonna, da giovane.
La nonna: Eh, sì! ....

....

....

2. *Giorgio*: ....

....

....

Gianni: È vero… ci siamo proprio divertiti… Che vittoria, eh?

3. *Marta*: Non dimenticherò mai questa vacanza… ti ricordi?
Paolo: ....

....

....

Osservate la foto e leggete:

In questa foto ero al mare con Francesco, il mio ragazzo. Eravamo in Corsica per una breve vacanza. Facevamo il bagno e giocavamo con l'acqua. Eravamo molto felici.

Descrivete la situazione utilizzando le indicazioni:

Francia – montagna – gli amici – neve – bel tempo – divertirsi molto – pranzo – rifugio – riposarsi

aereo – Italia – gruppo organizzato – salire in aereo – emozionato – nervoso – primo volo

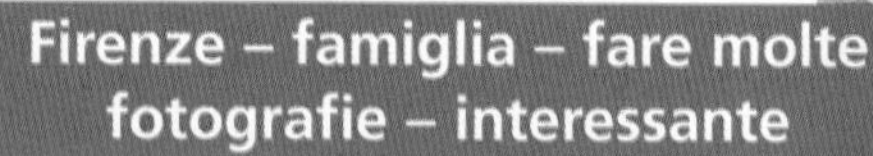

Firenze – famiglia – fare molte fotografie – interessante

stazione – Roma – il mio ragazzo – due mesi – abbracciarsi – felici – innamorati – una settimana insieme

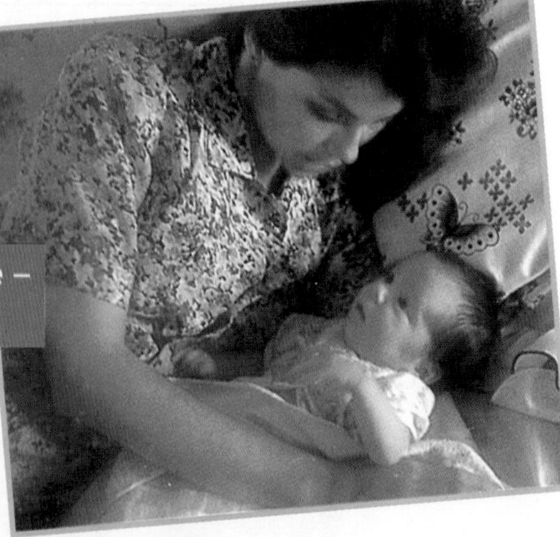

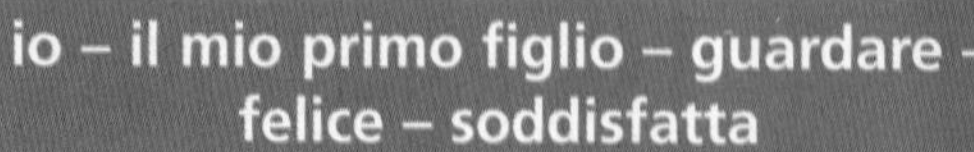

io – il mio primo figlio – guardare – felice – soddisfatta

Trovate una vostra foto e raccontate quando, dove, con chi eravate e che cosa stavate facendo.

Francesco: Perché non sei andato al ristorante con Lino ieri sera?
Vincenzo: Non ci sono andato perché **avevo** già **mangiato**.
Francesco: E perché non sei andato al cinema?
Vincenzo: Perché c'**ero** già **stato**.

A Completate:

1. Vincenzo non è andato al ristorante perché ....
2. Vincenzo non è andato al cinema perché ....

B Completate:

1. Stamattina al bar non ho preso il caffè perché l'(*prendere*) .... pochi minuti prima a casa.
2. Quando sono arrivata a casa di Elena, lei (*uscire*) .... già da qualche minuto.
3. Quando Gianni è arrivato alla stazione, il treno (*partire*) .... già ....
4. L'estate scorsa in Grecia siamo stati nell'albergo dove (*essere*).............................. tre anni prima.
5. Ieri sera Maria non è andata al cinema con gli amici perché (*vedere*) .... quel film la sera prima.
6. Quando sono arrivata alla fermata, l'autobus (*passare*) .... cinque minuti prima.
7. In libreria è arrivato oggi il libro che (io - *ordinare*) .... un mese fa.
8. Quando è cominciato a piovere, i bambini (*tornare*) .... già a casa.

Riflessione grammaticale

Oggi in libreria è arrivato il libro che	(io)	**avevo**	**ordinato** un mese fa
	(tu)	**avevi**	
	(lui, lei)	**aveva**	
	(noi)	**avevamo**	
	(voi)	**avevate**	
	(loro)	**avevano**	

Quando è cominciato a piovere	(io)	**ero**	già	**tornato/a**	a casa da mezz'ora
	(tu)	**eri**			
	(lui, lei)	**era**			
	(noi)	**eravamo**		**tornati/e**	
	(voi)	**eravate**			
	(loro)	**erano**			

Azioni passate contemporanee

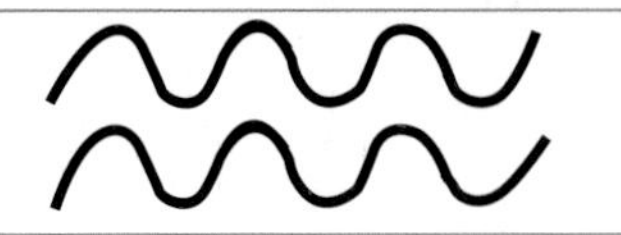

imperfetto + imperfetto

1. Mentre ..., ...
   (Mentre *mangiavo*, *guardavo* la TV)
2. ... e ... .
   (*Leggevo* e *ascoltavo* la musica)

Azione passata interrotta da un'altra

imperfetto + passato prossimo
passato prossimo + imperfetto

1. Mentre ..., ...
   (Mentre *mangiavo*, *è suonato* il telefono)
2. Quando ..., ...
   (Quando *è arrivato* Gino, *studiavo*)

Situazioni e azioni passate

passato prossimo + imperfetto
imperfetto + passato prossimo

1. ... perché ... .
   (*Ho aperto* l'ombrello perché *pioveva*)
2. ..., perciò ... .
   (*Avevo* fame, perciò *ho mangiato*)

Azioni passate ripetute per abitudine

imperfetto

Di solito...
Ogni giorno...
Tutti i giorni...

Da bambino...
Quando ero bambino...
Quando avevo... anni...

– Durante le vacanze di solito *dormivo* molto.
– Da ragazzo *andavo* al mare tutti i venerdì.
– Nel mio paese *mi svegliavo* presto, *mi vestivo* in fretta e alle 7 *andavo* a lavorare.
– Quando *ero* in Francia, *compravo* ogni mattina un giornale francese.

Descrizioni di persone, animali, situazioni, luoghi, ambienti

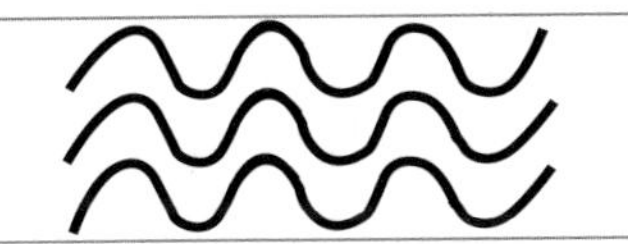

imperfetto

– Mio nonno *era* un uomo molto simpatico.
– Il mio cane *si chiamava* Juki ed *era* molto affettuoso.
– Quando sono andata al mare, il cielo *era* sereno e il mare *era* calmo.
– La mia casa di prima *era* troppo piccola.
– Alla festa di Franco *c'era* un sacco di gente simpatica.

Sintesi grammaticale

IMPERFETTO INDICATIVO		
-are	-ere	-ire
(io) ________ **avo**	(io) ________ **evo**	(io) ________ **ivo**
(tu) ________ **avi**	(tu) ________ **evi**	(tu) ________ **ivi**
(lui, lei) ________ **ava**	(lui, lei) ________ **eva**	(lui, lei) ________ **iva**
(noi) ________ **avamo**	(noi) ________ **evamo**	(noi) ________ **ivamo**
(voi) ________ **avate**	(voi) ________ **evate**	(voi) ________ **ivate**
(loro) ________ **avano**	(loro) ________ **evano**	(loro) ________ **ivano**

ALTRE FORME DI IMPERFETTO		
essere	→	ero
fare	→	facevo
dire	→	dicevo
tradurre	→	traducevo
bere	→	bevevo

TRAPASSATO PROSSIMO INDICATIVO IMPERFETTO DI **AVERE** O **ESSERE** + PARTICIPIO PASSATO					
(io)	**avevo**		(io)	**ero**	
(tu)	**avevi**		(tu)	**eri**	________ **o/a**
(lui, lei)	**aveva**		(lui, lei)	**era**	
(noi)	**avevamo**	________ **o**	(noi)	**eravamo**	
(voi)	**avevate**		(voi)	**eravate**	________ **i/e**
(loro)	**avevano**		(loro)	**erano**	

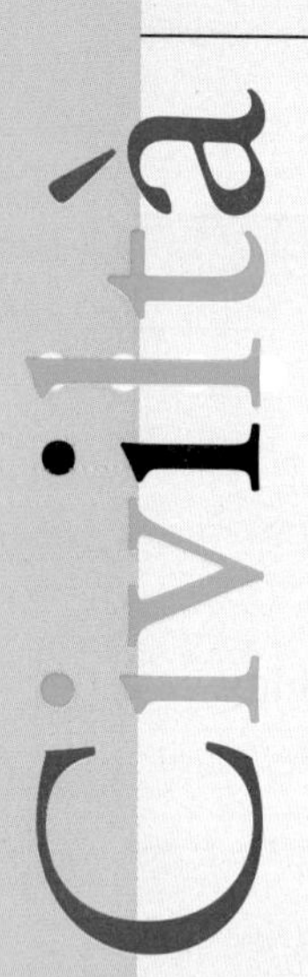

Cose che fanno in Italia

Ci sono oggetti che sono diventati il simbolo dell'Italia: oggetti che appartengono al mondo della moda, della cucina, dei trasporti, dell'oggettistica.
Alcuni sono ancora attuali, altri sono un po' cambiati, altri non ci sono più.

Osservate ciascuna fotografia e di ogni cosa dite:

- se c'è ancora.
- se è ancora attuale.
- se è cambiata e come.

Confrontate le vostre osservazioni con quelle degli altri studenti.

1

LA VESPA
All'inizio la Vespa serviva per spostarsi all'interno degli stabilimenti Piaggio, poi è diventata un gran successo.

2

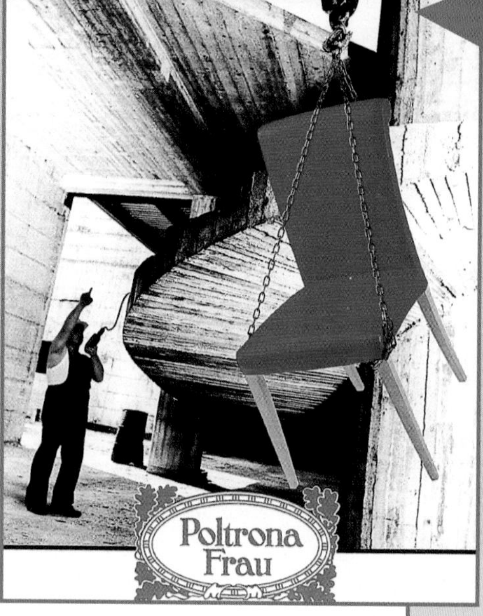

LA POLTRONA FRAU
Famosa in tutto il mondo, disegnata dal tappezziere sardo Renzo Frau.

3

UNO STRADIVARI
Capolavoro dell'arte cremonese.

4

LA MOKA-EXPRESS
La caffettiera che ha sostituito la vecchia "napoletana".

5

6

LA VALIGIA DI GUCCI
Tipica degli anni Settanta, con la decorazione che ha fatto moda.

IL PANETTONE
Un dolce tipico natalizio.

7

LA «500»
La macchina senza problemi di parcheggio.

8

LA FERRARI 250GT CALIFORNIA
L'automobile che ha fatto sognare tutto il mondo.

9

10

LA PORTATILE LETTERA 22 (Olivetti) 1950
Si trova esposta al Museo d'Arte Moderna di New York.

LA PIZZA MARGHERITA
La più classica delle pizze, così chiamata perché preferita dalla regina Margherita.

UNITÀ 9

1 Una serata speciale

Stasera, quando esco dall'Università, faccio un giro per i negozi del centro e guardo le vetrine. Ho deciso di comprare un vestito molto elegante e all'ultima moda per la notte di Capodanno. Un vestito speciale: **lo** voglio di seta, grigio scuro, leggero, senza maniche e corto.
Compro anche una giacca: **la** voglio di lana morbida, dello stesso colore del vestito. Le notti d'inverno sono fredde e mi serve qualcosa di caldo.
Poi le scarpe: **le** voglio da sera, di pelle nera, con il tacco altissimo; le calze devono essere velate, con una stella di brillanti sulla caviglia: **ne** comprerò due paia.
Poi cercherò i guanti: **li** voglio molto lunghi.
Non vedo l'ora... sarò elegantissima!

A Completate:

Marta vuole comprare:

1. ....
2. ....
3. ....
4. ....
5. ....

per ....

Marta comprerà:

1. .... : lo vuole ....
2. .... : la vuole ....
3. .... : le vuole ....
4. .... : le vuole ....
5. .... : ne comprerà ....
6. .... : li vuole ....

B Completate il dialogo con le battute mancanti:

■ Ciao, Marta, dove vai dopo la lezione?
■ ....
■ Vuoi comprare qualcosa?
■ ....
■ Come lo vuoi?
■ ....
■ Comprerai altre cose?
■ ....
■ Le scarpe, le vuoi con il tacco alto o basso?
■ ....
■ E i guanti, li vuoi lunghi o corti?
■ ....
■ Sarai molto elegante!
■ ....

Questo vestito Questo modello Questo colore	è	all'ultima di fuori	moda

Questo vestito	è molto	elegante leggero corto
Questa giacca		pesante calda morbida

È	elegantissimo leggerissimo cortissimo
	pesantissima caldissima morbidissima

DECIDERE				
Ho deciso	di	comprare	qualcosa di	speciale caldo elegante bello
			un paio di	guanti calze scarpe occhiali orecchini
		cambiare	vita lavoro	

C Collegate gli aggettivi di significato contrario, secondo l'esempio:

~~freddo~~	pesante
leggero	corto
stretto	caldo
lungo	sportivo
elegante	scuro
chiaro	largo

- Quando compri **il vestito**?
- Quando compri **la giacca**?
- Dove compri **le scarpe**?
- Dove compri **i guanti**?
- Quante **calze** compri?

- **Lo** compro stasera.
- **La** compro stasera.
- **Le** compro in un negozio del centro.
- **Li** compro ai grandi magazzini.
- **Ne** compro **due** paia.

Completate:

1. Marco prende il cappello e .... mette.
Marco prende la sciarpa e .... mette.
Marco prende i guanti e .... mette.
Marco prende le scarpe e .... mette.
Marco vede delle belle scarpe in una vetrina e .... compra un paio.

2. Incontriamo Antonio e .... salutiamo.
Incontriamo Chiara e .... salutiamo.
Incontriamo gli amici e .... salutiamo.
Incontriamo le ragazze italiane e .... salutiamo.

3. Compro una banana e .... mangio.
Compro un gelato e .... mangio.
Compro i biscotti e .... mangio.
Compro le caramelle e .... mangio.
Compro le gomme da masticare e .... mangio una.

Nel negozio di alimentari

A Completate:

1.
■ Vorrei un etto di prosciutto!
■ .... vuole cotto o crudo?
■ .... vorrei crudo: ha il prosciutto di Parma?
■ Sì, ce l'abbiamo ed è molto buono.

2.
■ Vorrei due etti di parmigiano!
■ .... vuole intero o grattugiato?
■ .... vorrei intero; ha il parmigiano reggiano?
■ Sì, ce .... ho.

3.
■ Vorrei un piccolo tartufo!
■ .... vuole bianco o nero?
■ .... voglio nero; quello bianco è troppo caro.

Dal fruttivendolo

1.

■ Mi dà un chilo di mele?
■ .... vuole rosse o gialle?
■ .... voglio due rosse e due gialle.

2.

■ Mi dà due chili d'uva, per favore?
■ .... vuole bianca o nera?
■ Vorrei l'uva "Italia", non l'ho mai mangiata e voglio assaggiarla.

In macelleria

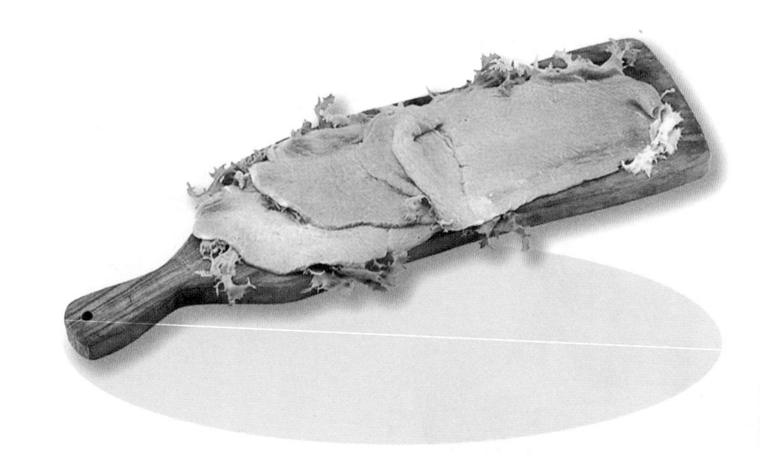

1.

■ Vorrei un chilo di fettine, ... vorrei due etti di maiale e otto etti di vitello!
■ Ecco a lei!
■ ....
■ 16,37 euro.

Ha	il prosciutto di Parma? il parmigiano reggiano? l'uva "Italia"? il tartufo bianco? il latte fresco? la pasta fresca?	Sì, No, non	ce **l'ho**

B Collegate secondo l'esempio:

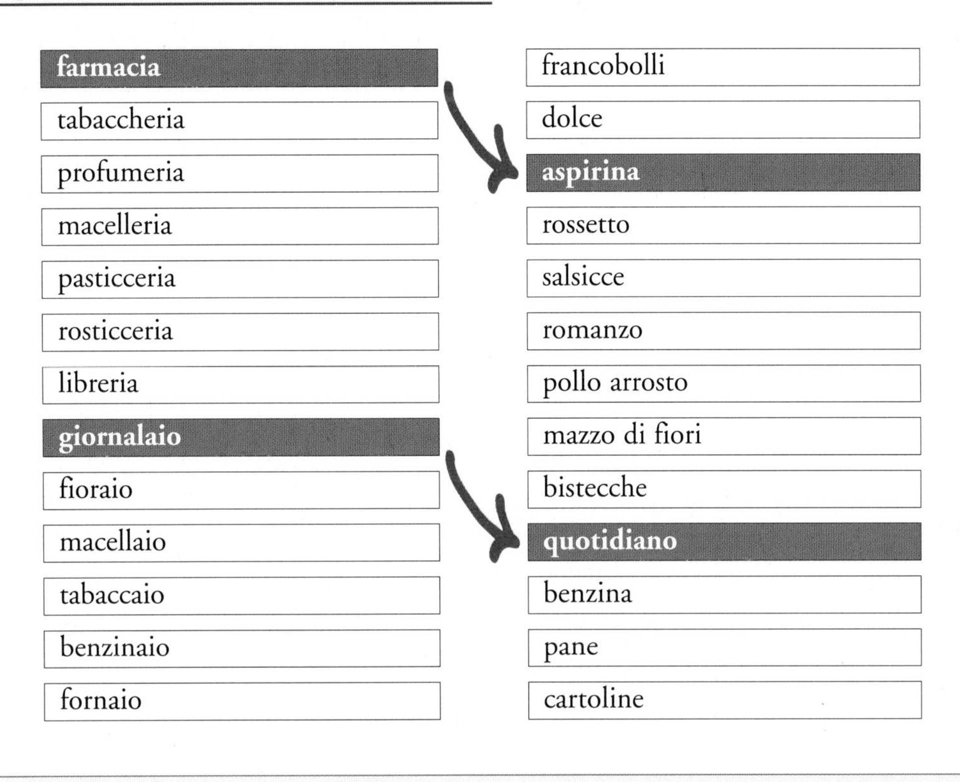

farmacia	francobolli
tabaccheria	dolce
profumeria	**aspirina**
macelleria	rossetto
pasticceria	salsicce
rosticceria	romanzo
libreria	pollo arrosto
giornalaio	mazzo di fiori
fioraio	bistecche
macellaio	**quotidiano**
tabaccaio	benzina
benzinaio	pane
fornaio	cartoline

In ______________ **eria**.	Dal ______________ **aio**.

C Completate secondo l'esempio:

1. Devo comprare una cartolina, vado *dal tabaccaio.*
2. Devo comprare un quaderno, vado ....
3. Devo comprare un libro, vado ....
4. Devo comprare la carne, vado ....
5. Devo comprare le mele, vado ....
6. Devo comprare la scheda telefonica, vado ....
7. Devo comprare il biglietto per l'autobus, vado ....
8. Devo comprare il pane, vado ....
9. Devo fare le spesa, vado ....
10. Devo riparare la macchina, vado ....
11. Devo mettere la benzina, vado ....
12. Devo riparare l'orologio, vado ....

Riflessione grammaticale

Incontro	Angelo mio fratello il professore	e	**lo**	saluto
	Carla mia cugina la mia amica		**la**	
	Carlo e Alberto i miei zii i miei colleghi		**li**	
	Stefania e Stella le mie cugine le mie amiche		**le**	

Ecco Angelo!	**Voglio**	invitar**lo** alla festa!
Ecco Carla!		invitar**la** alla festa!
Ecco i miei amici!		invitar**li** alla festa!
Ecco le mie amiche!		invitar**le** alla festa!

Lo	voglio invitare subito!
La	
Li	
Le	

- Giorgio, **mi** accompagni a casa?
- Sì, volentieri, **ti** accompagno subito.

- Signorina, **L'**aspetto nel mio ufficio.
- Sì, sono da Lei fra un minuto.

- Non riusciamo a fare questo esercizio, professore, **ci** aiuta?
- Sì, un momento e poi **vi** aiuto.

Completate con i pronomi:

1. Mamma, non riusciamo a fare i compiti: .... aiuti?
2. Bambini, adesso .... aiuto a fare i compiti.
3. Signora, ... prego di avere pazienza, il dottore arriverà fra poco.
4. Paolo, ... prego di aspettare un momento, arrivo fra poco.
5. Dottore, ... ringrazio del suo aiuto, Lei è stato veramente gentile.
6. Chiara, ... aspetti dopo la lezione?

Carlo,	mi	aspetti dopo la lezione?	Sì,	ti	aspetto	volentieri!
		aiuti a fare l'esercizio?			aiuto	
	ci	accompagni in macchina?		vi	accompagno	

Signorina, Signore,	La	prego di fare silenzio! aspetto dopo la lezione
Paolo, Maria,	ti	accompagno volentieri alla stazione!

Al mercato

- In questo mercato i prezzi sono bassissimi! Ci sono magliette di cotone che costano poco, ne voglio comprare una.
- Io ne compro tre.
- Io sono al verde! Non ne compro nessuna.

- I maglioni costano pochissimo: ne prendo uno, prendo quello rosso.
- Sono bellissimi, ne compro due: uno nero e uno verde.
- Io non ne compro nessuno: a casa ho un sacco di maglioni di questo tipo!

Completate:

1. Che belle scarpe! .... compro ....
2. Che bei cappelli! .... compro ....
3. Queste magliette sono proprio a buon mercato! .... compro ....
4. Questi piatti sono veramente convenienti! .... compro ....
5. Queste pentole sono a buon mercato! .... compro ....
6. Questi bicchieri sono orribili! .... compro ....
7. Che ombrelli originali! .... voglio comprare ....

Riflessione grammaticale

Quanti maglioni compri?

	Ne compro	uno alcuni pochi molti
Non		nessuno

Quante magliette compri?

	Ne compro	una alcune poche molte
Non		nessuna

Quanti	studenti stranieri inglesi americani cinesi	ci sono nell'aula?

Ce	n'è	uno
	ne sono	alcuni pochi
Non ce	n'è	nessuno

Quante	studentesse ragazze	ci sono nell'aula?

Ce	n'è	una
	ne sono	due poche molte
Non ce	n'è	nessuna

Completate gli slogan pubblicitari con il pronome opportuno e individuate la parola che ogni pronome sostituisce:

1. C'è chi non **la** usa tutti i giorni perché **la** trova troppo bella.
C'è chi **la** usa tutti i giorni perché **la** trova estremamente funzionale.

1. *la / la pentola*

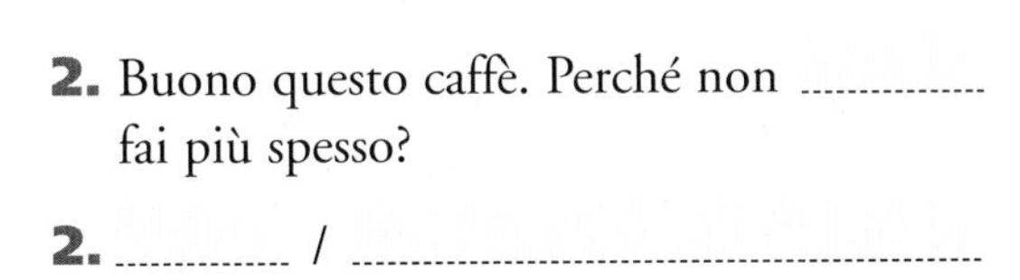

2. Buono questo caffè. Perché non .... fai più spesso?

2. .... / ....

3. Specialità toscane. Chi .... mangia è un buongustaio!

3. .... / ....

4. È festa con i "Baci"! .... vuoi?

4. .... / ....

Come si dice?

Modi di esprimere una protesta

1.
Ma chi ha parcheggiato qui davanti? Ogni giorno la solita musica... questa volta chiamo il vigile!

2.
Guardi che questa confezione di latte è scaduta già da due giorni... ecco la data!

3.
Scusi, ma non vede che questo posto è già occupato?

Completate:

La signora protesta perché

1. ....

....

2. ....

....

3. ....

....

ESPRIMERE UNA PROTESTA	
Scusa, Scusi,	ma ________________
Guarda Guardi	che ________________
Scusi, ma non vede che Ma chi	________________ ? ________________ ?

Immaginate di trovarvi nelle seguenti situazioni. Esprimete la vostra protesta:

1. Al ristorante: il cameriere vi ha portato un conto sbagliato.

....

2. Avete un appuntamento con un amico: lui arriva con mezz'ora di ritardo.

....

3. In treno: un signore fuma nello scompartimento. Il fumo vi dà fastidio.

....

4. Al cinema: dietro di voi sono seduti due ragazzi che durante il film parlano a voce alta.

....

5. In lavanderia: il vestito che dovete ritirare non è del tutto pulito.

....

2 Dove sarà Adriana?

1

Marco: Che fai?
Elena: Sto telefonando ad Adriana, ma non risponde nessuno, non capisco come mai... ormai sono le 9.
Marco: Non **avrà sentito** la sveglia e **dormirà** ancora... oppure **starà facendo** la doccia proprio in questo momento.
Elena: Non credo, piuttosto **sarà** già **uscita** per venire all'Università.

Completate:

Adriana non risponde al telefono. Forse non ha sentito la sveglia,
forse ....
forse ....
forse ....

2

- Guarda il nostro vicino di casa. Ha in mano una borsa e la macchina è piena di valigie. Come mai?
- **Andrà** in vacanza, o... **cambierà** casa.
- Può darsi, oppure **avrà trovato** lavoro in un'altra città.

Completate:

Il nostro vicino di casa ha in mano una borsa e la macchina è piena di valigie.

Forse va in vacanza,

forse

forse ....

....

3

- Scusi, mi sa dire che ore sono?
- Non lo so, mi dispiace, il mio orologio è fermo... **saranno** le due.

Completate:

Il mio orologio è fermo: forse .... le due.

<table>
<tr><td rowspan="4">Perché Adriana non risponde al telefono?</td><td>Dormirà
Forse dorme</td><td>ancora</td></tr>
<tr><td>Starà facendo
Forse sta facendo</td><td>la doccia proprio
in questo momento</td></tr>
<tr><td>Non avrà sentito
Forse non ha sentito</td><td>la sveglia</td></tr>
<tr><td colspan="2">Sarà già uscita
Forse è già uscita</td></tr>
</table>

<table>
<tr><td>Sai

Sa</td><td>che ore sono?
a che ora passa l'autobus?
perché Gina non è venuta?
che cosa ha comprato Lea?
dov'è la mensa?
dove si trova Gubbio?</td></tr>
</table>

<table>
<tr><td>Sì

No, non</td><td>lo so</td></tr>
</table>

Che cosa sarà?

A **Provate a fare delle ipotesi su che cosa sono gli oggetti rappresentati. Se non li riconoscete... capovolgete la pagina:**

1. ....

2. ....

3. ....

4. ....

B **Rispondete alle domande esprimendo un dubbio:**

1. Quanti anni ha la tua padrona di casa?
   Avrà ....
2. Di che nazionalità è Martin?
   ....
3. Che ore sono?
   ....
4. Perché i bambini sono così felici?
   ....
5. Perché oggi non passano gli autobus?
   ....
6. Perché Gianni non ti ha scritto?
   ....
7. Perché Carla è così triste?
   ....
8. Dov'è la borsa di Paolo?
   ....
9. Dov'è andata Elena durante il fine-settimana?
   ....
10. Perché Daniele è sempre al verde?
    ....
11. Perché Sandro e Gioia non sono a lezione?
    ....
12. Perché la TV non funziona?
    ....

1. È un secchiello per il ghiaccio – **2.** È uno stereo – **3.** È un cavatappi – **4.** È un portapenne

3 Souvenir

Pedro: Quante cose! Sono dei regali?
Ana: No, sono i souvenir che ho comprato durante i miei viaggi.
Pedro: Bello questo cappello! Dove **l**'hai comprat**o**? Quando?
Ana: **L**'ho comprat**o** a Firenze nel 1996, in aprile; ero con i miei genitori.
Pedro: E questa bambola in costume tradizionale?
Ana: **L**'ho pres**a** in Sardegna, l'estate scorsa, in settembre; ero con un gruppo di amici. Durante la stessa vacanza ho comprato anche questi animaletti di vetro...
Pedro: E dove **li** hai pres**i**?
Ana: A Venezia: ero con Pablo e Juan.
Pedro: E queste scatole di ceramica?
Ana: **Le** ho comprat**e** a Gubbio, vicino a Perugia dove ho fatto il corso di lingua nel 1998; ero con altri studenti dell'Università.

A Completate lo schema secondo l'esempio:

	Dove	Quando	Con chi
1. Il cappello di paglia	*Firenze*	*aprile 1996*	*i genitori*
2. La bambola in costume tradizionale	______ .	______ .	______ .
3. Gli animaletti di vetro	______ .	______ .	______ .
4. Le scatole di ceramica	______ .	______ .	______ .

B Completate secondo l'esempio:

1. *Anna ha comprato il cappello di paglia a Firenze nel 1996, in aprile; era con i suoi genitori.*
2. ....
3. ....
4. ....

- Quando hai comprato **il giornale**?
- Quando hai comprato **questa rivista**?
- Dove hai comprato **queste scarpe**?
- Dove hai comprato **questi occhiali**?

- **L'**ho compra**to** stamattina.
- **L'**ho compra**ta** la settimana scorsa.
- **Le** ho compra**te** a Firenze.
- **Li** ho compra**ti** dall'ottico sotto casa.

Completate:

- Hai invitato Angelo alla festa? — Sì, ...
- Hai invitato Paola? — No, non ....
- Quando hai invitato i signori Rossi? — .... ieri sera.
- Perché hai invitato le mie cugine? — .... perché sono molto simpatiche.
- Hai letto il giornale stamattina? — Sì, ...
- Dove hai letto questa notizia? — .... sul "Corriere della Sera".
- Quando hai letto le mie poesie? — .... l'anno scorso.
- Quando hai letto i *Promessi sposi*? — .... quando andavo a scuola.

■ Hai visto l'ultimo film di Benigni?	■ No, ...
■ Quando hai visto Alessandra?	■ .... stamattina.
■ Dove hai visto Anna e Paola?	■ .... alla fermata dell'autobus.
■ Quando hai visto i miei amici?	■ .... ieri sera.

Osservate lo schema e, utilizzando le informazioni date, costruite un dialogo fra Delia e Franco:

	Dove	Quando	Con chi
1. vaso	Tunisia	maggio 1990	il fratello
2. conchiglia	Marocco	settembre 1994	la fidanzata
3. stampe	Parigi	marzo 1998	un gruppo di amici
4. piatti di ceramica	Grecia	agosto 2000	i genitori

Delia: Bello questo vaso! Dove l'hai comprato?
Franco: ....
Delia: ....
Franco: ....
Delia: ....
Franco: ....
Delia: ....
Franco: ....

Chiedete al vostro compagno:

- se durante i suoi viaggi ha comprato dei souvenir
- dove e quando ha comprato ogni oggetto
- con chi era

Riferite alla classe le informazioni ricevute.

Riflessione grammaticale

Ho incontrato	**Angelo** mio cognato il professore	e	l'ho invitat**o**	alla festa
	Carla mia cugina la mia amica		l'ho invitat**a**	
	Carlo e Alberto i miei zii i miei colleghi		**li** ho invitat**i**	
	Stefania e Stella le mie cugine le mie amiche		**le** ho invitat**e**	

4 Porta Portese

La domenica romani e stranieri vanno a Trastevere, al mercato di Porta Portese, a caccia di curiosità. Possono trovare di tutto: abbigliamento, televisori, radio, strumenti e oggetti di vario tipo. Per fare buoni affari è fondamentale arrivare all'alba.

Ieri mattina, Michele, Andrea e Massimiliano sono andati a fare delle spese a Porta Portese.
C'erano molti articoli a prezzi speciali, soprattutto libri usati e vecchie riviste. I libri usati erano una vera occasione.
Michele **ne** ha comprat**o** **uno**, Andrea **ne** ha comprat**i** parecch**i** di vari autori, Massimiliano invece non **ne** ha comprat**o** nessun**o**.
Le vecchie riviste erano interessanti ed economiche: Michele **ne** ha pres**e** **due**, Massimiliano **una**, Andrea non **ne** ha comprat**a** nessun**a**.

Completate:

I libri: Michele ne ha comprato uno.
Andrea ....
Massimiliano ....

Le riviste: Michele ....
Andrea ....
Massimiliano ....

Riflessione grammaticale

<table>
<tr><td>Quanti libri</td><td>hai
ha
avete</td><td>comprato?</td></tr>
</table>

<table>
<tr><td rowspan="2"></td><td rowspan="3">ne</td><td rowspan="3">ho
ha
abbiamo</td><td>comprato</td><td>uno</td></tr>
<tr><td>comprati</td><td>due
molti
pochi</td></tr>
<tr><td>Non</td><td>comprato</td><td>nessuno</td></tr>
</table>

<table>
<tr><td>Quante riviste</td><td>hai
ha
avete</td><td>comprato?</td></tr>
</table>

<table>
<tr><td rowspan="2"></td><td rowspan="3">ne</td><td rowspan="3">ho
ha
abbiamo</td><td>comprata</td><td>una</td></tr>
<tr><td>comprate</td><td>due
molte
poche</td></tr>
<tr><td>Non</td><td>comprata</td><td>nessuna</td></tr>
</table>

Sintesi grammaticale

PRONOMI DIRETTI	
CON TEMPO SEMPLICE	CON TEMPO COMPOSTO
Lo ________	L'ho ________ o
La ________	L'ho ________ a
Li ________	Li ho ________ i
Le ________	Le ho ________ e

PRONOME «NE»				
CON TEMPO SEMPLICE		CON TEMPO COMPOSTO		
	Ne ________ uno/a	Ne	ho	________a una
	Ne ________ due, molti/e, pochi/e			________e due, molte, poche
		Non ne		________a nessuna
Non	ne ________ nessuno/a	Ne	ho	________o uno
				________i due, molti, pochi
		Non ne		________o nessuno

PRONOMI PERSONALI DIRETTI		
	FORMA ATONA	FORMA TONICA
(io)	mi	me
(tu)	ti	te
(lui)	lo	lui
(Lei)	La (forma di cortesia)	Lei
(lei)	la	lei
(noi)	ci	noi
(voi)	vi	voi
(loro)	li / le	loro

Civiltà

Stilisti italiani

Descrivete i vari abiti secondo l'esempio:

Ecco a sinistra un modello di Giorgio Armani molto fresco e informale.
Il top è di raso.
I pantaloncini sono di cotone.

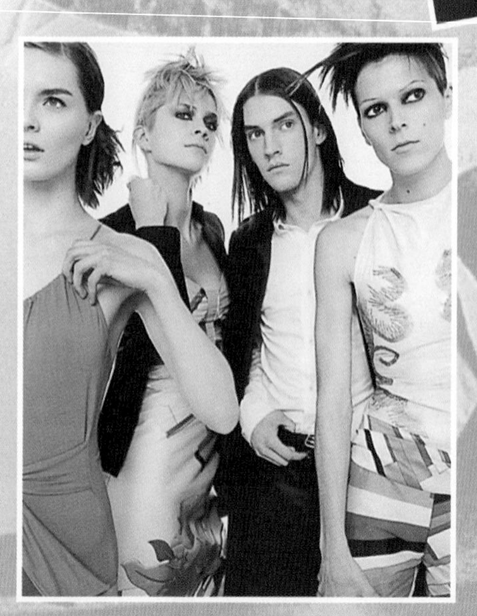

Dolce e Gabbana

Valentino

UNITÀ 10

1 Alla Galleria degli Uffizi

Ruggero: Da molto tempo volevo tornare alla Galleria degli Uffizi… In questo museo ci sono opere meravigliose, ogni volta provo la stessa emozione e lo stesso entusiasmo! Vorrei avere più tempo…

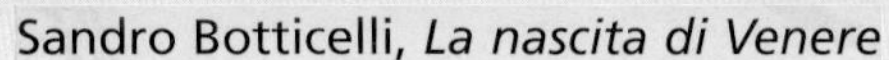

Sandro Botticelli, *La nascita di Venere*

Ruggero: Guarda questo quadro di Botticelli, è stupendo... **ti** piace?
Alberto: Bellissimo... **mi** piace il paesaggio, **mi** piacciono molto i colori, **mi** piace il viso di Venere, **mi** piacciono i suoi capelli, **mi** piacciono i fiori... purtroppo oggi c'è tanta gente... È sempre così affollato questo museo?
Ruggero: Sì, c'è sempre la fila per entrare...

A Completate il testo:

Da molto tempo Ruggero voleva tornare .... Firenze per visitare la Galleria degli ....
In questo museo, uno dei più .... del mondo, ci sono opere d'.....................famosissime; per questo è sempre molto .... e c'è una lunga fila per ....

B Completate:

Alberto: Mi piace ....
Mi piace ....
Mi piacciono ....
Mi piacciono ....
Mi piacciono ....

C Completate con mi piace, mi piacciono:

Raffaello, *Madonna della seggiola*

Alberto: .... i dipinti di carattere religioso.
.... la grazia di questo quadro.
Ruggero: .... i due bambini.
.... la dolcezza del viso della Madonna.

Michelangelo, *Tondo Doni*

Alberto: .... i colori di questo quadro.
.... il viso di Gesù Bambino.
Ruggero: .... le figure nude sullo sfondo.
.... la ricchezza di questo quadro.

- Simone, **ti** piace Botticelli?
- Sì, **mi** piace molto. **Mi** piacciono molto i dipinti della Galleria degli Uffizi.
- Signora, **Le** piace questo pittore?
- No, non **mi** piace affatto.
- Ragazzi, **vi** piace visitare i musei?
- Sì, **ci** piace, ma non **ci** piacciono i musei troppo affollati.
- A Carlo piace l'arte del Cinquecento?
- Sì, **gli** piace, **gli** piacciono soprattutto i quadri di Tiziano.
- A Maria piace l'arte del Cinquecento?
- No, non **le** piace, preferisce l'arte moderna.
- Ai vostri genitori piace Firenze?
- Sì, **gli** piace molto, **gli** piacciono tutte le città d'arte.

Completate:

■ Simone, ... piace la musica classica?	■ Sì, ... piace, soprattutto .... piacciono Bach e Mozart.
■ Signora, ... piace Bach?	■ Bach è la mia passione.
■ Ragazzi, ... piace Lucio Dalla?	■ Sì, ... piace da morire, ... piacciono tutti i cantautori italiani.
■ A Carlo piace la musica leggera?	■ No, non .... piace molto, è appassionato di jazz.
■ A Maria piacciono le canzoni popolari?	■ Sì, ... piacciono moltissimo.
■ Ai vostri amici piace l'opera?	■ Sì, ... piace molto, soprattutto .... piacciono Puccini e Verdi.

Esprimete il vostro giudizio su:

– questa pubblicità

Il mondo non è più quello di una volta?

Nutriamoci di certezze.

Organismi geneticamente modificati, pesticidi, concimi chimici: il mondo di oggi alimenta molte incertezze. Per questo, da 15 anni, Fattoria Scaldasole utilizza materie prime sicure, provenienti dall'Agricoltura Biologica, garantite e certificate da Organismi di Controllo Autorizzati CE. Un controllo totale, dal terreno, all'alimentazione degli animali, fino al prodotto finito. Fattoria Scaldasole, così, assicura da sempre la naturalità dei suoi prodotti. Perché, con le incertezze che ci circondano, ci si possa nutrire di certezze.

Il Biologico. Da 15 anni.

– questa casa

– questo quadro di Carlo Carrà

– questi abiti

Completate con le battute mancanti:

- Ti è piaciuta la casa di Paolo e Valeria?
- .... Ha un arredamento troppo moderno.

- Hai visto l'ultimo modello della Maserati?
- .... ! Quando sarò ricco la comprerò.

Osservate le foto e dite che cosa vi piace/che cosa non vi piace in Italia e perché:

2

1

3

4

5

6

7

8

9

10

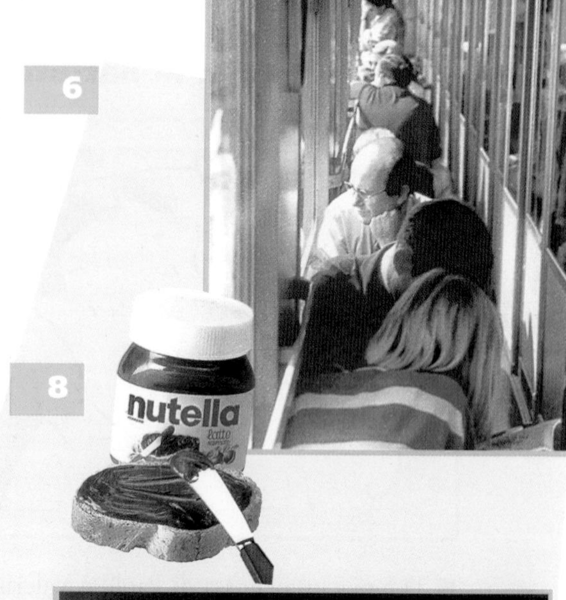

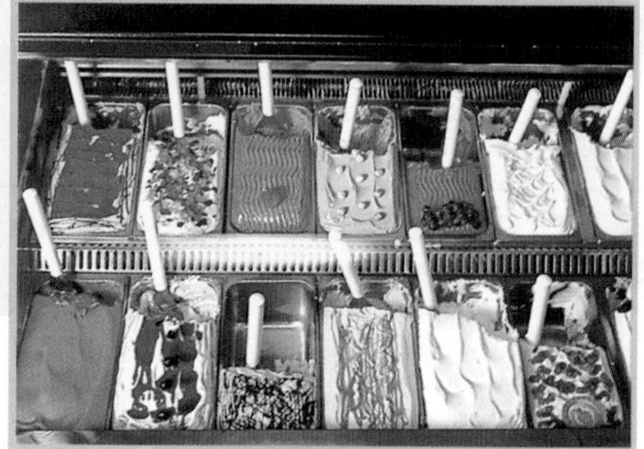

Riflessione grammaticale

PIACERE		
mi ti gli Le le ci vi gli	piace	questo pittore l'arte del Cinquecento Firenze la pizza Margherita la moda italiana
		visitare i musei conoscere gente nuova giocare a tennis nuotare
	piacciono	i dipinti di Tiziano le canzoni popolari gli spaghetti i film gialli i giornali sportivi

2 La vita è bella

- Era bello il film, Laura?
- Sì, **mi è piaciuto** molto; ti consiglio di andare a vederlo. Benigni è bravo come attore e anche come regista... davvero.
- Che tipo di film è? È un film drammatico, vero?
- Sì, *La vita è bella* è un film drammatico, bello e intelligente. **Mi è piaciuta** la storia, triste e poetica nello stesso tempo... **Mi sono piaciuti** molto anche i protagonisti... il bambino, poi, è stato molto bravo... Anche la musica e la fotografia **mi sono piaciute** moltissimo.
- Ha vinto tre premi Oscar... Andrò sicuramente a vederlo.

A Completate:

Laura: .... mi è piaciuto molto.

.... mi è piaciuta.

.... mi sono piaciuti.

.... mi sono piaciute.

B Completate :

Laura è andata al cinema a vedere *La vita è bella* di Roberto Benigni.
Il film le .... molto; le .... la storia, le .... i protagonisti; anche la musica e la fotografia le ....

La notte degli Oscar

È il primo italiano a conquistare la statuetta, dopo quarant'anni di silenzio. Prima di lui, solo Anna Magnani e Sophia Loren.

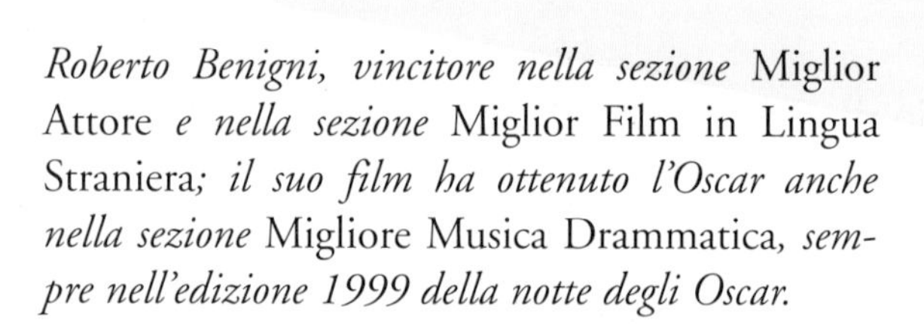

Roberto Benigni, vincitore nella sezione Miglior Attore *e nella sezione* Miglior Film in Lingua Straniera*; il suo film ha ottenuto l'Oscar anche nella sezione* Migliore Musica Drammatica*, sempre nell'edizione 1999 della notte degli Oscar.*

Chiedete al vostro compagno:

- se va spesso al cinema
- che genere di film gli piacciono
- qual è il suo regista preferito
- quali attori preferisce

Riferite alla classe le informazioni ricevute.

C Completate secondo il modello:

Ho visitato i Musei Vaticani. Mi sono piaciuti molto.

1. Ho ascoltato il concerto di Keith Jarrett. .... da morire.
2. Ho letto una poesia di Sandro Penna. .... moltissimo.
3. Ho letto le novelle di Pirandello. .... tanto.
4. Ho visto la mostra sugli Etruschi. .... molto.
5. Luca ha ascoltato il nuovo album di M. Jackson. Non .... per niente.
6. Marta ha guardato alla TV una trasmissione sugli animali. Non .... affatto.
7. I miei amici sono andati allo spettacolo d'apertura della Scala. .... tantissimo.
8. Abbiamo visto Piazza del Campo a Siena. .... molto.
9. Ho letto l'ultimo libro di Enzo Biagi. .... abbastanza.

D Completate la scheda di un film che avete visto recentemente:

Titolo: ....
Regista: ....
Attore protagonista: ....
Attrice protagonista: ....
Fotografo: ....
Ambiente: ....
Durata: ....

Dite che cosa vi è piaciuto e che cosa non vi è piaciuto del film da voi scelto.

Esprimete il vostro giudizio su:

- l'ultimo concerto che avete ascoltato
- l'ultimo viaggio che avete fatto
- l'ultima festa a cui avete partecipato
- l'ultima cena al ristorante

Riflessione grammaticale

<table>
<tr><td rowspan="4">Ti

Le</td><td rowspan="2">è</td><td>piaciuto</td><td>il film?
il libro?
lo spettacolo?</td></tr>
<tr><td>piaciuta</td><td>la commedia?
la fotografia del film?
l'attrice principale?</td></tr>
<tr><td rowspan="2">sono</td><td>piaciuti</td><td>i protagonisti del film?
i Musei Vaticani?
i regali?</td></tr>
<tr><td>piaciute</td><td>le immagini del film?
le fotografie?
le città italiane?</td></tr>
</table>

■ Vieni al bar con noi?
■ **Mi dispiace**, non posso.

■ Hai una sigaretta?
■ **Mi dispiace**, non fumo.

■ Sei contento di tornare a casa?
■ No, **mi dispiace** molto partire.

■ Scusa, **ti dispiace** chiudere la porta?
■ La chiudo subito.

■ Professore, se non **Le dispiace**, verrò a trovarLa stasera.
■ Va bene, ti aspetto.

<table>
<tr><td rowspan="2">Mi</td><td>dispiace</td><td rowspan="2">partire
lasciare questa città
non potere venire da voi
non salutare gli amici
rimanere da solo</td></tr>
<tr><td>è dispiaciuto</td></tr>
</table>

Completate i dialoghi con i verbi *dispiacere* o *non piacere*:

1. ■ Esci con noi stasera?
   ■ .... , ma sono troppo stanco.
2. ■ Com'è questo libro? Ti piace?
   ■ No, ... , ... i libri gialli.
3. ■ Alberto, vieni? Siamo in ritardo!
   ■ .... aspettare un momento? Arrivo subito.
4. ■ Com'è la casa di Claudia? È carina?
   ■ .... , è troppo fredda e moderna.
5. ■ Perché andate via così presto? Non è ancora mezzanotte!
   ■ .... molto andare via, ma stasera non possiamo fare tardi.
6. ■ Perché non sei venuta al concerto ieri sera? È stato bellissimo!
   ■ .... tanto, ma proprio non ho potuto.

Come si dice?

■ Paola, andiamo al cinema, stasera? C'è un giallo di Dario Argento.
■ Ah... no... per carità, **detesto** i film gialli... **non sopporto** le scene di violenza, mi fanno paura.
■ C'è anche un film western...
■ No, Giovanni, lo sai che **non mi piace** questo genere di film...
■ Beh... allora ci vado da solo...
■ Va' pure... io resto volentieri a casa e leggo un libro.

Completate:

Giovanni andrà ....

Paola non ci andrà perché ....

ESPRIMERE GRADIMENTO		
Mi	piace piacciono	molto ________ abbastanza ________ da morire ________
Ho una passione per ________		
È	stupendo ________ meraviglioso ________	

ESPRIMERE NON GRADIMENTO		
Non mi	piace piacciono	affatto ________ per niente ________
Non sopporto ________		
Odio ________		
Detesto ________		

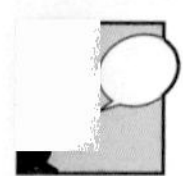

Esprimete i vostri gusti in relazione agli elementi dell'elenco che segue:

- viaggiare
- stare da solo/a
- stare in compagnia
- fare passeggiate
- studiare
- lavorare
- cucinare
- parlare con la gente
- vivere in città
- vivere in campagna
- ascoltare la musica
- fare sport
- guardare la TV
- andare al cinema
- giocare al computer
- navigare in Internet
- mandare SMS
- la natura
- il mare
- la montagna
- l'estate
- l'inverno
- la famiglia
- i bambini

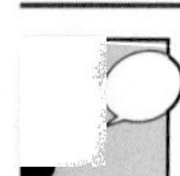

Seguendo l'esempio, esprimete i vostri gusti in relazione a:

Cibo	Persone	Animali	Casa
Lavoro	Tempo libero	Vacanze	Mezzi di trasporto

Esempio:

– ***Mi piace il pesce, odio la carne, vado matto per la cioccolata.***

L'attrice Mariangela Melato. Per lei, un'estate di lavoro a Parigi.

Ho provato tutti i tipi di vacanze, ma non mi piacciono.

La spiaggia
L'idea della luce, della barca, della corsa al divertimento non mi piace. L'abbronzatura mi piace, ma stare immobili al sole è insopportabile.

La campagna
Quel silenzio mi fa paura. Poi ci sono gli insetti: li detesto e forse per questo mi pungono spesso.

3 Le vacanze di Mariangela Melato

La crociera
Ci sono andata due anni fa: sono stati quindici giorni terribili. La nave era piena di gente: sembrava di stare a Rimini in agosto; ogni cinque minuti poi organizzavano un gioco stupido.

La città
Il posto che mi piace per rilassarmi è il tavolino di un bar di piazza di Spagna: ci vado alle 7 di mattina e leggo i giornali. Ci resto anche due ore: lì il tempo vola.

(Rid. e ad. da "La Repubblica")

A Completate:

Mariangela Melato non ama le .... Questa estate si trova a .... per motivi di lavoro.

Non .... piace il mare, perché per .... è insopportabile stare immobile al .... , non le piace andare in .... e doversi divertire per forza.

.... fa paura il silenzio della .... e detesta gli insetti:

Due .... fa è andata in crociera, ... non le è piaciuta, perché ....'era troppa gente.

Il posto .... preferisce per rilassarsi in estate .... un bar di piazza di Spagna, ... lei va presto la mattina, ... colazione e legge i giornali.

B Completate il dialogo con le battute mancanti:

■ Signora Melato, che cosa sta facendo in questo periodo?
■ ....
■ Le piacciono le vacanze?
■ ....
■ Le piace il mare?
■ ....
■ Perché?
■ ....
■ Che cosa pensa della campagna?
■ ....
■ È mai andata in crociera?
■ ....
■ Le è piaciuta?
■ ....
■ Perché?
■ ....
■ Allora che cosa fa quando vuole rilassarsi?
■ ....

<table>
<tr><td rowspan="2">Mi</td><td>fa</td><td rowspan="2">paura</td><td>il silenzio
la folla
il buio</td></tr>
<tr><td>fanno</td><td>gli insetti
i tuoni
i luoghi chiusi</td></tr>
</table>

Chiedete al vostro compagno:

1. se durante le vacanze gli piace
andare – al mare
– in montagna
– in campagna
– nelle città d'arte
– in crociera
restare in città

2. di spiegare le ragioni delle sue preferenze

Riferite alla classe le informazioni ricevute.

4 Regali

Domani è il compleanno di Marta: voglio regalarle un bel libro...
Forse le regalo *Il nome della rosa* di Umberto Eco: **a me** è piaciuto molto, ma **a lei** forse non piace. È un libro un po' difficile! Oppure le compro *Un uomo* di Oriana Fallaci, è un libro molto appassionante. Ma... io ce l'ho, posso prestarle il mio.
O le regalo questo libro di Roberto Bosi, *Itinerari romantici italiani*: le piace scoprire i paesaggi del nostro paese. Ma... costa un po' troppo.
Ecco, ho trovato il regalo giusto: la *Guida di Parigi*. **A Marta** piace viaggiare, le farò certamente un regalo graditissimo.

A Scrivete un testo simile al precedente. Dite che:

1. volete regalare un libro a un amico; siete incerti fra *Il secondo diario minimo* di Umberto Eco, *Gli amori difficili* di Italo Calvino, un libro d'arte su *Tiziano* e la *Storia del cinema italiano*;

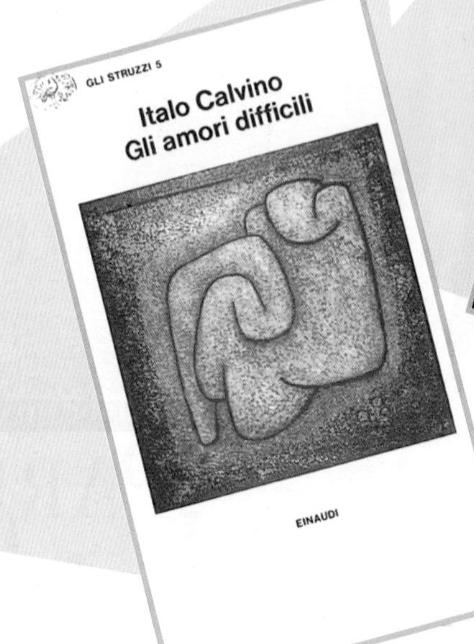

2. volete regalare un libro al vostro professore; siete incerti fra *Il cavaliere e la morte* di Leonardo Sciascia, *Gli indifferenti* di Alberto Moravia, un libro su Parigi e la *Guida alberghi e ristoranti* del Touring Club Italiano.

Riflessione grammaticale

Giorgio	**mi** **ti** **gli** **Le** **le** **ci** **vi** **gli**	ha offerto un caffè al bar. ha dato un passaggio al centro. ha scritto una cartolina da Parigi. ha telefonato dalla stazione. ha regalato un orologio ha promesso di tornare presto. ha raccontato una bugia. ha venduto la sua macchina. ha prestato il suo dizionario. ha chiesto un favore. ha presentato sua moglie. ha fatto vedere le foto della Tunisia.

A chi	manca il libro?
	presti la macchina?
	scrivi la lettera?
	mandi i fiori?
	piacciono le rose?
	dai il tuo indirizzo?
	presti i soldi?

Manca	**a me**
La presto	**a te**
La scrivo	**a lui**
Li mando	**a lei**
Piacciono	**a noi**
Lo do	**a voi**
Li presto	**a loro**

Sintesi grammaticale

PRONOMI PERSONALI					
PRONOMI SOGGETTO	PRONOMI DIRETTI FORMA ATONA / FORMA TONICA		PRONOMI INDIRETTI FORMA ATONA / FORMA TONICA		PRONOMI RIFLESSIVI
io	mi	me	mi	a me	mi
tu	ti	te	ti	a te	ti
lui Lei lei	lo La la	lui Lei lei	gli Le le	a lui a Lei a lei	si
noi	ci	noi	ci	a noi	ci
voi	vi	voi	vi	a voi	vi
loro	li le	loro	gli (loro)	a loro	si

Civiltà

Il cinema in Italia

Questi sono tre grandi registi italiani. Chi sono? Conoscete qualche loro film?

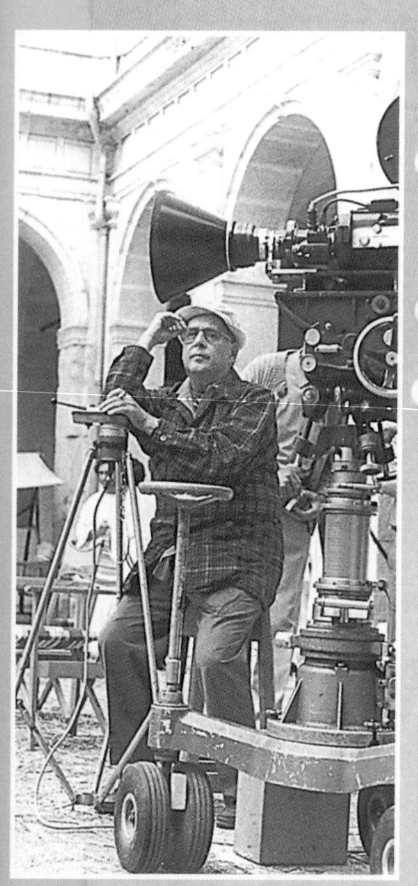

Completate con i verbi indicati fra parentesi:

Federico Fellini (*nascere*) .... a Rimini nel 1920.
(*Lasciare*) .... giovanissimo l'ambiente provinciale della sua città; (*trasferirsi*) .... prima a Firenze, dove (*lavorare*) .... come disegnatore di fumetti e poi, nel 1939, a Roma. Nel 1945 (*collaborare*) .... come sceneggiatore con Roberto Rossellini al film *Roma città aperta*.
(*Diventare*) .... famoso con film come *Lo sceicco bianco* (1952), *I vitelloni* (1953).
Nel 1960 (*girare*) .... *La dolce vita*, un affresco della società romana agli inizi degli anni Sessanta.
Tra i suoi film dobbiamo ricordare *Otto e mezzo* (1963), la sua opera più impegnata e complessa, *Amarcord* (1973), *Casanova* (1976), *Ginger e Fred* (1986), *La voce della luna* (1990).
(*Morire*) .... a Roma nel 1993.

Rispondete alle domande:

– Questi sono alcuni giovani registi italiani. Li conosci?

Nanni Moretti

Leonardo Pieraccioni

Giuseppe Tornatore

– Conosci il titolo di qualche loro film?

UNITÀ 11

Julia Roberts

Steven Spielberg

Enzo Biagi

1 Attore, regista o giornalista: professioni nei sogni dei giovani

Giorgio: **Vorrei** diventare regista; non mi importa essere famoso, ma attraverso il mio lavoro **desidererei** esprimere le mie idee e la mia creatività.

Silvano: **Lavorerei** volentieri come corrispondente dall'estero per un quotidiano di prestigio come "la Repubblica" o il "Corriere della Sera".

Carla: **Mi piacerebbe** fare l'attrice: il mio sogno è di essere al centro dell'attenzione, di essere famosa.

Sandro: **Lavorerei** volentieri nel mondo del cinema: **vorrei** essere un attore per interpretare ruoli diversi, per essere sempre un'altra persona. **Sarebbe** bello interpretare personaggi storici famosi!

Giulia: **Sarei** felice di poter fare la giornalista. **Vorrei** viaggiare molto per lavoro, conoscere paesi e culture diverse, imparare sempre cose nuove.

Edoardo: Ho sempre sognato di diventare un medico bravo, ma anche uno studioso o un ricercatore. **Mi piacerebbe** aiutare la gente, essere utile agli altri ed essere soddisfatto di me.

A **Scrivete accanto al nome di ciascun ragazzo il nome del personaggio che fa la professione da lui "sognata":**

1 *Umberto Veronesi (medico)*

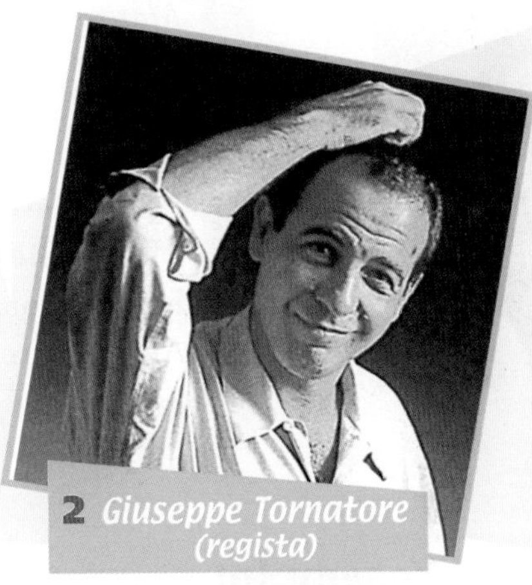
2 *Giuseppe Tornatore (regista)*

3 *Francesca Neri (attrice)*

4 *Raul Bova (attore)*

5 *Eugenio Scalfari (giornalista)*

6 *Barbara Palombelli (giornalista)*

Giorgio: .... ; *Silvano*: .... ; *Sandro*: ....; *Giulia*: .... ; *Edoardo*: .... ; *Carla*: ....

B Completetate:

Giorgio vorrebbe ....
A Carla piacerebbe ....
Sandro vorrebbe ....
Giulia sarebbe felice di ....
Silvano lavorerebbe volentieri ....
Edoardo ha sempre sognato di ....

E tu che lavoro vorresti fare?

Daniele: **Lavorerei** volentieri in un'agenzia di viaggi.
Marco: **Chiederei** un prestito in banca e **aprirei** un ristorante italiano all'estero.
Anna: **Aprirei** un negozio di abbigliamento.

Daniele **lavorerebbe** volentieri in un'agenzia di viaggi.
Marco **chiederebbe** un prestito in banca e **aprirebbe** un ristorante italiano all'estero.
Anna **aprirebbe** un negozio di abbigliamento.

Completate secondo l'esempio:

1. Che cosa vorresti fare stasera?

Daniele: (*guardare*) ....
un bel film alla TV.
Marco: (*scrivere*) .... qualche e-mail ai miei amici.
Anna: (*finire*) ....
di leggere il mio libro.

Daniele .... un bel film alla TV.
Marco .... qualche e-mail agli amici.
Anna .... di leggere il suo libro.

2. Come ti piacerebbe passare le vacanze?

Daniele: (*fare*) ....
un bel viaggio negli Stati Uniti.
Marco: (*andare*) ....
a sciare.
Anna: (*partire*) .... per
le Maldive.

Daniele .... un bel viaggio negli Stati Uniti.
Marco .... a sciare.
Anna .... per le Maldive.

Io ....

Riflessione grammaticale

LAVORARE			
(io)	Lavor**erei**	(volentieri)	in un'agenzia di viaggi
(tu)	Lavor**eresti**		in un negozio
(lui, lei)	Lavor**erebbe**		in una libreria
(noi)	Lavor**eremmo**		in banca
(voi)	Lavor**ereste**		all'estero
(loro)	Lavor**erebbero**		

LEGGERE			
(io)	Legg**erei**	(volentieri)	il giornale
(tu)	Legg**eresti**		questa rivista
(lui, lei)	Legg**erebbe**		le ultime notizie
(noi)	Legg**eremmo**		un bel libro
(voi)	Legg**ereste**		
(loro)	Legg**erebbero**		

PARTIRE			
(io)	Part**irei**	(volentieri) per	le vacanze
(tu)	Part**iresti**		il mare
(lui, lei)	Part**irebbe**		Parigi
(noi)	Part**iremmo**		gli Stati Uniti
(voi)	Part**ireste**		le Maldive
(loro)	Part**irebbero**		

A **Esprimete dei desideri nelle situazioni che seguono, utilizzando le espressioni indicate sotto:**

Che bella giornata! Con questo tempo ....

....

....

uscire – fare quattro passi – fermarsi al bar – prendere un caffè e prendere il sole

Che tempaccio! Con questo tempo ....

....

....

tornare a letto – leggere un libro – guardare un film alla TV – telefonare a qualche amica e rilassarsi un po’

B Esprimete dei desideri nelle seguenti situazioni, secondo l'esempio:

È una giornata caldissima. — *Vorrei andare in piscina.* / *Berrei volentieri una birra.* / *Andrei al mare.*

1. In ufficio c'è molto lavoro da fare. — .... / .... / ....
2. Sono le sette, suona la sveglia. — .... / .... / ....
3. La città è rumorosa e piena di smog. — .... / .... / ....
4. Gli amici partono per un fine settimana al mare. — .... / .... / ....
5. Fra poche settimane cominciano le vacanze. — .... / .... / ....
6. Domani è il vostro compleanno. — .... / .... / ....

OGNUNO HA UN SOGNO. QUAL È IL TUO?

Esprimete dei desideri osservando le foto:

7
8
9
10
11
12

2 Che lavoro fa?

- Che lavoro fa, signor Rossi?
- Sono insegnante in una scuola elementare.
- È contento del suo lavoro?
- Sì, abbastanza, i bambini mi piacciono, ma...
- Ma... che cosa?
- **Avrei voluto** studiare medicina. **Mi sarebbe piaciuto** diventare un bravo medico.
- Perché non l'ha fatto?
- Avevo bisogno di guadagnare presto e la facoltà di medicina dura molti anni.

Completate:

Il signor Rossi è ...., ma avrebbe voluto ....
...., gli sarebbe piaciuto ....
Non ha potuto, perché ....

ESPRIMERE UN DESIDERIO	
Vorrei... Mi piacerebbe... Avrei voglia di... Sarebbe bello... Sarei felice/contento di...	Avrei voluto... Mi sarebbe piaciuto... Avrei avuto voglia di... Sarebbe stato bello... Sarei stato felice/contento di...
Mangerei / Scriverei / Partirei (volentieri)...	Avrei mangiato / Avrei scritto / Sarei partito (volentieri)...

A Completate, utilizzando le espressioni indicate sotto:

Sono operaio in una fabbrica di auto a Torino. Non sono contento del mio lavoro, perché non è quello che desideravo fare; infatti io ....

....

....

....

studiare economia e commercio – fare un master di economia aziendale – specializzarsi negli Stati Uniti – lavorare come dirigente in un'azienda

B Completate il dialogo con le indicazioni a lato:

■ Che lavoro fa, signor Bianchi? – impiegato alla posta

■ ....

■ Le piace il suo lavoro? – no

■ ....

■ Che lavoro avrebbe voluto fare? — studiare informatica
■ .... — lavorare in un'azienda di telecomunicazioni
....

■ Perché non l'ha fatto? — nel 1971 la facoltà di informatica essere solo in due città lontane dalla mia. I miei non avere abbastanza soldi.
■ ....
....
....

■ Perché non lo fa adesso? — tardi
■ ....

■ Non è mai troppo tardi!

Riflessione grammaticale

(io)	**Avrei**			quattro passi / chiacchiere
(tu)	**Avresti**			
(lui, lei)	**Avrebbe**	**fatto**	(volentieri)	
(noi)	**Avremmo**			una passeggiata
(voi)	**Avreste**			un viaggio
(loro)	**Avrebbero**			

(io)	**Sarei**			
(tu)	**Saresti**	andato/a		al mare
(lui, lei)	**Sarebbe**			in piscina
(noi)	**Saremmo**		(volentieri)	a Firenze
(voi)	**Sareste**	andati/e		a fare quattro passi con gli amici
(loro)	**Sarebbero**			

C **Esprimete dei desideri nelle seguenti situazioni, secondo l'esempio:**

Stamattina in classe era molto caldo.
- *Avrei voluto bere qualcosa.*
- *Avrei bevuto volentieri una bibita.*
- *Sarei andato in piscina.*

1. Ieri in ufficio c'era molto da fare.
- ....
- ....
- ....

2. Stamattina, quando è suonata la sveglia, pioveva a dirotto.
- ....
- ....
- ....

3. Anni fa vivevo in una città rumorosa e piena di smog.

4. L'anno scorso a Firenze nella vetrina di un negozio ho visto un abito stupendo.

5. Un gruppo di miei amici è partito per un fine settimana al mare.

6. Durante le vacanze sono rimasto in città.

Chiedete al vostro compagno quali sono adesso e quali erano in passato i suoi desideri per quanto riguarda:

- lo studio
- il lavoro
- il carattere
- l'aspetto fisico

Riferite alla classe le informazioni ricevute.

Come si dice?

Modi di chiedere qualcosa in modo gentile

■ Giovanni, io sto cucinando, **potresti** rispondere tu al telefono?

■ Scusi, **mi direbbe** dov'è la biblioteca comunale?
■ È qui vicino, la seconda strada a destra.

■ **Le dispiacerebbe** chiudere la porta?

CHIEDERE QUALCOSA IN MODO GENTILE
Scusi, può... Scusa, puoi...
Potrebbe... Potresti...
Le / Ti dispiacerebbe...
Mi direbbe... / diresti...

Completate:

La signora chiede gentilmente
– a Giovanni di ....
– a un passante di ....
– a una ragazza di ....

Fate delle domande in modo gentile secondo l'esempio:

Chiedete informazioni per andare al Museo Archeologico.

- *Scusi, mi può dire dove si trova il Museo Archeologico?*
- *Potrebbe dirmi dove si trova il Museo Archeologico?*
- *Mi direbbe, per favore, dove si trova il Museo Archeologico?*
- *Le dispiacerebbe dirmi dove si trova il Museo Archeologico?*

1. Chiedete l'ora a un passante.
2. Chiedete ai vostri vicini di fare silenzio.
3. Chiedete all'insegnante di parlare lentamente.
4. Chiedete al vicino di tavolo al ristorante di non fumare.
5. Chiedete a un passante dove si trova l'ufficio turistico.

Come si dice?

Modi di dare consigli

- Che problema! Sono senza lavoro da un mese e non so come fare...
- Andrea, **dovresti** parlare con il direttore; **perché non** gli chiedi un altro periodo di prova?
- Io **andrei** all'ufficio di collocamento e **mi iscriverei** nelle liste di disoccupazione.
- Io al posto tuo **avrei già messo** un annuncio sul giornale... tu conosci bene il tedesco, **potresti** fare delle traduzioni, dare delle lezioni private.

Completate:

Gli amici consigliano Andrea di ....

....

....

....

<table>
<tr><th colspan="8">DARE CONSIGLI</th></tr>
<tr><td colspan="4">Perché non ....?</td><td colspan="4">Perché non ....?</td></tr>
<tr><td>Dovresti
Dovrebbe</td><td colspan="3">......................................</td><td>Avresti
Avrebbe</td><td colspan="3">dovuto ....</td></tr>
<tr><td rowspan="3">Al posto</td><td>tuo,</td><td rowspan="3">io</td><td>smetterei di fumare</td><td rowspan="3">Al posto</td><td>tuo,</td><td rowspan="3">io</td><td>avrei smesso di fumare</td></tr>
<tr><td></td><td>andrei dal medico</td><td></td><td>sarei andato dal medico</td></tr>
<tr><td>Suo,</td><td>mangerei di meno</td><td>Suo,</td><td>avrei mangiato di meno</td></tr>
</table>

Date consigli a un amico che:

1. vuole rimanere in salute a lungo
2. vuole dimagrire
3. vuole ingrassare
4. vuole smettere di fumare
5. vuole imparare bene l'inglese (o la vostra lingua)
6. vuole fare una vacanza speciale
7. vuole conquistare una ragazza/un ragazzo
8. vuole guadagnare subito un po' di soldi
9. ha un esame difficile fra poco
10. ha perso il portafoglio
11. ha trovato un portafoglio con parecchi soldi
12. ha bisogno di riposarsi

Ogni studente espone un suo problema relativo a:

- lo studio
- il lavoro
- la casa
- la salute
- l'aspetto fisico

Gli altri studenti danno consigli su come risolvere il problema.

Scrivete una breve lettera a un amico/un'amica che vuole venire nella vostra città. Dategli/le consigli su:

- il periodo migliore per venire
- con che mezzo venire
- dove abitare
- dove mangiare
- che cosa vedere / fare / comprare

..............................., ...

Caro/a ....,

sono stato molto felice di sapere che verrai a passare le vacanze

....

Ti scrivo per darti i consigli che mi hai chiesto. Prima di tutto vuoi sapere qual è il periodo migliore per visitare ....

....

....

....

....

....

....

....

Un abbraccio e a presto

....

Vacanze-studio in Italia

Un gruppo di amici che vive a Monaco ha deciso di passare delle vacanze-studio in Italia. Ognuno ha un desiderio particolare da realizzare: fra loro Anika è appassionata di arte e vorrebbe frequentare un corso di restauro, Susanne vorrebbe imparare la lingua italiana, Erika ha intenzione di fare un corso di vela e Axel vorrebbe fare un corso per manager.

Leggete i testi e date a ogni persona i consigli adeguati, secondo l'esempio:

1.
Secondo me, Axel, potresti frequentare un corso alla Bocconi di Milano; ho letto che ce n'è uno da giugno a novembre, è piuttosto caro, ma al posto tuo io proverei a telefonare e a chiedere informazioni.

1

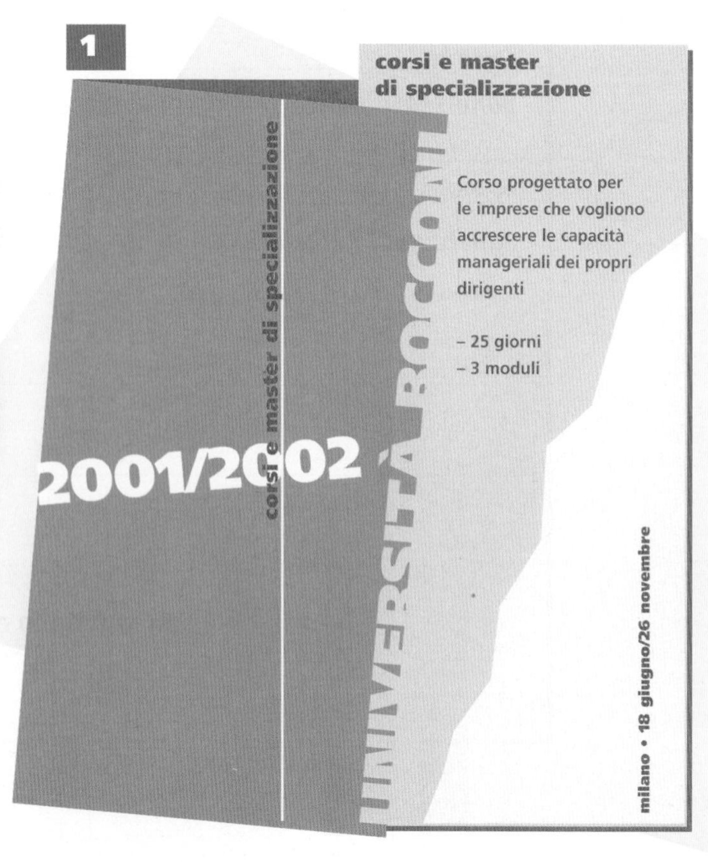

corsi e master di specializzazione
2001/2002
corsi e master di specializzazione
UNIVERSITÀ BOCCONI
Corso progettato per le imprese che vogliono accrescere le capacità manageriali dei propri dirigenti
– 25 giorni
– 3 moduli
milano • 18 giugno/26 novembre

UNIVERSITA'
PER STRANIERI
PERUGIA

■ I corsi hanno la durata di uno, due o tre mesi. ■ I corsi trimestrali si concludono con prove d'esame, che sono facoltative. ■ I corsi bimestrali e mensili, il cui programma è proporzionalmente ridotto rispetto a quello del corso trimestrale, non si concludono con prove d'esame.

CORSI TRIMESTRALI

7 gennaio - 31 marzo; 1 aprile - 30 giugno; 1 luglio - 30 settembre;
3 agosto - 30 ottobre; 1 ottobre - 23 dicembre.

CORSI BIMESTRALI

7 gennaio - 28 febbraio; 3 febbraio - 31 marzo; 2 marzo - 30 aprile;
1 aprile - 29 maggio; 4 maggio - 30 giugno; 1 giugno - 31 luglio;
1 luglio - 31 agosto; 3 agosto - 30 settembre; 1 settembre - 28 ottobre;
1 ottobre - 27 novembre; 29 ottobre - 23 dicembre.

CORSI MENSILI

7-31 gennaio; 3-28 febbraio; 2-31 marzo; 1-30 aprile; 4-29 maggio;
1-30 giugno; 15 giugno - 14 luglio; 1-31 luglio; 15 luglio - 13 agosto;
3-31 agosto; 17 agosto - 16 settembre; 1-30 settembre; 1-28 ottobre;
29 ottobre - 27 novembre; 26 novembre - 23 dicembre.

UNIVERSITÀ PER STRANIERI — PERUGIA

2

2.

Secondo me, Susanne, ...

....

....

....

....

....

....

....

....

....

....

....

....

Perugia, Palazzo Gallenga

3.

Secondo me, Anika, ...

....

....

....

....

....

....

....

....

....

....

....

....

ISTITUTO PER L'ARTE E IL RESTAURO

Palazzo Spinelli

Dipartimenti di Restauro, Beni Culturali, Storia dell'Arte e Antiquariato, Fine Arts, Design, Graphic Design & Communication

CORSI ACCADEMICI

Firenze

3

L'ARTE DEL RESTAURO

Chi è interessato all'arte del restauro può frequentare i corsi dell'Istituto per l'Arte e il Restauro di Firenze.
Sono triennali, riservati a un ristretto numero di partecipanti e toccano numerosi temi: dal restauro dei dipinti e dei legni antichi a quello dei libri, delle stampe e dei tessuti. L'Istituto organizza anche una serie di corsi estivi della durata di un mese o corsi di specializzazione di due sole settimane.

Istituto per l'Arte e il Restauro
Borgo S. Croce 10,
Firenze
tel. 055/246001

4

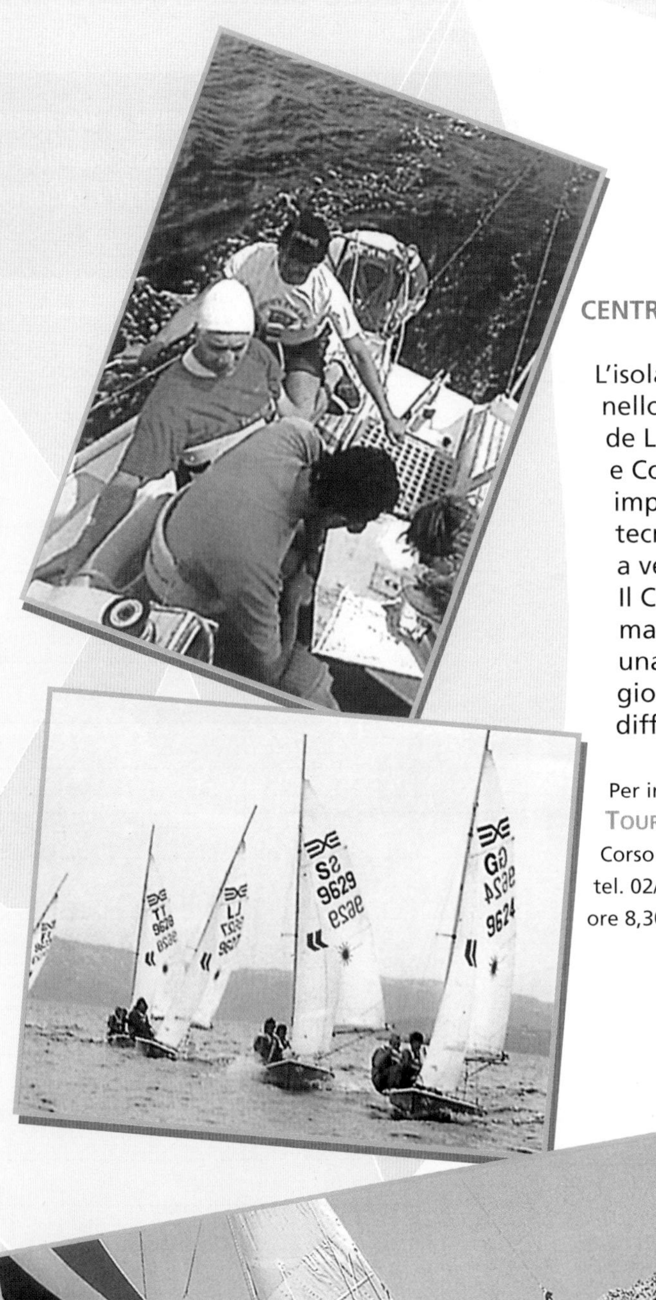

CENTRO VELICO CAPRERA

L'isola di Caprera, nello stupendo arcipelago de La Maddalena, fra Sardegna e Corsica, è il luogo ideale per imparare o perfezionare la tecnica della navigazione a vela.
Il CVC è una scuola di vela e di mare molto seria. I corsi durano una settimana o quattordici giorni e prevedono tre livelli di difficoltà.

Per informazioni rivolgersi a:
TOURING CLUB ITALIANO
Corso Italia 10, Milano,
tel. 02/86452191
ore 8,30-12,00 / 14,00-17,00

4.

Secondo me, Erika, ...

....

....

....

....

....

....

....

....

....

....

....

....

CENTRO VELICO CAPRERA

Dite che cosa fareste al posto delle persone che si trovano nelle seguenti situazioni, secondo l'esempio:

Al ristorante: Aldo ha finito di mangiare. Al momento di pagare il conto, si accorge di non avere il portafoglio. → *Al posto suo, io telefonerei a un amico e gli chiederei di portarmi i soldi, oppure lascerei un documento al proprietario e andrei a casa a prendere i soldi.*

È notte. Clara sente degli strani rumori in casa. → ....

Tina è uscita di casa, ma ha lasciato dentro le chiavi. → ....

Nevica molto forte. L'auto di Lorenzo non riesce ad andare avanti. → ....

Il signor Guarducci deve assolutamente parlare con sua moglie, ma il telefono è sempre occupato. → ....

I signori Gori hanno ricevuto un invito a cena a casa di amici: devono scegliere il regalo. → ....

ESPRIMERE UN DESIDERIO

- Con questo caldo berrei volentieri una birra!
- Anch'io avrei voglia di qualcosa di fresco!

CHIEDERE QUALCOSA IN MODO GENTILE

- Scusa, Simone, ti dispiacerebbe prestarmi dei soldi? Ho lasciato il portafoglio a casa!
- Certo! Figurati!

DARE CONSIGLI

- Vorrei cambiare tipo di studi: ho capito che l'economia non mi interessa molto. Che ne pensi?
- Io ci penserei bene prima di interrompere gli studi e di cambiare! Avresti dovuto pensarci prima.

CONDIZIONALE SEMPLICE		
-are	-ere	-ire
(io) ________ **erei**	________ **erei**	________ **irei**
(tu) ________ **eresti**	________ **eresti**	________ **iresti**
(lui, lei) ________ **erebbe**	________ **erebbe**	________ **irebbe**
(noi) ________ **eremmo**	________ **eremmo**	________ **iremmo**
(voi) ________ **ereste**	________ **ereste**	________ **ireste**
(loro) ________ **erebbero**	________ **erebbero**	________ **irebbero**

VERBI IN -CARE E -GARE	
cer**care**	cerc**herei**
pa**gare**	pag**herei**

VERBI IN -CIARE E -GIARE	
comin**ciare**	comin**cerei**
man**giare**	man**gerei**

ALTRE FORME DI CONDIZIONALE SEMPLICE			
essere	sarei	venire	verrei
avere	avrei	volere	vorrei
andare	andrei	tenere	terrei
dovere	dovrei	tradurre	tradurrei
potere	potrei	dare	darei
sapere	saprei	dire	direi
vedere	vedrei	fare	farei
bere	berrei	stare	starei
rimanere	rimarrei		

CONDIZIONALE COMPOSTO *Condizionale semplice di* **avere** *o* **essere** + *participio passato*					
(io)	**sarei**		(io)	**avrei**	
(tu)	**saresti**	________**o/a**	(tu)	**avresti**	
(lui, lei)	**sarebbe**		(lui, lei)	**avrebbe**	________**o**
(noi)	**saremmo**		(noi)	**avremmo**	
(voi)	**sareste**	________**i/e**	(voi)	**avreste**	
(loro)	**sarebbero**		(loro)	**avrebbero**	

IL PLURALE DI ALCUNI NOMI			
La	città pubblicità facoltà	Le	città pubblicità facoltà
L'	Università		Università
Il	papà caffè	I	papà caffè
La	foto radio moto	Le	foto radio moto
L'	auto		auto
Il	cinema	I	cinema

Civiltà

I giornali in Italia

I quotidiani italiani di maggior prestigio, a diffusione nazionale, sono il "Corriere della Sera" e "la Repubblica", con una tiratura di circa un milione di copie al giorno, "La Stampa" e "Il Giornale". Ce ne sono poi altri che hanno una lunga tradizione alle spalle, ma con una diffusione prevalentemente regionale: ad esempio "La Nazione" di Firenze, "Il Messaggero" di Roma, "Il Resto del Carlino" di Bologna, "Il Mattino" di Napoli.

Un fenomeno tipicamente italiano sono i quotidiani di informazione esclusivamente sportiva: "Stadio", "La Gazzetta dello Sport", "Tuttosport", che tirano ogni giorno centinaia di migliaia di copie.

I giovani italiani non leggono molto i quotidiani: il 43% legge un quotidiano almeno tre volte alla settimana, il 25% tutti i giorni. Si interessano soprattutto alla cronaca, la "nera" in particolare, ma anche all'attualità, agli spettacoli, allo sport.

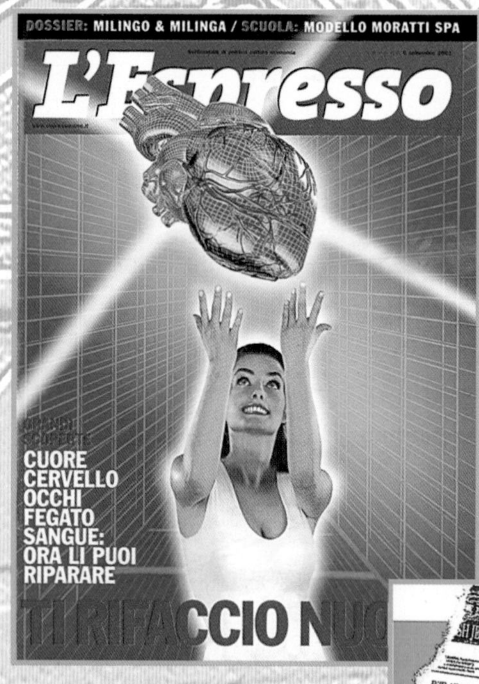

la Repubblica
La guerra delle tasse
Commercianti: ostruzionismo fiscale. Fini: sfiducia a Visco
L'inflazione scende al 3,1 per cento

ERE DELLA SERA
Tasse, la rivolta dei commercianti

LA STAMP
Il presidente Billè minaccia l'ostruzionismo fiscale: «Faremo inceppare lo Stato»
Finanziaria, commercianti in rivolta
L'inflazione torna a scendere verso il 3 per cen

Il Messaggero
Fisco, commercianti in rivolta
Prodi difende Visco, Fini minaccia di sfiduciarlo. Berlusconi frena

iViaggi di Repubblica

NEVE DI CASA MIA

LOMBARDIA
Da dove cade la neve
DI ALDO BUSI

VENETO
ASIAGO
Il ripiano della poesia
DI MARIO RIGONI STERN

FRIULI VENEZIA GIULIA
PIANCAVALLO
La discesa da sogno
DI RICCARDO ILLY

MASO CORTO ■ PARMA ■ TRENTINO ■ LE OFFERTE ■ IL CALENDARIO

ell'Italia

NUMERO 106 FEBBRAIO 1995 - LIRE 6.500

VAL DI ZOLDO
LE MONTAGNE DEGLI INDOMABILI

EDITORIALE GIORGIO MONDADORI

Dite:

- quali sono i più importanti quotidiani nel vostro paese
- quali leggete e perché
- che cosa leggete in particolare in un quotidiano
- quali sono le riviste più importanti
- quali leggete e perché

UNITÀ 12

1 Firenze-Palermo

L'aereo è **più** veloce **del** treno.
L'aereo è **più** pratico **del** treno.
Il treno è **più** economico **dell'**aereo.
Il treno è **meno** caro **dell'**aereo.

veloce
pratico
economico
caro

A **Fate tutti i possibili paragoni, secondo il modello precedente:**

veloce
pratico
economico
comodo

1. ....
2. ....
3. ....
4. ....

B **Fate tutti i possibili paragoni fra i vari sport:**

caro – popolare – pericoloso – divertente – faticoso

1

2

1. ....
2. ....

3

4

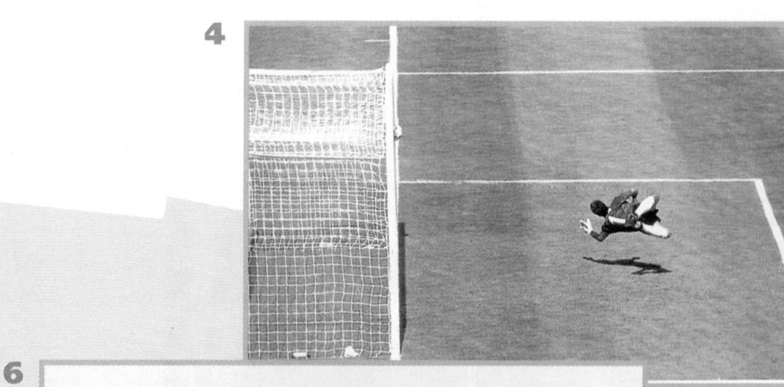

6

5

3. ....
4. ....
5. ....
6. ....

C **Osservate le foto e fate tutti i paragoni possibili, secondo l'esempio:**

1

Laura

2

Gina

- *Laura è più giovane di Gina.*
- *Laura è più magra di Gina.*
- *Laura è più alta di Gina.*

....

....

2

Luciano Pavarotti

Andrea Bocelli

3

Francesca

Gianna

Chiedete al vostro compagno:

- quanti anni ha
- quanto è alto
- quanto pesa

Riferite alla classe i risultati del paragone fra i dati del vostro compagno e i vostri.

D Fate il maggior numero di paragoni possibili secondo l'esempio:

Gli adulti sono più seri dei bambini.

italiani	stranieri (ad esempio: tedeschi, francesi, spagnoli, cinesi)	aperto, gentile, rumoroso, elegante, divertente, ospitale, allegro, organizzato, chiuso, ________
adulti	bambini	buono, creativo, aperto, serio, divertente, ________
donne	uomini	bello, gentile, simpatico, sensibile, intelligente, ________

E Osservate la tabella e costruite il maggior numero di frasi, secondo l'esempio:

PRINCIPALI PRODOTTI ZOOTECNICI (1000 Q)

PRODOTTI	1995	1996	1997
CARNE (totale)	36 574	37 451	37 404
– bovina	9 787	9 794	9 459
– ovina e caprina	539	533	533
– suina	12 759	13 416	13 483
– equina	219	141	138
– di pollame	10 939	11 192	11 392
– di conigli e selvaggina	2 331	2 375	2 399
LATTE (totale)	111 578	115 852	115 947
– per consumo diretto	48 558	49 336	50 068
BURRO	1 097	1 173	1 416
FORMAGGIO	9 818	9 845	9 488
UOVA	6 760	6 971	7 118
LANA	110	117	113

- *L'Italia produce **più** uova che burro.*

....

....

....

....

....

....

....

F Fate tutti i paragoni possibili fra i seguenti dati relativi all'Italia e i corrispondenti dati relativi al vostro paese:

	Italia	
Superficie	301 262 kmq	
Popolazione	57 612 615 ab.	
Densità	191 ab. kmq	
Regioni	20	
Abitanti Roma (capitale)	2 646 408	

G Fate tutti i paragoni possibili fra Rocco e Leonardo Sonetti, i gemelli che vedete nella foto.

H Fate il maggior numero di paragoni possibili secondo l'esempio:

In treno viaggio più volentieri che in aereo.
In treno sono più calmo che in aereo.

di sera	di mattina
al mare	in montagna
in campagna	in città
al ristorante	in pizzeria
da solo	in compagnia
in macchina	a piedi
in Italia	nel mio paese
in estate	in inverno
con la famiglia	con gli amici

Mi piace più lavorare che studiare.
Studiare è più faticoso che lavorare.

lavorare	studiare
guadagnare	spendere
sciare	nuotare
camminare	andare in macchina
ascoltare	parlare
uscire	stare a casa

Riflessione grammaticale

L'aereo	è	veloce
Il treno		economico
Il calcio		popolare
Paolo		alto

L'aereo	è **più**	veloce	**del** treno
Il treno		economico	**dell'**aereo
Il calcio		popolare	**del** golf
Paolo		alto	**di** Antonio

Il treno	è **meno**	veloce	**dell'**aereo
L'aereo		economico	**del** treno
Il golf		popolare	**del** calcio
Antonio		alto	**di** Paolo

L'autobus	è	comodo	**come**	il treno
Lo sci		popolare		il tennis
Antonio		simpatico		Paolo

Paolo Lei	studia lavora fa sport	**più** **meno**	**di** me

Marta	è **più**	intelligente	**che**	studiosa
Antonio		simpatico		bello
Questa torta		bella		buona

Gli italiani	mangiano	**più**	carne	**che**	pesce
	bevono		vino		birra
	leggono		giornali		riviste

In treno	Maria viaggia	**più** volentieri **che**	in macchina
In estate			in autunno
In compagnia			da sola

Questo vino	è	(più buono) **migliore**	**di**	quello che abbiamo bevuto ieri
		(più cattivo) **peggiore**		

2 Molto, moltissimo!

La Ferrari 550 Barchetta è una macchina **carissima** e **molto veloce**; l'ha comprata mio zio che è **ricco sfondato**.

In inverno Mosca è una città **freddissima**. Anche Milano d'inverno è **molto fredda**.

Ho conosciuto l'amica di Mario: è una ragazza **simpaticissima**, ha un carattere **molto aperto** ed è anche **molto carina**.

Stamattina sono **stanco morto**, ieri sera sono andato a letto **tardissimo**.

Sono arrivato a casa **bagnato fradicio**, perché mi ero dimenticato di prendere l'ombrello e pioveva **molto forte**.

Il nostro vicino ieri sera non riusciva ad aprire la porta di casa: era **ubriaco fradicio**.

Giorgio ha sempre la testa fra le nuvole: è **innamorato cotto**.

Date dei titoli alle seguenti notizie tratte dal *Guinness dei primati*, secondo l'esempio:

L'uomo più alto del mondo

Robert Pershing Wadlow alla nascita pesava 3,450 chilogrammi, a ventidue anni era alto 272 centimetri.

1. ....

Il norvegese Hans Langseth, quando è morto, nel 1927, dopo quindici anni di residenza negli Stati Uniti, aveva una barba di 533 centimetri.

2. ....

Nel 1984, in una città del Sud Africa, Marco Cagnazzo ha cotto una pizza che misurava 26,4 metri di diametro e aveva una superficie di 547 metri quadrati.

3. ....

Nel marzo 1985 in Scozia hanno pubblicato in ottantacinque copie la novella per bambini *Old King Cole*. Il formato del libro è di un millimetro per un millimetro ed è possibile girare pagina soltanto con un ago.

4. ....

Il film «Titanic», uscito nel 1997, che descrive il naufragio della nave inglese, è costato 200 milioni di dollari.

5. ....

A Ripatransone, in provincia di Ascoli Piceno, c'è una strada larga 43 centimetri.

6. ....

Nel 1985, in California, hanno preparato una coppa di gelato che pesava 15.248,32 chilogrammi. La coppa era piena di gelato alla crema, sciroppo e panna montata.

7. ....

Nell'agosto 1999 è morto il pesce rosso che apparteneva ai signori Hard, inglesi: aveva almeno 43 anni.

La "rossa" del 2001

La "rossa" del 2001, la 550 Barchetta, è nata a Maranello a marzo e... avrà vita fino a ottobre: sette mesi per costruire i soli 448 esemplari dell'auto che sono destinati a essere messi in commercio e che sono ovviamente già tutti venduti. Il prezzo è di 348 milioni e mezzo di lire (180.000 euro) più le tasse. La 550 Barchetta, una vera spider sportiva, può raggiungere la velocità di 300 km/h; grazie alla carrozzeria ridotta all'essenziale pesa solo 1690 kg. Le Ferrari, nuove o usate non importa, sono diventate dei veri e propri oggetti d'arte; spesso il valore dei modelli vecchi è molto superiore a quello dei nuovi. Dal Giappone è arrivata alla Ferrari un'offerta di tre miliardi per l'acquisto di una F40.
La famosa casa automobilistica ha sede a Maranello ed è stata fondata nel 1940 da un grande pilota d'auto: Enzo Ferrari.

Rispondete alle domande:

1. Come si chiama la "rossa" del 2001?
2. Quante ne verranno costruite?
3. Quanto costa?
4. Che velocità raggiunge?
5. Che tipo di auto è?
6. Quali sono le sue caratteristiche?

<table>
<tr><td rowspan="2">La Ferrari è una macchina</td><td colspan="2">carissima
velocissima</td></tr>
<tr><td>molto</td><td>cara
veloce</td></tr>
</table>

<table>
<tr><td rowspan="2">In quel ristorante ho sempre mangiato</td><td colspan="2">benissimo
malissimo</td></tr>
<tr><td>molto</td><td>bene
male</td></tr>
</table>

<table>
<tr><td rowspan="3">Mio zio è</td><td colspan="2">ricchissimo
simpaticissimo</td></tr>
<tr><td>molto
tanto</td><td>ricco
simpatico</td></tr>
<tr><td colspan="2">straricco
ricco sfondato</td></tr>
</table>

<table>
<tr><td rowspan="2">Sono tornato a casa</td><td colspan="2">tardissimo
prestissimo</td></tr>
<tr><td>molto</td><td>tardi
presto</td></tr>
</table>

<table>
<tr><td>Robert Pershing Wadlow</td><td rowspan="3">è</td><td>l'uomo</td><td rowspan="3">più</td><td>alto</td><td rowspan="2">del mondo</td></tr>
<tr><td>La Ferrari</td><td>l'automobile</td><td>famosa</td></tr>
<tr><td>Il calcio</td><td>lo sport</td><td>popolare</td><td>d'
in Italia</td></tr>
</table>

Come si dice?

Modi di esprimere accordo, disaccordo, dubbio

1.

Alba: Il bambino assomiglia tutto a suo padre... ha gli stessi occhi, lo stesso sorriso... proprio due gocce d'acqua.

Maria: Io **non sono affatto d'accordo**... anzi, mi ricorda Piera, sua madre, ha gli stessi capelli, lo stesso modo di camminare. Quando era piccola, anche lei era molto timida, parlava poco e arrossiva per ogni sciocchezza.

Completate:

Secondo Alba, il bambino assomiglia a .... , perché ....
....
....

Secondo Maria, il bambino assomiglia a .... , perché ....
....
....

2.

Carlo: La sai l'ultima? I nostri vicini hanno venduto l'appartamento in città in quattro e quattr'otto e hanno comprato una casa in campagna... beati loro!

Laura: Perché? Piacerebbe anche a te?

Carlo: Certo! Sono sicuro che vivere in campagna è meglio che vivere in città: non ci sono rumori, non c'è lo smog. La vita è più tranquilla, non c'è paragone.

Laura: **Sarà, ma io ho qualche dubbio**... La vita forse è più tranquilla, ma è anche più scomoda: per uscire bisogna sempre prendere la macchina, i bambini sono soli... no, no, non mi piacerebbe viverci.

Completate:

Secondo Carlo, vivere in campagna ...., perché ....
....
....

Secondo Laura invece ...., perché ....
....
....

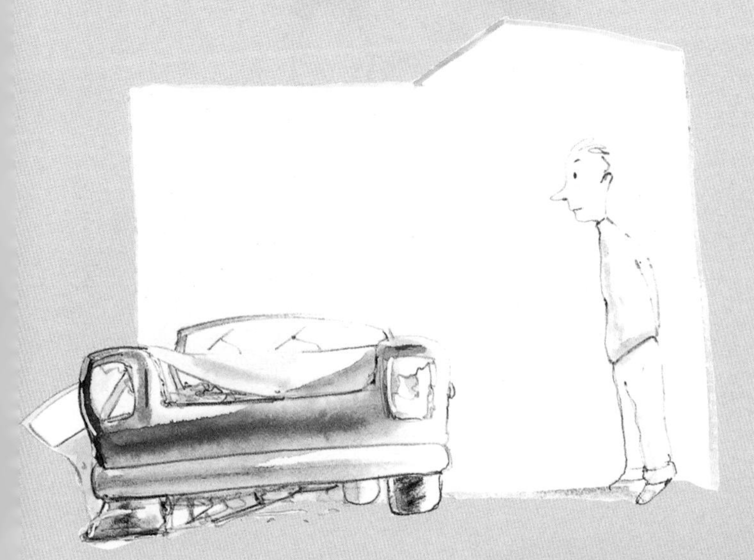

3.

Aldo: Ho deciso di vendere la macchina. Ne ho vista una con motore diesel di seconda mano che mi sembra una buona occasione...

Rino: Fai bene... **hai proprio ragione**... Le auto diesel oggi non costano troppo... e sono convenienti.

Completate:

Rino è d'accordo con Aldo, perché ....
....
....
....
....

ESPRIMERE ACCORDO	ESPRIMERE DISACCORDO	ESPRIMERE DUBBIO
Hai ragione! Sì, è proprio vero! Sono d'accordo! Non c'è dubbio!	Non è vero! Non credo. Non sono (affatto) d'accordo! Non direi (proprio).	Sarà... Ho qualche dubbio! Può darsi...

A Esprimete accordo, disaccordo o dubbio in relazione alle seguenti affermazioni e motivate la vostra opinione:

1

Vittorio Gassman con i suoi figli

1. In questa foto i figli non assomigliano per niente al padre.

2

Ornella Muti e sua figlia

2. In queste foto madre e figlia sembrano due gocce d'acqua.

3

Vigevano

Milano

3. È meglio vivere in una piccola città che in una grande metropoli.

4

4. Per andare al lavoro l'ideale è prendere i mezzi pubblici.

B Esprimete accordo, disaccordo o dubbio in relazione alle seguenti affermazioni e motivate la vostra opinione:

1. L'Italia è il paese del sole.
2. Gli italiani sono aperti e ospitali.
3. La cucina italiana è la migliore del mondo.
4. La vita in Italia non è cara.
5. Il denaro è la cosa più importante nella vita.

3 Ti piacciono?

1.

Che bella penna! **Me la** presti?
Ti piace? *La* vuoi? *Te la* regalo.

Che bel cd! **Me lo** presti?
Ti piace? *Lo* vuoi? *Te lo* regalo

Che occhiali fantastici! **Me li** dai?
Ti piacciono? *Li* vuoi? *Te li* regalo.

Che matite originali! **Me le** fai vedere?
Ti piacciono? *Le* vuoi? *Te le* regalo.

2.

Che bella chitarra! **Ce la** presti?
Vi piace? *La* volete? *Ve la* presto.

Che bel libro! **Ce lo** presti?
Vi piace? *Lo* volete? *Ve lo* presto.

Che amici simpatici! **Ce li** presenti?
Vi piacciono? *Li* volete conoscere?
Ve li presento.

Che amiche carine! **Ce le** presenti?
Vi piacciono? *Le* volete conoscere?
Ve le presento.

3.

A Pietro piace la mia bicicletta?	*La* vuole provare?	*Gliela* presto volentieri.
A Maria piace il mio motorino?	*Lo* vuole provare?	*Glielo* presto volentieri.
Ai tuoi amici piacciono i miei cd?	*Li* vogliono ascoltare?	*Glieli* presto.
Alle tue amiche piacciono le mie foto?	*Le* vogliono vedere?	*Gliele* presto.

4.

Signora, *Le* va un caffè?	*Lo* vuole?	*Glielo* offro volentieri.
Professore, *Le* va una birra?	*La* vuole?	*Gliela* offro volentieri.
Signor Rossi, *Le* vanno gli spaghetti?	*Li* vuole?	*Glieli* porto subito.
Signora, *Le* vanno le tagliatelle?	*Le* vuole?	*Gliele* porto subito.
Signora, *Le* va la torta al cioccolato?	*La* vuole?	*Gliene* porto una fetta.

A Completate:

1. Ti serve il mio dizionario? .... vuoi? .... presto.
.... serve la mia penna? .... vuoi? .... presto.
.... servono gli appunti? .... vuoi? .... presto.
.... servono le videocassette? .... vuoi? .... presto.

2. Vi serve la macchina? .... volete? .... presto.
.... serve il motorino? .... volete? .... presto.
.... servono le penne? .... volete? .... presto.
.... servono gli appunti? .... volete? .... presto.

3. A Marta serve il libro? .... vuole? .... do volentieri.
A Gianni serve il computer? .... vuole? .... do volentieri.
A Marco e Sandro servono le videocassette .... vogliono? .... do volentieri.
A Maria e Carla servono gli appunti? .... vogliono? .... do volentieri.

4. Mi serve la macchina! .... presti?
.... serve lo stereo! .... presti?
.... servono i libri! .... presti?
.... servono le chiavi di casa! .... presti?
.... servono dei fogli! .... presti un po'?

5. Le serve il mio libro? .... vuole? .... presto.
.... serve la mia matita? .... vuole? .... presto.
.... servono questi fogli? .... vuole? .... presto.
.... servono le riviste? .... vuole? .... presto.

B Completate i dialoghi:

1. ■ Paolo, ... i soldi?! Sono uscita senza portafoglio.
■ Mi dispiace, ... : sono al verde!

2. ■ Sandra, quando ci .... che cosa hai visto di bello in Kenia?
■ .... dopo cena.

3. ■ Carla, ... un caffè?
■ Certo, ... volentieri.

4. ■ Ragazzi, potete dare questo biglietto al vostro professore?
■ .... più tardi, quando finisce la lezione.

5. ■ Chi potrebbe darmi quest'informazione sull'Università per stranieri?
■ ....
Marcus, che ha studiato a Perugia.

6. ■ Non capisco niente in questa lettera in inglese. Quando ....?
■ ....
dopo il lavoro.

Riflessione grammaticale

Mi presti	la macchina?	**Me la**	presti fino a domani?	**Te la**	presto volentieri
	lo stereo?	**Me lo**		**Te lo**	
	i dischi?	**Me li**		**Te li**	
	le videocassette?	**Me le**		**Te le**	

Le	presto volentieri il mio motorino;	**glielo**	presto	subito
Le	faccio volentieri questo favore;		faccio	
Gli	do volentieri il mio libro;		do	

Anna	**mi**	presta la sua macchina.	**Me la**	presta volentieri
	ti		**Te la**	
	le / **Le** / **gli**		**Gliela**	
	ci		**Ce la**	
	vi		**Ve la**	
	gli		**Gliela**	

■ È tuo questo motorino?
■ È tua questa macchina?
■ Sono tuoi questi libri?
■ Sono tue queste cassette?

■ Di chi è questo golf?
■ Di chi è questa borsa?
■ Di chi sono questi dischi?

■ Di chi sono queste videocassette?

■ Quante cassette ti ha prestato Lucia?
■ Quante cartoline ti ha scritto Enzo?
■ Quanti libri ti ha dato il professore?
■ Quanti regali ti ha fatto Paolo?

■ No, **me** l'ha prestato Roberto.
■ No, **me** l'ha prestata mio padre.
■ No, **me li** ha prestati il professore.
■ No, **me le** ha prestate Giovanna.

■ È di Mario. **Gliel**'ho regalato per Natale.
■ È di Sandra. **Gliel**'ho regalata a Pasqua.
■ Sono di Enrico. **Glieli** ho regalati per il suo compleanno.
■ Sono dei ragazzi. **Gliele** ho regalate alla fine della scuola.

■ **Me ne** ha prestata una.
■ **Me ne** ha scritte due.
■ Non **me ne** ha dato nessuno.
■ **Me ne** ha fatti moltissimi.

Completate:

■ Chi ti ha regalato quest'anello?	■ .... mio marito.
■ Chi ti ha regalato questa cravatta?	■ .... Claudia.
■ Chi ti ha regalato questi orecchini?	■ .... mia sorella.
■ Chi ti ha regalato queste stampe?	■ .... Carla.
■ Chi ha scritto questa lettera a Claudia?	■ .... un amico.
■ Quando hai dato il regalo a Stefano?	■ .... ieri sera.
■ Chi ha fatto queste foto ai bambini?	■ .... io.
■ Quando hai dato i regali ai ragazzi?	■ .... stamattina.
■ Quanti biglietti ti ha dato Claudio?	■ .... uno.
■ Quanti soldi ti ha mandato tuo padre?	■ .... pochi.
■ Quante amiche ti ha presentato Peter?	■ .... nessuna.
■ Quante rose ti ha mandato Enrico?	■ .... nove.

Chiedete al vostro compagno:

- qual è il regalo più bello che ha fatto
- a chi l'ha fatto
- per quale occasione
- le caratteristiche di questo regalo

- qual è il regalo più bello che ha ricevuto
- da chi l'ha ricevuto
- per quale occasione
- le caratteristiche di questo regalo

Riferite alla classe le informazioni ricevute.

Riflessione grammaticale

Aldo mi ha portato	un regalo;	**me l'**ha portato	per il mio compleanno
	una scatola di cioccolatini;	**me l'**ha portata	
	dei fiori;	**me li** ha portati	
	delle rose;	**me le** ha portate	

Paolo	mi	ha prestato le sue videocassette;	**me le**	ha prestate volentieri
	ti		**te le**	
	le Le gli		**gliele**	
	ci		**ce le**	
	vi		**ve le**	
	gli		**gliele**	

A Osservate le vignette:

B Completate il testo con le parti mancanti:

Diego Bertini desiderava .... le vacanze di Natale al mare con la sua ragazza, ma era completamente al .... Allora ha deciso di chiedere in.......................... duemila euro al suo amico Antonio. Ma l.. .

È andato da sua madre, ma anche sua madre non ....

Alla fine Diego è andato in banca, ma anche il direttore della banca non .... prestare. Diego è tornato a casa, ha telefonato alla sua ragazza e l' .... a passare le vacanze di Natale a casa sua.

C Completate i dialoghi:

1.

■ Antonio, mi ....
....?

■ Mi dispiace, non posso ....
....,
perché devo pagare..
....

2.

■ Mamma, mi ....
....?

■ Mi dispiace, ...
....; quest'anno ho speso
....

3.

■ Direttore, mi ....
....?

■ Purtroppo, non è proprio..

4.

■ Irene, che ne diresti di passare ....
....?

■ Che bella ....
hai avuto!

Sintesi grammaticale

COMPARATIVO		
maggioranza	più ______	di
	più ______	che
minoranza	meno ______	di
	meno ______	che
uguaglianza	(così) ______	come
	(così) ______	quanto

CONFRONTO FRA	
due nomi due pronomi	più ____ di
due quantità due verbi due complementi (preposizione + nome)	più ____ che

SUPERLATIVO	
assoluto	**-issimo / a / i / e**
	molto ______ tanto ______
relativo	**il / i** più ______
	lo / l' — **gli**; **la / l'** — **le** ______ più

COMPARATIVI E SUPERLATIVI IRREGOLARI	COMPARATIVO	SUPERLATIVO RELATIVO	SUPERLATIVO ASSOLUTO
buono	migliore	il migliore	ottimo
cattivo	peggiore	il peggiore	pessimo
grande	maggiore	il maggiore	massimo
piccolo	minore	il minore	minimo

I PRONOMI COMBINATI					
	LO	**LA**	**LI**	**LE**	**NE**
MI	me lo	me la	me li	me le	me ne
TI	te lo	te la	te li	te le	te ne
CI	ce lo	ce la	ce li	ce le	ce ne
VI	ve lo	ve la	ve li	ve le	ve ne
LE/GLI	glielo	gliela	glieli	gliele	gliene

VERBI + PRONOMI DIRETTI - CHI? CHE COSA?		
accompagnare	convincere	ricevere
aiutare	desiderare	ringraziare
amare	frequentare	sentire
ascoltare	fumare	spendere
aspettare	guardare	studiare
bere	invitare	vedere
capire	mangiare	visitare
conoscere	perdere	volere
		...

VERBI + PRONOMI INDIRETTI - A CHI?	
bastare	parlare
fare bene/fare male	piacere/dispiacere
importare	rispondere
interessare	sembrare
mancare	servire
occorrere	telefonare
parere	...

VERBI + PRONOMI COMBINATI - CHI? CHE COSA? A CHI?		
aprire	leggere	raccontare
cercare	mandare	regalare
chiamare	mostrare	rendere
chiedere	offrire	restituire
comprare	pagare	ripetere
consigliare	portare	salutare
dare	prendere	scrivere
dire	preparare	spedire
fare	presentare	...
fare vedere	prestare	

Civiltà

Sport in Italia

Massimiliano Rosolino

Francesco Totti

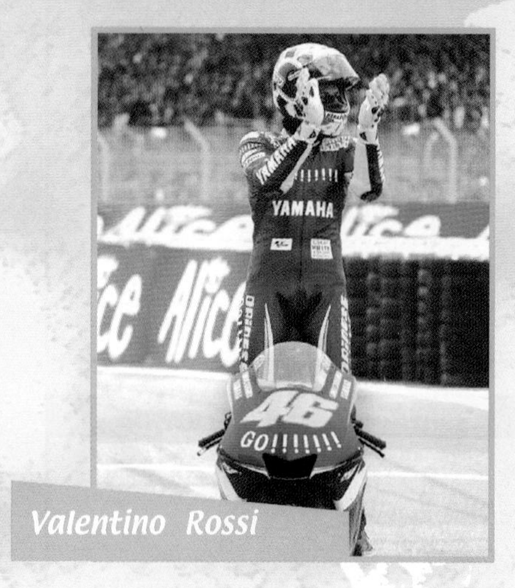

Valentino Rossi

Giorgio Rocca

Lorenzo Bernardi

Silvia Farina

Alex Del Piero

Francesco De Angelis

Yuri Chechi

Dite:

- quale sport praticano gli atleti delle foto
- quali altre discipline sportive conoscete
- qual è lo sport più popolare in Italia
- qual è lo sport più costoso
- qual è lo sport più pericoloso
- qual è lo sport più divertente

Chiedete al vostro compagno:

- quali sono gli sport più popolari nel suo paese
- qual è il suo sport preferito e perché
- se preferisce sport individuali o di gruppo
- se pratica uno sport regolarmente
- quanto tempo dedica allo sport

Riferite alla classe le informazioni ricevute.

Pino Maddaloni

UNITÀ 13

leggi bene l'etichetta!

SODIO 1,6 mg/l
RESIDUO FISSO 172,9 mg/l
Leggi bene l'etichetta
SANTA CROCE
Naturale

Meno sodio contro la ritenzione idrica, meno residuo fisso, più leggerezza.

	SODIO	RESIDUO FISSO
	6,8 mg/l	246 mg/l
	4,6 mg/l	176 mg/l
	10 mg/l	327 mg/l
	2 mg/l	327 mg/l
	12,60 mg/l	188 mg/l
	42,5 mg/l	310 mg/l
FABIA	13,98 mg/l	426,5 mg/l

Fonte: acquasalute.net

Non dar peso a quanto pesi.

1 Libera i tuoi sogni!

1

1. ■ Mi sento giù!

- ■ **Cerca** di mangiare di più!
- ■ **Dimentica** i problemi!
- ■ **Non lavorare** troppo!
- ■ **Non fumare!**
- ■ **Cambia** aria!
- ■ **Vivi** all'aria aperta!
- ■ **Va'** dal dottore!
- ■ **Dormi** almeno otto ore!

2

2. ■ Uffa! mi annoio.

■ **Ascolta** un po' di musica!
■ **Telefona** agli amici!
■ **Va'** al cinema!
■ **Gioca** a tennis!
■ **Leggi** qualche libro!
■ **Parti** per qualche giorno!
■ **Non stare** sempre in casa!
■ **Va'** in palestra!

A Collegate secondo l'esempio:

Non so che fare.	Frequenta un corso di lingua tedesca.
Sento freddo.	Prendi un'aspirina.
Ho mal di testa.	**Leggi un libro.**
Sono stanco.	Chiudi la finestra.
Non riesco a dormire.	Resta a casa a dormire.
Vorrei imparare il tedesco.	Prendi una camomilla.

B Completate con i verbi indicati alla pagina seguente:

1. ■ Fra una settimana ho un esame. ■ ....!

2. ■ Non trovo gli occhiali. ■ .... nel cassetto della scrivania!

3. ■ Mi fa male un dente! ■ .... al dentista e .... un appuntamento.

4. ■ Che mal di testa! ■ Non .... troppo tempo davanti al computer!

5. ■ Sai l'orario dei treni per Milano?

■ No, ma .... su Internet! C'è sicuramente.

6. ■ C'è Stefano in casa?

■ No, ma ...., arriverà fra poco.

prendere – studiare – stare – telefonare – guardare – aspettare – cercare

C Guardate le foto e date dei consigli:

....
....
....
....
....
....

....
....
....
....
....
....

....
....
....
....
....
....

Se vuoi stare bene, mangia...

1
Giuliana

1.
Salto spesso il pranzo, preferisco un panino e una birra. Ma la sera... ho una fame da lupi e mangio molto e di tutto. E bevo due o tre bicchieri di vino.

2
Pietro

2.
Mangio cibi macrobiotici: cereali integrali, soprattutto il riso, le verdure e la frutta. Non mangio lo zucchero e i prodotti conservati.

3
Daniele

3.
Per me il cibo è un grande piacere, così mangio di tutto: pasta, carne, verdura, cibi fritti e dolci. Ogni volta che posso, vado al ristorante.

4
Luigi

4.
Di solito uso molti cibi integrali, a pranzo pasta o riso, pesce; a cena verdura, formaggio e frutta. Mangio molti yogurt e la carne solo due volte alla settimana! Raramente bevo il vino. Un giorno al mese bevo solo acqua minerale.

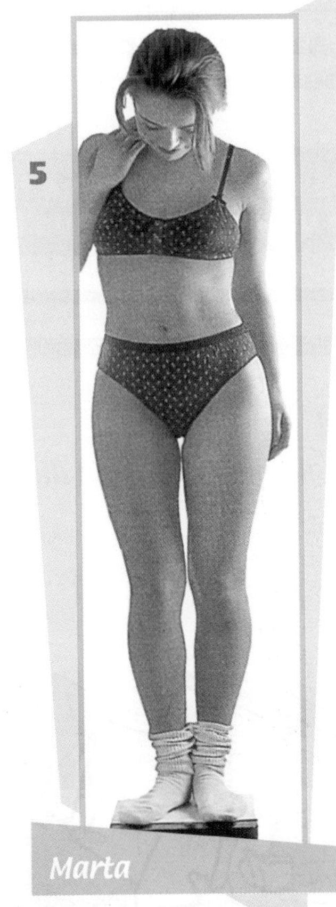
5
Marta

5.
Sono sempre a dieta, ma non perdo i chili che vorrei: molte volte mangio dolci e pastasciutta.

6
Cristina

6.
Sono vegetariana, quindi mangio solo cibi vegetali.

Dopo aver letto il testo precedente, date a ogni persona il consiglio adeguato, secondo l'esempio:

Se vuoi stare bene, aggiungi alla tua dieta latte e uova.	Giuliana
Se vuoi stare bene, mangia di meno!	Pietro
Se vuoi stare bene, mangia con maggiore regolarità! E non bere vino prima di andare a letto.	Daniele
Se vuoi stare bene, aggiungi un po' di sapore alla tua dieta!	Cristina
Se vuoi stare bene, continua così!	Marta
Se vuoi stare bene, smetti di fare inutili diete! E rinuncia ai dolci!	Luigi

Leggete la lista di azioni, ampliatela e conversate con il vostro compagno come nell'esempio sotto:

andare a Roma – diventare ricco – avere amici italiani
trovare un lavoro – fare un bel viaggio – dimagrire –

- *Vorrei tanto dimagrire!*
- *Se vuoi dimagrire, mangia meno, fa' una dieta, pratica uno sport...*

Aprite il libro a pagina 20, **leggete** attentamente, poi **rispondete** alle domande e **completate** le frasi secondo il modello. Mi raccomando, **non usate** il dizionario!

Completate con i verbi indicati sotto:

Bambini ....
di guardare la TV, ...
un po' in ordine la camera e poi
.... merenda e... mi raccomando, non ....
troppi cioccolatini.

mettere – smettere – mangiare – fare

Lei: Che noia... **smettiamo** di guardare la TV, **facciamo** qualcosa di diverso.
Lui: Hai ragione; **usciamo**, **facciamo** quattro passi in centro e poi **andiamo** a mangiare al ristorante cinese!

Completate con i verbi indicati sotto:

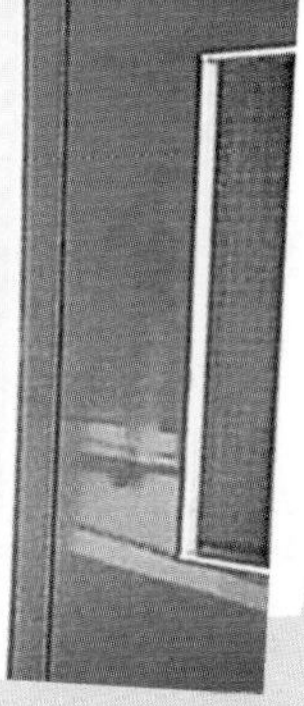

Lui: Che facciamo stamattina?
Lei: ....,
.... al bar,
....
un cappuccino...
Lui: ... e ....
il giornale in pace!

leggere – uscire – bere – andare

2 Dov'è la biblioteca comunale?

- Scusi, mi sa dire dov'è la biblioteca comunale?
- Certo, non è lontano da qui: **prenda** la prima strada a destra, **vada** diritto fino al primo incrocio e poi **giri** a sinistra. **Non vada** troppo avanti, **faccia** cento metri e troverà la biblioteca... non può sbagliare.
- Grazie!
- Di niente.

A **Tracciate sulla cartina il percorso per arrivare alla biblioteca comunale:**

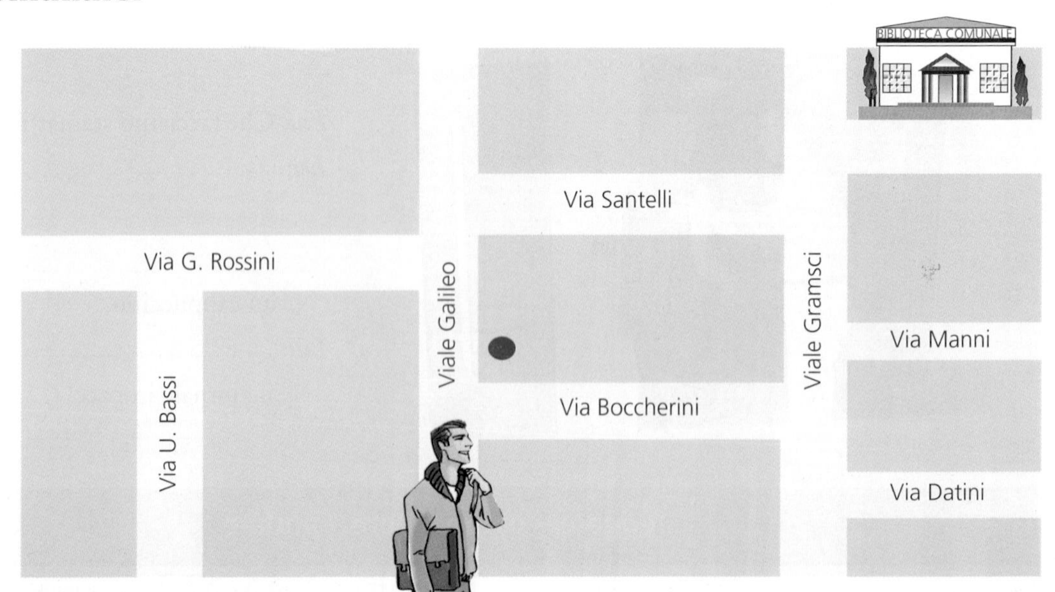

B Completate con i verbi indicati sotto:

1.

■ Scusi, mi sa dire dov'è la Banca Commerciale?

■ Al primo semaforo .... a destra, poi .... la prima strada a sinistra, ... diritto per 200 metri e troverà la banca!

girare – andare – prendere

2.

Se Lei vuole stare bene:

– .... subito una dieta!

– .... poca pasta!

– Non .... vino!

– .... un po' di sport!

– .... ogni giorno questa medicina!

prendere – fare – cominciare – bere – mangiare

3.

– Signorina, per favore, ... in banca!

– .... la posta di oggi!

– .... questa lettera!

– .... al signor Vinti!

– Non .... di fissare un appuntamento con l'avvocato!

– Quando ha finito, ... pure a casa!

andare – telefonare – dimenticare – aprire – scrivere – tornare

Chiedete al vostro compagno informazioni per andare da Piazza della Repubblica (indicata con un cerchietto sulla cartina) a:

- Ponte Vecchio (*numero 1 nella cartina*)
- Santa Maria Novella (*numero 2*)
- Casa di Dante (*numero 3*)
- Palazzo Medici-Riccardi (*numero 4*)
- Battistero di San Giovanni (*numero 5*)

Poi scambiatevi le parti.

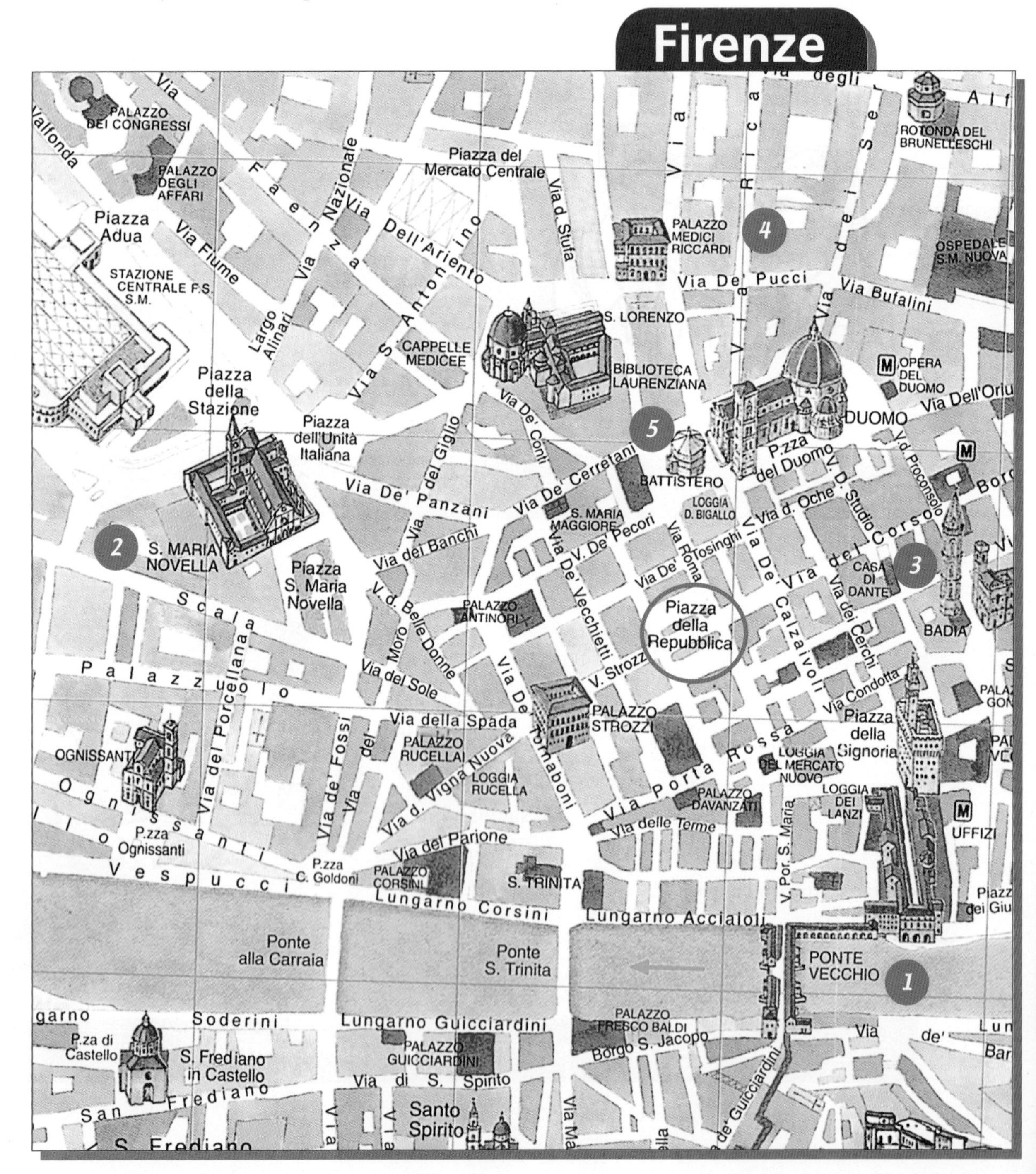

Riflessione grammaticale

MANGIARE	
(tu) mangi**a**	
(noi) mangi**amo**	meno pasta!
(voi) mangi**ate**	pochi dolci!
(Lei) mang**i**	molte verdure!
(Loro) mangino	

PRENDERE		
(tu) prend**i**		
(noi) prend**iamo**	l'autobus!	
(voi) prend**ete**	la prima strada	a destra! a sinistra!
(Lei) prend**a**	l'ascensore	
(Loro) prendano		

PARTIRE	
(tu) part**i**	
(noi) part**iamo**	subito!
(voi) part**ite**	più tardi!
(Lei) part**a**	con il treno!
(Loro) partano	

FINIRE	
(tu) fin**isci**	
(noi) fin**iamo**	questo lavoro!
(voi) fin**ite**	di mangiare!
(Lei) fin**isca**	
(Loro) finiscano	

AVERE	
(tu) **abbi**	
(noi) **abbiamo**	
(voi) **abbiate**	pazienza!
(Lei) **abbia**	
(Loro) abbiano	

ESSERE	
(tu) **sii**	gentile!
(noi) **siamo**	gentili!
(voi) **siate**	
(Lei) **sia**	gentile!
(Loro) siano	gentili!

(tu)	**Non**	fumar**e**! disturb**are**! **essere** triste! **avere** fretta! dimentic**are** di spegnere il forno!

(noi)	**Non**	perd**iamo** tempo!
(voi)		us**ate** il dizionario!
(Lei)		dimentich**i** di fissare un appuntamento con l'avvocato!

Il mondo è bello: esploriamolo!

Curatevi con lo yoghurt!

3 Rilassati!

È il compleanno di Stefano:	regala**gli** un libro! regaliamo**gli** un golf! regalate**gli** una cravatta!
Chi prepara il pranzo oggi?	Prepara**lo** tu! Prepariamo**lo** noi! Preparate**lo** voi!
È arrivata una lettera per Paola:	porta**gliela**! portiamo**gliela**! portate**gliela**!
Che stress!	Rilassa**ti**! Rilassiamo**ci**! Rilassa**tevi**!
L'autobus è già arrivato:	non perder**lo**! non perdiamo**lo**! non perdete**lo**!

Completate secondo l'esempio:

Questa macchina è troppo vecchia: (*vendere*)
- ***(tu) vendila!***
- (noi) .... !
- (voi) .... !

Chi telefona a Marta per la festa di domani? (*telefonare*)
- .... tu!
- .... noi!
- .... voi!

Chi scrive una cartolina ai signori Ricci? (*scrivere*)
- .... tu!
- .... noi!
- .... voi!

È tardi! (*sbrigarsi*)
- (tu) .... !
- (noi) .... !
- (voi) .... !

Questo vaso cinese è prezioso! (*rompere*)
- (tu) non .... !
- (noi) non .... !
- (voi) non .... !

Una ricetta: le melanzane alla parmigiana

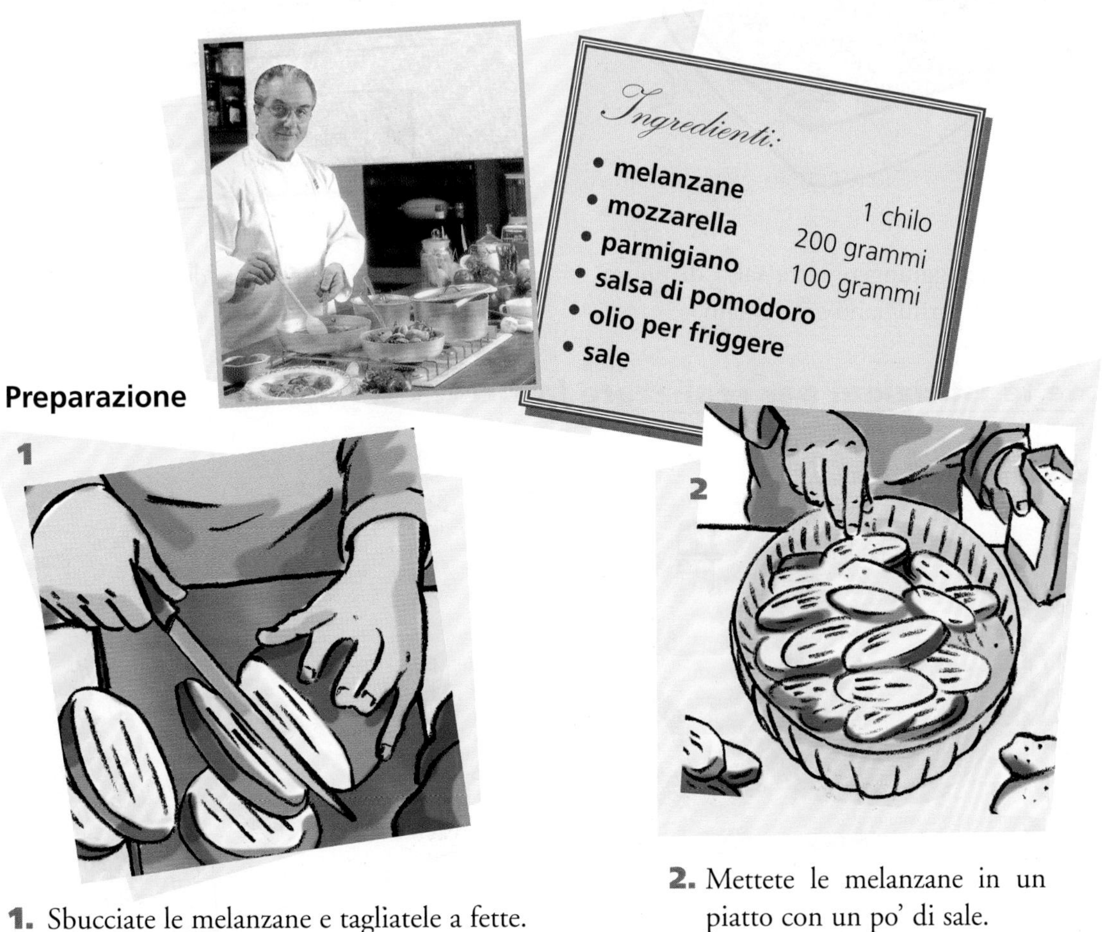

Ingredienti:
• melanzane 1 chilo
• mozzarella 200 grammi
• parmigiano 100 grammi
• salsa di pomodoro
• olio per friggere
• sale
Preparazione
1
2

1. Sbucciate le melanzane e tagliatele a fette.

2. Mettete le melanzane in un piatto con un po' di sale.

3. Dopo due ore, friggetele in olio caldo.

4. Prendete un piatto da forno, metteteci le melanzane, la salsa di pomodoro, la mozzarella.

5. Alla fine aggiungete altra salsa di pomodoro e il parmigiano grattugiato.

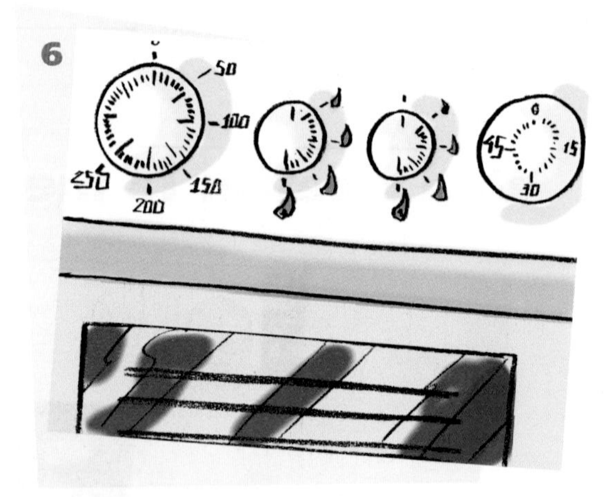

6. Mettete in forno caldo per venti minuti circa.

A **Date le istruzioni per realizzare la ricetta seguente:**

Patate al latte

Preparazione

1.

2.

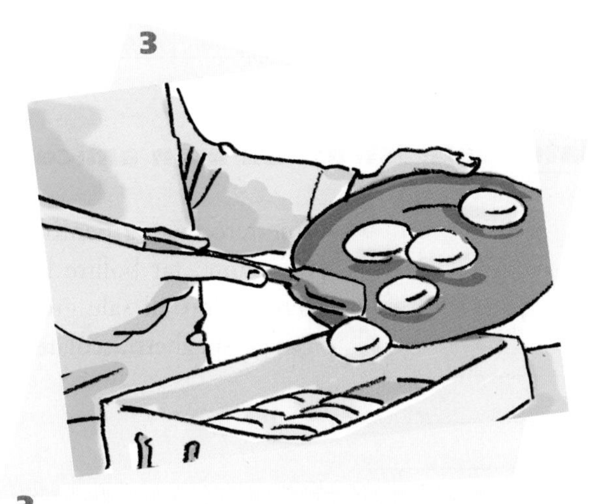

3.

4.

5.

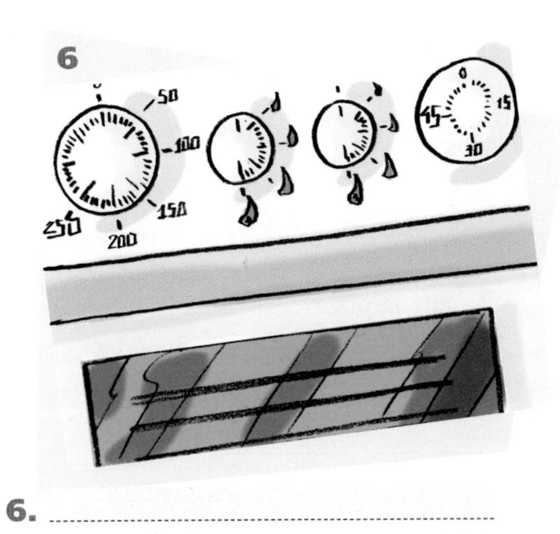

6.

B Date le istruzioni per realizzare una ricetta tipica del vostro paese:

Ingredienti:

Preparazione:

C Utilizzando le informazioni a lato, date istruzioni a un amico per:

1. cuocere gli spaghetti

(mettere in una pentola acqua abbondante, far bollire l'acqua, mettere un po' di sale grosso, buttare giù gli spaghetti, scolare al dente)

2. fare il caffè

(mettere l'acqua nella caffettiera e poi il caffè, mettere sul fornello a fuoco lento, mescolare prima di versare)

3. fare la pizza

(preparare la pasta con acqua, farina, sale e lievito di birra, far lievitare la pasta, stendere su un piatto da forno, mettere sopra pomodori a pezzi, basilico, mozzarella e olio, cuocere a 180 gradi per venti minuti)

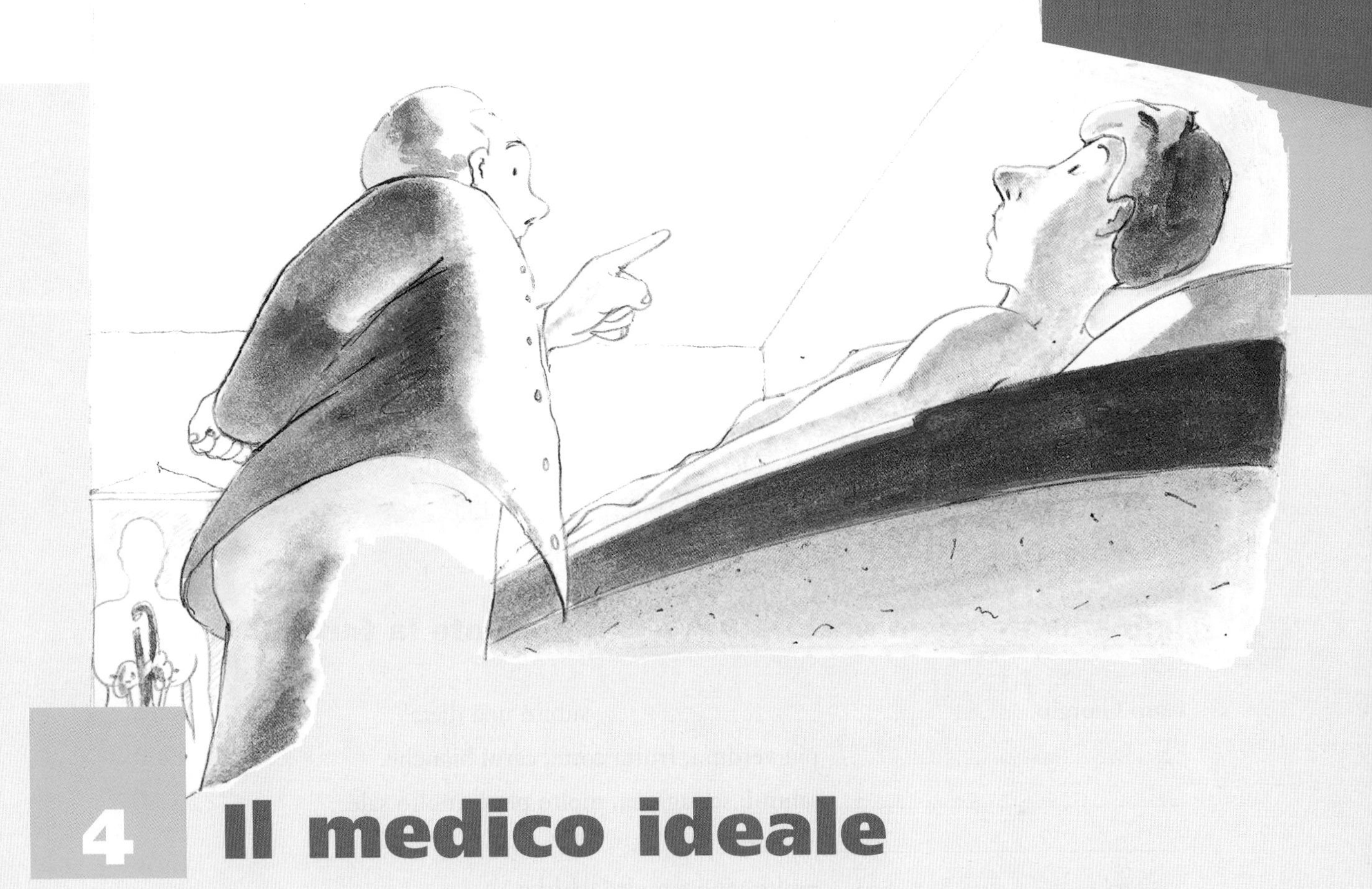

4 Il medico ideale

«Caro signore, mi dispiace, le cose non vanno bene. Se Lei continua così, scusi la sincerità, Le do pochi mesi di vita. Perciò è mio dovere parlarLe chiaro. Cominci subito una dieta: non mangi più verdura, frutta cotta, carni bianche, mangi invece salumi, selvaggina, molto pepe, molto sale. Non beva più latte, beva molto vino e molto whisky. **Si rassegni**, amico mio, il whisky è l'ideale per Lei. Ma sì, anche due o tre bottiglie al giorno.
Per il resto, non **si metta** a letto mai prima dell'una, le due di notte. Faccia le ore piccole più spesso possibile e passi anche qualche notte in bianco. E poi un'altra cosa è necessaria per stare bene: donne, donne, donne! Soltanto così Lei guarirà. Non ce ne saranno mai abbastanza».
Perché mai un medico simile non esiste?

(Ad. da Dino Buzzati, *Siamo spiacenti di...*, Mondadori)

A Completate:

Il signor Rossi deve

1. cominciare subito una dieta
2. mangiare ....
3. bere ....
4. fare ....
5. passare ....
6. avere ....

Il signor Rossi non deve
1. mangiare ....
2. bere ....
3. mettersi ....

B Completate con il verbo mancante:

Caro signore, ... subito una dieta!
.... più verdura, frutta cotta, carni bianche.
.... salumi, selvaggina, molto pepe, molto sale.
.... più latte.
.... molto vino e molto whisky.
.... mai a letto prima dell'una, le due di notte.
.... le ore piccole più spesso possibile!
.... qualche notte in bianco!

C Immaginate che il dottore usi con il paziente la forma del tu:

Caro Giorgio, ... subito una dieta!
.... più verdura, frutta cotta, carni bianche.
.... salumi, selvaggina, molto pepe, molto sale.
.... più latte.
.... molto vino e molto whisky.
.... mai a letto prima dell'una, le due di notte.
.... le ore piccole più spesso possibile!
.... qualche notte in bianco!

Guardi questa camicia! È bella vero? **La** compri! È un affare, ci sono gli sconti. **Ne** compri una anche per Sua figlia!

Mi dispiace, ma mio marito non è in casa. **Lo** richiami stasera! Ma, **si** ricordi, per favore, non più tardi delle 22.

A Completate con i verbi indicati sotto:

1. Per favore .... queste chiavi a mia moglie!
2. .... appena torna a casa!
3. ....!

consegnare – consegnargliele – non dimenticarsi

1. .... qui la macchina!
2. .... nel parcheggio!
3. .... qui, c'è divieto di sosta!

non lasciare – metterla – non parcheggiarla

1. Signora, ...!
2. .... un cioccolatino!
3. .... uno al caffè, è squisito!

accomodarsi – prendere – assaggiarne

B Mettete i pronomi al posto giusto:

1. Silvia, ... compra .... il pane, per favore! (*mi*)
2. Giulio, ... scrivi .... qualche volta! (*ci*)
3. Signora, ... faccia .... avere Sue notizie! (*ci*)
4. Ragazzi, pulite il giardino, ... pulite .... subito! (*lo*)
5. Per favore, ... aiuti .... a portare queste valigie! (*mi*)
6. Siamo in ritardo! .... sbrighiamo ....! (*ci*)
7. Quella borsa piacerebbe molto a nostra figlia: .... compriamo ....! (*gliela*)
8. Bambini, questo film è divertente! .... guardate ....! (*lo*)
9. Signorina .... ricordi .... di telefonare in banca! (*si*)
10. Sandro, telefona a Cecilia: .... chiama .... subito! (*la*)
11. Aldo, ... alza ...., la sveglia è suonata! (*ti*)
12. Le piace questo dolce? .... prenda .... ancora un po'! (*ne*)

■ Scusa, posso prendere la matita?
■ Sì, sì, **prendila pure!**

■ Scusi, posso lasciare un momento i miei bagagli?
■ No, non **li lasci** qui, è meglio di no.

A Concedete e negate permessi nelle seguenti situazioni, secondo l'esempio:

	Sì	No
1. In uno scompartimento del treno: ■ Scusi, disturbo se fumo?	■ Fumi pure!	■ No, per favore, non fumi... Il fumo mi dà fastidio.
2. In un ambulatorio medico: ■ Dottore, devo stare a casa o posso uscire?	■	■ ....
3. In un ufficio: ■ Posso entrare?	■	■ ....
4. Davanti al vostro portone di casa: ■ Scusi, posso lasciare qui la macchina mezz'ora?	■	■ ....
5. In autobus: ■ Le dispiace se apro il finestrino?	■	■ ....
6. Al tavolino di un bar: ■ Posso dare uno sguardo al Suo giornale?	■	■ ....

Dite quali permessi si possono chiedere nelle seguenti situazioni:

Riflessione grammaticale

RICORDARSI		
(tu) Ricorda**ti** (noi) Ricordiamo**ci** (voi) Ricordate**vi**	di	telefonare pagare l'affitto portare i documenti
(Lei) **Si** ricordi (Loro) **Si** ricordino		

COMPRARE	
Giulio vorrebbe il giornale:	(tu) compra**glielo**! (noi) compriamo**glielo**! (voi) comprate**glielo**!
	(Lei) **glielo** compri! (Loro) **glielo** comprino!

DIMENTICARSI				
(tu) (noi) (voi) (Lei) (Loro)	**Non**	dimentica**rti** dimentichiamo**ci** dimenticate**vi** **si** dimentichi **si** dimentichino	di	telefonare all'avvocato pagare l'affitto portare i documenti

Come si dice?

Modi per chiedere di compiere un'azione

Ragazzi, **potete** abbassare il volume dello stereo? Insomma... **abbassate** il volume sì o no? **Non potreste** mettere la cuffia per ascoltare la musica?
Caterina, **potresti** fare le pulizie più tardi? **Perché non** spegni l'aspirapolvere? Non riesco a lavorare.

Completate:

Il signor Bonetti chiede
– ai figli di
e di ....
– alla moglie di ....
e di ....

<table>
<tr><th colspan="4">CHIEDERE DI COMPIERE UN'AZIONE</th></tr>
<tr><td rowspan="6">È freddo: Aldo,</td><td>potresti
puoi</td><td>chiudere</td><td rowspan="2">la finestra, per favore?</td></tr>
<tr><td colspan="2">chiudi</td></tr>
<tr><td colspan="2">perché non chiudi</td><td>la finestra?</td></tr>
<tr><td colspan="2">chiudi</td><td>la finestra, per favore!</td></tr>
<tr><td colspan="2">la finestra, per favore!</td><td></td></tr>
<tr style="display:none"><td></td></tr>
<tr><td rowspan="3">È freddo: signora,</td><td>potrebbe
può</td><td>chiudere</td><td rowspan="2">la finestra, per favore?</td></tr>
<tr><td colspan="2">chiuderebbe</td></tr>
<tr><td colspan="3">chiuda la finestra, per favore!</td></tr>
</table>

Fate le richieste, sulla base delle seguenti indicazioni:

1. Il signor Bonetti è a tavola. Chiede alla moglie di passargli il sale, al figlio di passargli il pane e alla figlia di andare in cucina a prendere l'acqua.
Caterina, ...
E tu, Giorgio, ...
Claudia, ...

2. Gli studenti sono in classe. Uno di loro chiede al professore di ripetere e di parlare a voce più alta.
Professore, ...
Da qui non sento bene.

3. In un'agenzia immobiliare la segretaria chiede a una signora di avere un po' di pazienza, di sedersi e di aspettare.
Signora, ...
.... Il direttore arriverà tra poco.

Andare

- Paolo, se stai male, **va'** pure a casa!
- Se vuoi andare a Roma, **vacci**!
- Ho bisogno di un bicchiere d'acqua, **vammelo** a prendere, per favore!
- Il film che ho visto ieri sera è proprio bello, **vallo** a vedere!
- Carlo e Giovanni arrivano fra poco alla stazione, **valli** a prendere!

Andarsene

- Non voglio più vederti, **vattene**!

Stare

- **Sta'** zitto, per favore!
- Se ti trovi bene qui, **stacci** pure quanto vuoi!
- **Stammi** a sentire, devo raccontarti una cosa!

Dire

- **Di'** a Paolo di telefonarmi prima possibile!
- Se vedi Carla, **dille** di tornare a casa presto!
- Che cosa ti ha raccontato Claudia? **Dimmelo**!
- **Dimmi** la verità, ti prego!
- Vogliamo sapere tutta la storia, **diccela**, per favore!

- **Da'** uno sguardo al giornale, c'è una notizia interessante.
- La mia macchina non funziona, **dammi** la tua, **dammela** fino a stasera.
- Buono questo dolce! **Dammene** un'altra fetta! **Danne** un po' anche a Stefano.
- Questa penna non è la mia. È di Pietro: **dalla** a lui!
- Questa roba è nostra: **daccela** subito!

Dare

- Quando vai al teatro, **fa'** i biglietti anche per me.
- Vuoi fare una telefonata? **Falla** pure!
- **Fammi** il favore di comprare il giornale anche per me!
- Fa' gli esercizi di italiano, **fanne** molti, ti sarà utile.
- Non abbiamo la macchina, **facci** il favore di prestarci la tua!

Fare

Completate i dialoghi con le forme dell'imperativo indicate alla fine dell'esercizio:

1.

■ Mamma, posso andare a giocare in giardino?
■ Sì, ... pure, ma prima delle cinque vieni a casa a fare i compiti!

2.

■ Telefona a Paola, per favore!
■ Sì, sì, la chiamo subito.
■ ....anche di riportarmi il libro che le ho prestato.

3.

■ Papà, posso attraversare da solo la strada?
■ No, Antonio, ...la mano, ... ogni volta che attraversi questa strada.

4.

■ Elena, stasera vado a studiare da Tommaso. Forse sto a cena da lui.
■ Sì, sì, ...pure: io stasera lavoro fino a tardi.

5.

■ Posso fare una telefonata ai miei?
■ .... pure, ma attenzione: a New York adesso sono le 3 del mattino.

6.

■ Dai, Lucia, non arrabbiarti!
■ Francesco, fra noi è tutto finito! Non voglio più vederti! .... e non cercarmi più.

7.

■ Vuoi un po' di spaghetti?

■ Sì, grazie, ma .... solo una forchettata. Voglio solo assaggiarli.

8.

■ Che cosa ti ha detto Gino?

■ Non posso dirtelo, ho promesso di non parlarne con nessuno.

■ Dai, ... , sono curioso.

dammi – dille – falla – vacci – dimmelo – stacci – dammela – vattene – dammene

Completate con le battute mancanti:

....!

I bambini dormono.

....!

Non perdere la pazienza!

Non voglio più vederti ....!

Devo parlarti. ....!

Riflessione grammaticale

DIRE	
(tu) **di'**	
(voi) **dite**	la verità!
(noi) **diciamo**	quello che ha fatto Giorgio!
(Lei) **dica**	come si chiama quel ragazzo!
(Loro) dicano	

ANDARE	
(tu) **va'**	
(voi) **andate**	dal dottore!
(noi) **andiamo**	piano!
(Lei) **vada**	a letto presto!
(Loro) vadano	

FARE	
(tu) **fa'**	
(voi) **fate**	con calma!
(noi) **facciamo**	questo lavoro!
(Lei) **faccia**	presto!
(Loro) facciano	

DARE	
(tu) **da'**	
(voi) **date**	una mano a Giorgio!
(noi) **diamo**	
(Lei) **dia**	il giornale al professore!
(Loro) diano	

STARE	
(tu) **sta'**	a casa la sera!
(voi) **state**	attenti/e
(noi) **stiamo**	tranquilli/e
(Lei) **stia**	a casa la sera!
(Loro) stiano	

Dare... ordini

- Per favore, stampi questo documento.
- Subito, direttore!

- Paolo, va' subito in camera tua e studia!
- D'accordo, mamma!

Dare... indicazioni

- Scusi, dov'è la Banca Nazionale?
- Prenda la prima strada a sinistra e poi vada diritto fino al semaforo: la banca è proprio all'incrocio.

Dare... istruzioni

- Mi scusi, che cosa devo fare per telefonare in Germania?
- Faccia il prefisso 0049, poi il prefisso della città, ma tolga lo zero, poi faccia il numero dell'utente.

Dare... consigli

- Non so come fare per convincere Laura a uscire con me...
- Sii molto gentile, telefonale spesso e mandale subito un mazzo di fiori!

Dare... un permesso

- Permette una parola, Signora?
- Prego, dica pure!

- Permesso?
- Avanti, prego, accomodati!

- Disturbo se fumo?
- Per favore, non fumi! Il fumo fa male.

Sintesi grammaticale

MODO IMPERATIVO

	-are	-ere	-ire
(tu)	_____ a	_____ i	_____ i
(voi)	_____ ate	_____ ete	_____ ite
(noi)	_____ iamo	_____ iamo	_____ iamo
(lei)	_____ i	_____ a	_____ a
(loro)	_____ ino	_____ ano	_____ ano

MODO IMPERATIVO - FORMA NEGATIVA

		-are	-ere	-ire
(tu)	non	_____ are	_____ ere	_____ ire
(voi)	non	_____ ate	_____ ete	_____ ite
(noi)	non	_____ iamo	_____ iamo	_____ iamo
(lei)	non	_____ i	_____ a	_____ a
(loro)	non	_____ ino	_____ ano	_____ ano

FORME PARTICOLARI DI IMPERATIVO

andare → va'		l → ll
stare → sta'		t → tt
dire → di'	+	n → nn
dare → da'		c → cc
fare → fa'		m → mm

Civiltà

Andiamo alle terme

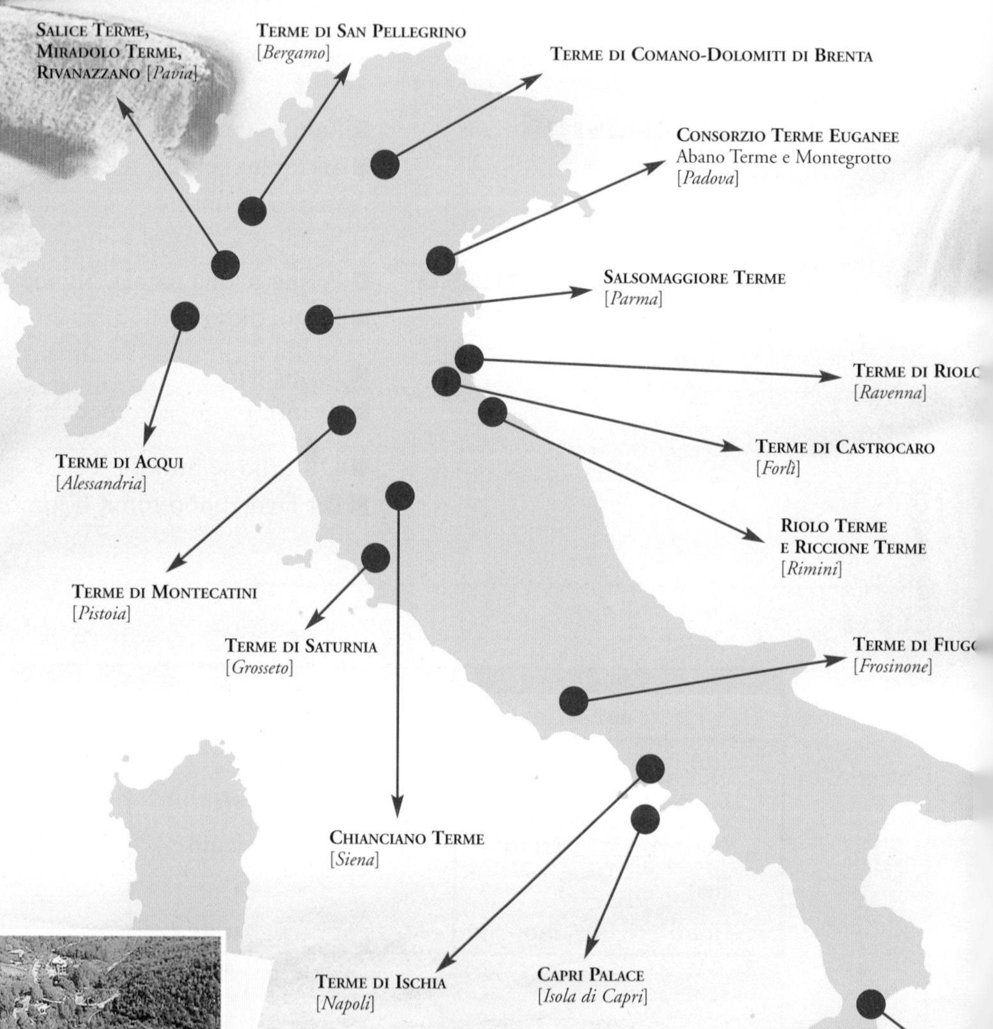

L'Italia è un paese ricco di fonti: ci sono circa 164 stazioni termali dove la gente va a curare il proprio corpo e a distendere la propria mente. Ma anche per scoprire che le terme diventano spesso l'occasione per vedere posti incantevoli, più o meno noti, sempre a contatto con una natura splendida.

1

1. Petriolo
Piccolo centro termale, immerso nella campagna toscana, vicino a città di grande interesse. Le sue acque e i suoi fanghi sono ideali per cure disintossicanti.

2

2. Salsomaggiore
Centro termale molto nosciuto. Le sue ac sono il rimedio ideale molte malattie. Offre p sibilità di nuove amici di svaghi, di acquisti ogni tipo.

3. Bagno Vignoni
Piccolo centro termale molto curato e romantico. Nella piazza c'è la vasca d'acqua calda in cui il regista russo Andrej Tarkovskji ha girato le scene più belle di *Nostalghia*.

4. Saturnia
Le sorgenti di acqua calda di queste terme, usate già dagli Etruschi, danno nuova energia. La zona è interessantissima: è possibile visitare le preziose e suggestive tracce della civiltà etrusca.

5. Abano
Una delle più famose e antiche stazioni di cure termali. Ci sono andati personaggi famosi come Shakespeare, Goldoni, Foscolo, Byron e Shelley. Particolarmente nota per la cura dei dolori reumatici.

Osservate le fotografie di queste pagine, leggete i testi e quindi consigliate le terme ideali per ciascuna esigenza:

Daniele:
«Voglio guarire la mia bronchite, conoscere gente e divertirmi!»

Marta:
«Voglio disintossicarmi e stare a contatto con la natura!»

Antonio:
«Voglio riposarmi e stare un po' in tranquillità con Maria!»

Bianca Maria:
«Vorrei ritrovare energia e voglia di vivere! Ma vorrei anche vedere qualcosa di antico.»

Giuliano:
«Voglio abbandonare stress e inquinamento, ritrovare l'equilibrio e guarire i miei dolori reumatici e le mie ansie!»

UNITÀ 14

REGALA UN PASTO
AI CANI MENO FORTUNATI DEL TUO...

1 Lettera a un giornale

Egregio direttore,
ho letto nel numero di giugno della Sua rivista il servizio sugli animali che vengono abbandonati d'estate; Le scrivo perché sono molto sensibile a questo problema.
Anch'io, come Lei, sono un giornalista e vivo a Milano: per motivi di lavoro in agosto non vado in ferie e resto in città.
Spesso, la sera, quando torno a casa, vedo cani e gatti che girano affamati e che cercano il cibo tra i rifiuti.
La gente, prima di partire per le vacanze, dovrebbe pensare agli animali che sono stati amici fedeli durante il resto dell'anno. Non dovrebbe abbandonarli. Lei, che ne pensa? È possibile questo in un paese in cui c'è ricchezza, cultura e benessere e in cui dovrebbe esserci più sensibilità? Che cosa possiamo fare per aiutare gli animali che la gente abbandona? Soprattutto, come possiamo evitarlo?

Maurizio Poli, Milano

ADOTTATE UN CUCCIOLO, ANZI 101.

È possibile fare qualcosa: educhiamo i giovani ad amare e rispettare gli animali, sensibilizziamo tutti al problema, chiediamo nuove leggi e diamo il nostro aiuto quando è possibile.

Il Direttore

A Collegate secondo l'esempio:

Vedo cani e gatti	**che** vengono abbandonati d'estate.
Vedo cani e gatti	**in cui** dovrebbe esserci più sensibilità.
L'Italia è un paese	**che girano affamati.**
L'Italia è un paese	**che** cercano il cibo tra i rifiuti.
Pensiamo agli animali	**in cui** c'è ricchezza, cultura e benessere.
Aiutiamo gli animali	**che** sono stati amici fedeli durante il resto dell'anno.

B Completate:

Maurizio Poli ha letto .... e scrive al ....

Lui è .... e vive ....

In agosto ....

La sera quando torna a casa ....

Maurizio Poli chiede al direttore del giornale se questo .... e che cosa possiamo fare per ....

Il direttore risponde che bisogna:

1. ....
2. ....
3. ....
4. ....

C Collegate gli aggettivi di significato contrario secondo l'esempio:

fedele	impossibile
triste	insensibile
facile	**infedele**
giusto	allegro
utile	ingiusto
grande	difficile
ricco	inutile
sensibile	vecchio
possibile	piccolo
nuovo	povero

Ci sono animali	**che**	girano affamati cercano il cibo tra i rifiuti

L'Italia è un paese	**in cui**	si vive bene c'è un bel clima c'è ricchezza, cultura e benessere dovrebbe esserci più sensibilità verso gli animali

Chi è Marco? — È lo studente **che** abita vicino a casa mia e **che** incontro tutte le mattine.

Chi è Teresa? — È la ragazza **che** studia con me e **che** ho conosciuto all'Università.

Chi sono Franco e Roberto? — Sono i colleghi **che** lavorano nel mio ufficio e **che** ho invitato a cena per domani sera.

Chi sono Paola e Marta? — Sono le ragazze **che** abitano al piano di sotto e **che** incontro sempre in palestra.

Marco è il ragazzo **del quale**
Teresa è la ragazza **della quale**
Franco e Roberto sono i ragazzi **dei quali**
Paola e Marta sono le ragazze **delle quali**
— **di cui** ti ho parlato spesso.

Marco è il ragazzo **al quale**
Teresa è la ragazza **alla quale**
Franco e Roberto sono i ragazzi **ai quali**
Paola e Marta sono le ragazze **alle quali**
— **a cui** ho prestato lo stereo.

Marco è il ragazzo **dal quale**
Teresa è la ragazza **dalla quale**
Franco e Roberto sono i ragazzi **dai quali**
Paola e Marta sono le ragazze **dalle quali**
— **da cui** vado a cena stasera.

Marco è il ragazzo **nel quale**	in cui ho molta fiducia.		
Teresa è la ragazza **nella quale**			
Franco e Roberto sono i ragazzi **nei quali**			
Paola e Marta sono le ragazze **nelle quali**			
Marco è il ragazzo **con il quale**	**con cui** esco stasera.		
Teresa è la ragazza **con la quale**			
Franco e Roberto sono i ragazzi **con i quali**			
Paola e Marta sono le ragazze **con le quali**			
Marco è il ragazzo **sul quale**	**su cui** conto molto.		
Teresa è la ragazza **sulla quale**			
Franco e Roberto sono i ragazzi **sui quali**			
Paola e Marta sono le ragazze **sulle quali**			
Marco è il ragazzo **per il quale**	**per cui** ho comprato un regalo.		
Teresa è la ragazza **per la quale**			
Franco e Roberto sono i ragazzi **per i quali**			
Paola e Marta sono le ragazze **per le quali**			
C'erano molti ragazzi, **fra i quali**	**fra cui** ho visto	Pietro.	
C'erano molte ragazze, **fra le quali**		Elena.	

Completate:

Chi è Aldo?

È il ragazzo .... viene a cena da me stasera.
È il ragazzo .... incontro sempre sull'autobus.
È il ragazzo .... Anna è innamorata.
È il ragazzo .... ho dato buoni consigli.
È il ragazzo .... ho ricevuto una lettera.
È il ragazzo .... credo molto.
È il ragazzo .... ho appuntamento stasera.
È il ragazzo .... conto molto.
È il ragazzo .... ho comprato questo libro.

Chi è Laura?

È la ragazza .... viene con me in palestra.
È la ragazza .... ho salutato poco fa.
È la ragazza .... sono innamorato.
È la ragazza .... ho mandato un mazzo di fiori.
È la ragazza .... ho ricevuto un invito a cena.
È la ragazza .... ho una grande fiducia.
È la ragazza .... sono andato al cinema.
È la ragazza .... contiamo molto.
È la ragazza .... ho comprato un regalo.

Chi sono Pino e Nando?

Sono i ragazzi .... abitano al primo piano.
Sono i ragazzi .... abbiamo invitato a cena.
Sono i ragazzi .... ti ho parlato.
Sono i ragazzi .... ho chiesto informazioni.
Sono i ragazzi .... abbiamo ricevuto un invito.
Sono i ragazzi .... crediamo molto.
Sono i ragazzi .... siamo andati in vacanza.
Sono i ragazzi .... conto molto.
Sono i ragazzi .... ho comprato questo cd.

Chi sono Nadia e Lucia?

Sono le ragazze .... arrivano stasera.
Sono le ragazze .... abbiamo conosciuto al mare.
Sono le ragazze .... ti ho parlato a lungo.
Sono le ragazze .... ho spedito una cartolina.
Sono le ragazze .... abbiamo ricevuto gli auguri.
Sono le ragazze .... abbiamo molta fiducia.
Sono le ragazze .... abbiamo ballato tutta la sera.
Sono le ragazze .... contiamo molto.
Sono le ragazze .... siamo preoccupati.

Leggete:

"Vado a vivere in campagna!"

Gli italiani scelgono il paesaggio

In collina o vicino a un bosco: in tanti lasciano la città anonima e piena di cemento alla riconquista di natura e origini. A molti italiani non piace più vivere nelle grandi città: troppo traffico, troppo smog, troppo stress, troppa solitudine. Molti comprano o affittano una casa in campagna per passare il fine settimana o le vacanze; altri si trasferiscono definitivamente in mezzo al verde: o lavorano in casa o fanno i pendolari. ■

Le mete

A **Completate i testi con le parole indicate sotto:**

Agli inizi degli anni Settanta .... viaggiatori inglesi e tedeschi hanno comprato .... in Liguria; poi anche milanesi e .... hanno scelto di vivere nel .... e di lavorare in città. Così il .... delle case è salito alle ....

prezzo – case – stelle – verde – alcuni – genovesi

La campagna sì, ma senza .... la città del tutto: così .... impiegati, negozianti, liberi professionisti che .... a Milano sono diventati pendolari.

molti – lavorano – lasciare

Varese Ligure, borgo medievale sulle .... sopra La Spezia, è l'unico .... d'Europa ad avere il certificato di qualità ambientale: bioagricoltura, ... droga, un ex monastero, la corriera, un .... Qui i vip fanno a gara per .... casa.

colline – comprare – alberghetto – comune – niente

B Completate i dialoghi con le indicazioni della colonna a lato:

■ Quanti anni ha, signor Pitoni?
■ .... (36 anni)

■ Che lavoro fa?
■ .... (architetto)

■ Quando è andato la prima volta a Labro?
■ .... (alcuni anni fa, fare una gita)
....

■ Dove si trova Labro?
■ .... (Labro, borgo medievale, a 100 km da Roma, abitato da 50 persone, chiuso alle automobili)
....
....

■ Si è trasferito subito?
■ .... (prima passare qualche weekend, nel 1985)
....

■ E con il lavoro, come fa?
■ .... (comunicare, spedire i progetti via Internet in tutta Europa)
....

Completate:

Fabio Pitoni ha 36 anni e ....

....

....

....

....

C Completate i dialoghi con le indicazioni della colonna a lato:

■ Dove vive, signora Maddalena?
■ .... (Formello, vicino a Roma)

■ Con chi?
■ .... (marito, figli, un gatto e due galline)

■ Lei lavora?
■ .... (impiegata al Poligrafico dello Stato)

■ Quindi fa la pendolare?
■ .... (sì, Formello, Roma)

■ Quanto lavora?
■ .... (7,30 / 16,30)

■ Che cosa fa quando torna a casa?
■ .... (figli, orto e molti hobby)

....

Completate:

Maddalena Tuccelli ha 40 anni e vive a ....

....

....

....

....

Chiedete al vostro compagno:

- se abita in città o in campagna
- dove preferisce abitare
- se la sua famiglia ha una casa in campagna

Riferite alla classe le informazioni ricevute.

Riflessione grammaticale

<table>
<tr><td rowspan="3">Non conosco</td><td>la signora
il signore</td><td rowspan="3">che</td><td>entra</td><td rowspan="2">in questo momento</td></tr>
<tr><td>le signore
i signori</td><td>entrano</td></tr>
<tr><td>il ragazzo
la ragazza
i ragazzi
le ragazze</td><td colspan="2">hai salutato</td></tr>
</table>

<table>
<tr><td rowspan="7">Non conosco</td><td rowspan="7">il ragazzo/
la ragazza</td><td>al/alla quale
a cui</td><td>hai offerto un caffè</td></tr>
<tr><td>del/della quale
di cui</td><td>stai parlando</td></tr>
<tr><td>dal/dalla quale
da cui</td><td>vai a cena</td></tr>
<tr><td>nel/nella quale
in cui</td><td>tu hai tanta fiducia</td></tr>
<tr><td>sul/sulla quale
su cui</td><td>tu conti tanto</td></tr>
<tr><td>con il/la quale
con cui</td><td>esci stasera</td></tr>
<tr><td>per il/la quale
per cui</td><td>vuoi comprare un regalo</td></tr>
</table>

<table>
<tr><td rowspan="7">Non conosco</td><td rowspan="7">i ragazzi/
la ragazze</td><td>ai/alle quali
a cui</td><td>hai offerto un caffè</td></tr>
<tr><td>dei/delle quali
di cui</td><td>stai parlando</td></tr>
<tr><td>dai/dalle quali
da cui</td><td>vai a cena</td></tr>
<tr><td>nei/nelle quali
in cui</td><td>tu hai tanta fiducia</td></tr>
<tr><td>sui/sulle quali
su cui</td><td>tu conti tanto</td></tr>
<tr><td>con i/le quali
con cui</td><td>esci stasera</td></tr>
<tr><td>per i/le quali
per cui</td><td>vuoi comprare un regalo</td></tr>
</table>

<table>
<tr><td>So bene</td><td rowspan="5">quello
ciò</td><td rowspan="5">che</td><td>faccio</td></tr>
<tr><td>Ricordati di</td><td>ti dico</td></tr>
<tr><td>Ho comprato</td><td>mi avevi chiesto</td></tr>
<tr><td>Ho pensato molto a</td><td>mi hai detto</td></tr>
<tr><td>Ci preoccupiamo di</td><td>potrà succedere</td></tr>
</table>

Come si dice?

Modi di manifestare disapprovazione

1

Prezzi alle stelle.
Da oggi
i nuovi aumenti
di telefono,
luce e gas.

«**Ma non è possibile**... **non si può continuare così**... sempre nuovi aumenti, vorrei sapere come si farà ad arrivare alla fine del mese con lo stesso stipendio!»

2

Città senza auto.
Il Consiglio Comunale ha deciso che la domenica in centro si potrà circolare solo in bicicletta o a piedi.

«**È assurdo**... come faccio ad andare in centro? Come faccio ad accompagnare i bambini da mia madre? Prima di prendere simili decisioni, dovrebbero pensarci bene!»

Sciopero degli autobus.
Domani gli autobus
si fermeranno
dalle 9 a mezzogiorno.

«**È scandaloso**... uno sciopero non può paralizzare una città: tutti prenderanno la macchina e il traffico sarà più caotico del solito!»

MANIFESTARE DISAPPROVAZIONE

Ma non è possibile...
Non si può continuare così...
È scandaloso...
È assurdo...
Queste cose non dovrebbero succedere

Completate:

Antonio, Maria e Gabriella protestano
perché ....
perché ....
perché ....

Esprimete la vostra disapprovazione di fronte a questi fatti:

1. Dovete fare un viaggio in treno: leggete nel giornale che da domani sera, per 24 ore, ci sarà lo sciopero dei treni.
2. È ferragosto: i ristoranti sono tutti chiusi per ferie.
3. Leggete sul giornale la notizia di incidenti fra tifosi durante una partita di calcio.
4. È domenica pomeriggio. Accendete la televisione: tutti i canali trasmettono solo programmi sportivi.

Collegate i gesti e le parole alle situazioni:

a

Mah... basta! C'è sempre qualcosa che non va!

1. Anche stasera hai invitato gente a cena?!
....

2. I musei oggi sono chiusi?!
....

b

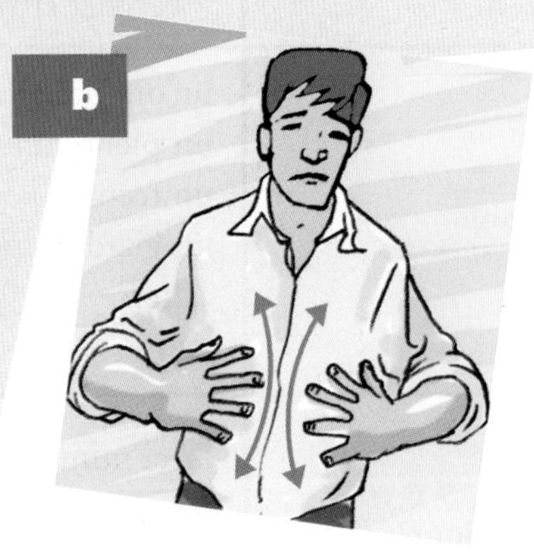

Non ne posso più!

CI

pronome riflessivo	– La mattina **ci** alziamo sempre presto. – **Ci** dobbiamo preparare per uscire.
noi	– Quando **ci** ha visto, il professore **ci** ha invitato a prendere un caffè.
a noi	– Giorgio **ci** ha telefonato e **ci** ha chiesto di accompagnarlo alla stazione.
in questo / quel **luogo**	– Vieni al bar? Sì, **ci** vengo volentieri. – Vado a Roma e **ci** resto due settimane. – Sono già andato a Gubbio e non voglio tornar**ci**.
a questa / quella **cosa** / **persona**	– Chi compra il pane? **Ci** penso io. – Hai creduto a ciò che ha raccontato Alberto? No, non **ci** ho creduto per niente. – Gli spaghetti non mi piacciono, non riesco a mangiarli, ma col tempo mi **ci** abituerò. – Voglio prendere un bel voto all'esame: **ci** tengo molto!
con questa / quella **cosa** / **persona**	– Marco è molto simpatico: **ci** sto bene! – Questo è un problema serio: non **ci** scherzare! – Poldo è un cucciolo vivace: ai miei bambini piace molto gioca**rci**.
ci vedo **ci sento**	– **Ci** vedo poco con questi occhiali e perciò devo comprarne un altro paio. – Le dispiacerebbe parlare più forte? Non **ci** sento bene!
ci vuole **ci metto**	– Per salire sull'autobus **ci** vuole il biglietto. – Per andare da Roma a Firenze **ci** vogliono due ore, ma io, con la mia vecchia «Panda» **ci** metto anche quattro ore.
Ci vuole	un'ora per andare in centro a piedi. un pieno di benzina per andare a Napoli. un tecnico per riparare la TV. un giardino per tenere un cane. calma / tempo per questo lavoro.
Ci vogliono	dieci minuti per finire questo lavoro. trenta litri di benzina per andare a Roma. due operai per riparare questo tetto. molti soldi per questo viaggio.

NE	
pronome partitivo	– Ho comprato le sigarette e **ne** ho fumate tre. – Ho preso una bottiglia di vino e **ne** ho bevuto un bicchiere.
da questo / quel posto	– Non posso stare più qui: me **ne** vado. – Non voglio più vederti: vatte**ne**! – Sono andato a Roma e **ne** sono tornato stanco morto. – È entrato in casa e **ne** è uscito dopo qualche minuto.
di questa / quella cosa / persona	– È un'attrice famosa: **ne** parlano tutti. – Ho un amico a Parigi, ma da anni non **ne** ho più notizie. – Ti piace la mia idea? Che **ne** dici? – Maria è partita e **ne** sento la mancanza. – Questa storia mi ha stancato: non voglio più sentir**ne** parlare. – Ricordati di dire a tuo fratello che l'aspetto a casa: non dimenticarte**ne**! – Non ho preso la macchina, perché non **ne** avevo bisogno. – Basta, torno a casa: non **ne** posso più di stare qui! – Andate a vedere quel film, è molto bello: **ne** vale la pena! – Non visitare quel museo: non **ne** vale la pena!

Guardate l'orario e chiedete al vostro compagno:

– quanto tempo ci vuole per andare da .... a ....

PARTENZE DALLA STAZIONE DI FONTIVEGGE

LINEA PERUGIA - MILANO (VIA FIRENZE-BOLOGNA)														
	D 3150 (1) (2) ES 9404 (15)	IC 544 (14)	R 12090 (2) ES 9406 R 2304	R 7020 ES 9408 (15)	R 12096 (1) D 2306 ES 9410 (13) (15)	D 3152 (7) ES 9412 (15)	R 12102 (1) D 2308 ES 9414 (13) (15)	D 3154 (7) ES 9416 (13) (15)	D 3156 ES 9420 (13) (15)	D 2326 ES 9426 (15) (17)	R 12116 (2) R 6648 (3) ES 9428 (15)	R 12118 IC 726 ES 9428 (15)	R 12130 E 824	R 12132 (6)
PERUGIA	6.21	6.46	7.31	8.42	9.19	10.45	11.15	12.45	14.45	16.55	17.50	18.44	23.54	23.54
TERONTOLA	7.05	7.20	8.07 8.18	9.20	10.00 10.18	11.26	11.57 12.18	13.26	15.26	17.37	18.28 18.56	19.20 19.26	0.26 0.32	-
AREZZO	7.33	7.42	8.45	9.51	10.45	11.54	12.45	13.54	15.54	18.04	19.20	19.46	0.53	-
FIRENZE	8.45 9.13	8.16	9.45 10.13	10.58 11.13	11.45 12.13	12.43 13.13	13.45 14.13	14.43 15.13	16.43 17.13	19.13 20.13	20.40 21.13	20.20 21.13	-	-
BOLOGNA	10.14	9.28	11.14	12.14	13.14	14.14	15.14	16.14	18.14	20.14	22.14	22.14	3.25	-
MILANO	12.20	11.50	13.00	14.00	15.00	16.00	17.00	18.00	20.00	22.00	0.05	0.05	6.25	8.00

Riferite alla classe le informazioni ricevute.

Chiedete al vostro compagno:

– quali ingredienti ci vogliono e in quale quantità per realizzare la ricetta illustrata.

Riferite alla classe le informazioni ricevute.

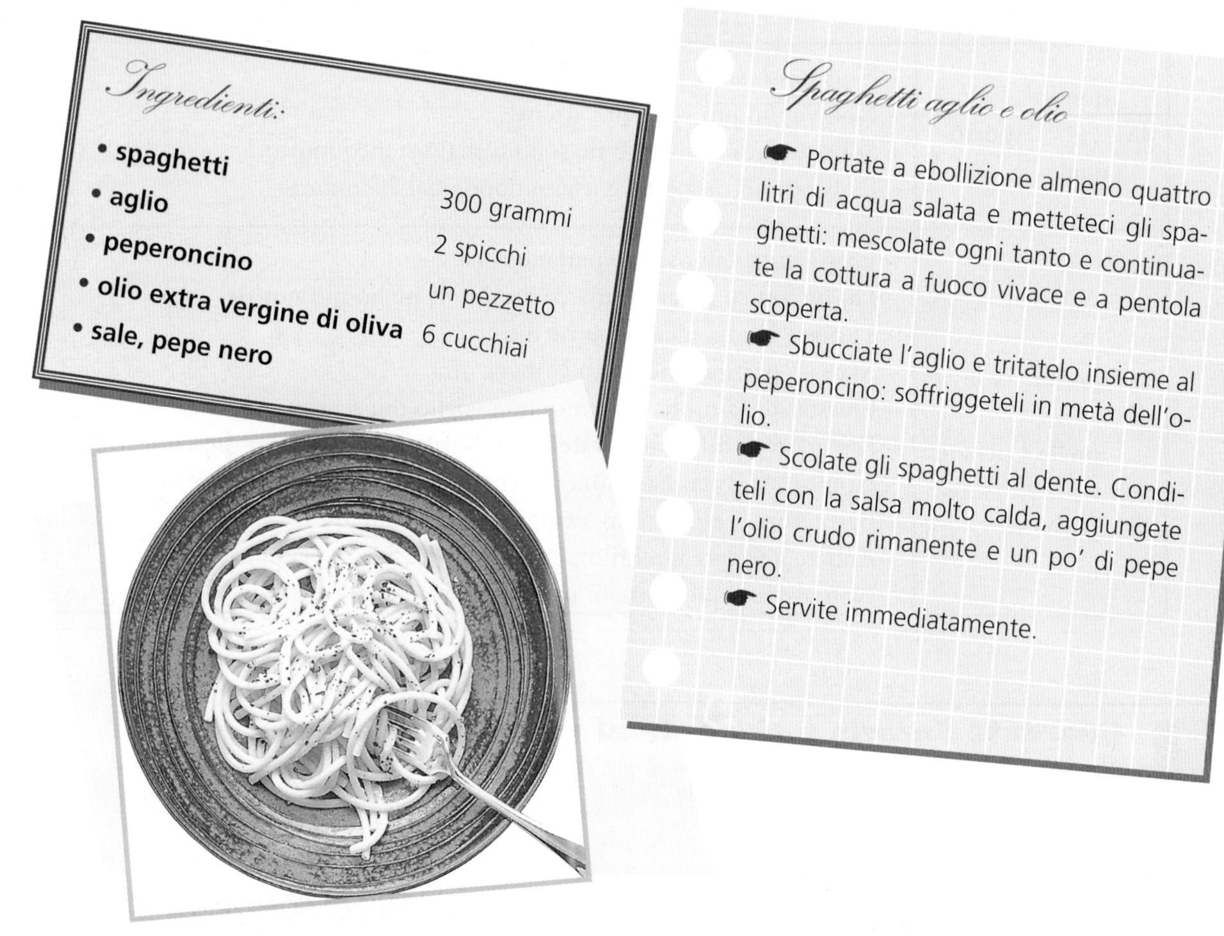

Ingredienti:
• spaghetti 300 grammi
• aglio 2 spicchi
• peperoncino un pezzetto
• olio extra vergine di oliva 6 cucchiai
• sale, pepe nero
Spaghetti aglio e olio
Portate a ebollizione almeno quattro litri di acqua salata e metteteci gli spaghetti: mescolate ogni tanto e continuate la cottura a fuoco vivace e a pentola scoperta.
Sbucciate l'aglio e tritatelo insieme al peperoncino: soffriggeteli in metà dell'olio.
Scolate gli spaghetti al dente. Conditeli con la salsa molto calda, aggiungete l'olio crudo rimanente e un po' di pepe nero.
Servite immediatamente.

Completate i dialoghi con le espressioni indicate nella pagina seguente:

1. ■ Ti sei divertito alla festa di Alberto?
■ No, per niente; era una festa noiosissima e io dopo mezz'ora ....

2. ■ È vero che telefoni ai tuoi tutte le sere?
■ Sì, non posso stare lontano da loro troppo tempo: ....

3. ■ Bambini, mettete in ordine la camera!
■ Più tardi, mamma!
■ Bambini, basta! .... di questo disordine!

4. ■ Chi è la tua amica preferita?
■ Elena. È molto simpatica e io .... spesso.

5. ■ Chi va a prendere il giornale?
■ .... Marco, come sempre.

6. ■ Scusi, professore, posso cambiare banco?
■ Certo, cambialo pure!
■ Dall'ultima fila non .... bene.

7. ■ Ti consiglio di andare al ristorante "Bocca mia"!
■ Ma... mi hanno detto che è molto caro...
■ Sì, è vero, ma .... : la cucina è ottima.

8. ■ Paolo, sbrigati, per favore! Gli amici ci aspettano!
■ Arrivo, arrivo...
■ Non capisco perché .... sempre tanto a prepararti.

andarsene – non poterne più – vederci – averne nostalgia – valerne la pena – uscirci – metterci – pensarci

Sintesi grammaticale

che =	il la	quale
	i le	quali

di	cui →	del	della	quale	dei	delle	quali
a		al	alla		ai	alle	
da		dal	dalla		dai	dalle	
in		nel	nella		nei	nelle	
con		con il	con la		con i	con le	
su		sul	sulla		sui	sulle	
per		per il	per la		per i	per le	
tra		tra il	tra la		tra i	tra le	

Civiltà

Visitiamo i Parchi nazionali

In Italia ci sono ventidue Parchi nazionali, altri sono in arrivo. Alcuni sono vicino al mare, alcuni in montagna, altri sono riserve marine; ognuno di essi ha delle caratteristiche particolari: la Sicilia, ad esempio, possiede l'unico parco d'Europa realizzato su un vulcano attivo, l'Etna, e in Toscana le sette isole dell'arcipelago toscano formano il più grande parco marino d'Europa.

Completate con le parole indicate sotto:

11 settembre ore 07.30

Caro Antonio,

sono appena tornato da quattro giorni di vacanza; ho seguito il tuo consiglio e sono andato in Liguria al Parco delle Cinque Terre. Avevi proprio ragione, è una zona molto ...., con un fascino particolare per chi, come ...., ha una grande passione per la natura, ... camminare e conoscere tutti i paesaggi italiani.

.... volta sono partito da solo ed ho ....scegliere liberamente fra tutte le escursioni possibili. ....camminato per ore, ho percorso molti degli .... consigliati, ovviamente non ho rinunciato a percorrere ....famosa Via dell'Amore, il sentiero che ....Riomaggiore e Manarola: in cinque ore di .... ho visto panorami unici, ho potuto sentire .... profumo freschissimo delle erbe e delle piante .... crescono da quelle parti, ho visto spiaggette .... Mi sono anche fermato a fare uno .... in una trattoria sul mare dove ho .... l'ottimo vino locale. I giorni di .... sono passati molto velocemente e purtroppo mi ......stato impossibile fare la Via dei Santuari: .... hanno tutti detto che ne vale la pena.

.... per la prossima volta!

Ti saluto con affetto

A presto

Massimo

ama – bella – bevuto – cammino – che – deliziose – è – Ho – il – itinerari – la – mi – noi – potuto – questa – sarà – spuntino – unisce – vacanza

UNITÀ 15

Milano, Teatro alla Scala

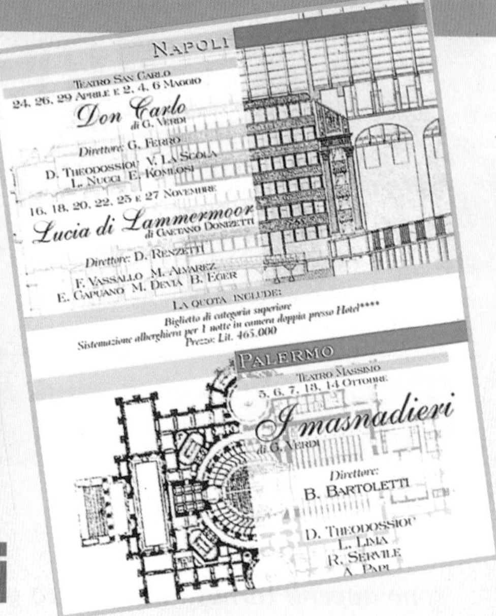

1 Giuseppe Verdi

In Italia l'opera lirica e il balletto sono molto popolari: ogni anno, infatti, si tengono circa 5000 rappresentazioni fra opere liriche e balletti nei diversi teatri della nostra penisola, dal Teatro alla Scala di Milano, al Teatro dell'Opera di Roma, al San Carlo di Napoli...

Napoli, Teatro San Carlo

Roma, Teatro dell'Opera

Giuseppe Verdi, famoso compositore e musicista, **nacque** a Busseto nel 1813 e **morì** a Milano nel 1901.
Nel 1842 **ebbe** il suo primo successo alla Scala con il *Nabucco*, opera a soggetto storico, molto gradito nel clima patriottico di quegli anni.
Nel 1859 **si sposò** con la cantante Giuseppina Strepponi, prima interprete del *Nabucco*.
Tra il 1851 e il 1852 **compose** *La Traviata* e *Il Trovatore*.
Nel 1871 **partecipò** alle celebrazioni per l'apertura del canale di Suez con l'*Aida*, che **fu** un trionfo mondiale.
Nel 1887 **compose** l'*Otello* e nel 1893 *Falstaff*, i suoi due ultimi capolavori.

TEATRO ALLA SCALA DI MILANO
12, 15 SETTEMBRE
Jérusalem
di G. VERDI
ORCHESTRA E CORO
WIENER STAATSOPER
Direttore: Z. MEHTA
30 SETTEMBRE E 3 OTTOBRE
La forza del destino
di G. VERDI
ORCHESTRA E CORO DEL
TEATRO MARIINSKIJ-KIROV
DI SAN PIETROBURGO
Direttore: V. GERGIEV
6 E 8 NOVEMBRE
Luisa Miller
di G. VERDI
OCHESTRA E CORO DELLA
BAYERISCHEN RUNDFUNKS
Direttore: L. MAAZEL

A Completate con le date:

Giuseppe Verdi (Busseto .... - Milano ....)

........................: rappresentazione del *Nabucco* a Milano

........................: matrimonio con Giuseppina Strepponi

........................: composizione della *Traviata* e del *Trovatore*

........................: rappresentazione dell'*Aida*

........................: composizione dell'*Otello*

........................: composizione del *Falstaff*

B Fate una breve biografia, utilizzando le indicazioni che seguono:

1. Gioacchino Rossini
(Pesaro 1792 - Parigi 1868)

1816: composizione del *Barbiere di Siviglia*
1829: rappresentazione di *Guglielmo Tell*, grande successo
1836: trasferimento a Bologna
1846: matrimonio con Olimpia Pelissier
1855: trasferimento a Parigi

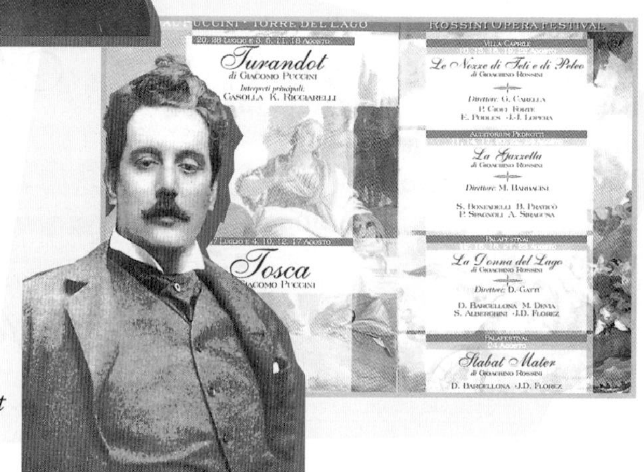

2. Giacomo Puccini
(Lucca 1858 - Bruxelles 1924)

1884: rappresentazione della prima opera, *Le Villi*; grande successo di pubblico
1896: rappresentazione della *Bohème*
1898: rappresentazione della *Tosca*
1924: inizio della composizione della *Turandot*

Osservate la foto e descrivetela, utilizzando le indicazioni che seguono:

Riccardo Muti riceve gli applausi del pubblico della Scala dopo la prima della *Traviata*.

Chiedete al vostro compagno:

- se gli piace l'opera
- se ha mai assistito a una rappresentazione
- quale compositore e quale opera preferisce

Riferite alla classe le informazioni ricevute.

Angelo Branduardi

Angelo Branduardi è nato a Cuggiono, in provincia di Milano, nel 1950. Ha studiato violino al Conservatorio di Genova e poi, a Milano, ha cominciato a suonare la chitarra e a scrivere testi musicali. L'album *Alla fiera dell'est* del 1976 è stato il suo primo grande successo: per i testi delle canzoni si è ispirato a favole popolari di tutto il mondo. Fra i suoi album ricordiamo *La pulce d'acqua* (1978), *Cogli la prima mela* (1979) e *Branduardi canta Yeats* (1985). Nel novembre 1998 la EMI ha pubblicato una raccolta delle sue canzoni più belle, *Branduardi Studio Collection*.

1. Ascoltate la canzone (non è registrata: vi invitiamo a ricercare il disco) e dite:

– *quali di questi animali sono nominati nel testo:*

delfino – topo – topolino – pulcino – cane –
rana – gatto – leone – toro – cavallo

– *quali di queste parole sono presenti nel testo:*

cartone – bastone – fuoco – cuoco – acqua – giacca – carta

2. Scrivete il maggior numero di forme di passato remoto che sentite nella canzone.

....

....

3. Completate il testo con le parole mancanti:

Alla fiera dell'est

Alla fiera dell'est,
per due soldi
un topolino mio padre *comprò*...
E *venne* il gatto
che *si mangiò* il topo
che al mercato mio padre ....
Alla fiera dell'est
per due soldi
un topolino mio padre *comprò*...
E .... il cane,
che *morse* il gatto
che .... il topo,
che al mercato mio padre *comprò*...
Alla fiera dell'est

per due soldi
un topolino mio padre *comprò* ...
E .... il bastone,
che *picchiò* il cane,
che .... il gatto,
che *si mangiò* il topo
che al mercato mio padre ....
Alla fiera dell'est
per due soldi
un topolino mio padre *comprò*...
E .... il fuoco,
che *bruciò* il bastone,
che .... il cane,
che *morse* il gatto,
che .... il topo,
che al mercato mio padre *comprò*...
Alla fiera dell'est
per due soldi
un topolino mio padre ....
E .... l'acqua
che *spense* il fuoco
che .... il bastone
che *picchiò* il cane
che .... il gatto
che *si mangiò* il topo,
che al mercato mio padre ....
Alla fiera dell'est
per due soldi
un topolino mio padre *comprò*...
E .... il toro
che *bevve* l'acqua,
che .... il fuoco
che *bruciò* il bastone
che .... il cane
che *morse* il gatto
che .... il topo
che al mercato mio padre *comprò*...
Alla fiera dell'est
per due soldi
un topolino mio padre ....
E *venne* il macellaio
che *uccise* il toro,
che .... l'acqua
che *spense* il fuoco
che .... il bastone
che *picchiò* il cane
che .... gatto
che si *mangiò* il topo
che al mercato mio padre ....
Alla fiera dell'est
per due soldi
un topolino mio padre *comprò*...
E l'angelo della morte sul macellaio
che *uccise* il toro
che .... l'acqua,
che .... fuoco
che *bruciò* il bastone
che .... cane
che *morse* il gatto
che .... topo
che al mercato mio padre *comprò*...
Alla fiera dell'est
per due soldi
un topolino mio padre ....
E infine il Signore
sull'Angelo della morte,
sul macellaio
che .... il toro
che *bevve* l'acqua
che *spense* il fuoco
che .... il bastone
che *picchiò* il cane
che .... il gatto
che si *mangiò* il topo
che al mercato mio padre *comprò*...

(Liberamente ispirata a un canto pasquale ebraico)

Riflessione grammaticale

ANDARE		
A vent'anni	(io) and**ai** (tu) and**asti** (lui, lei) and**ò** (noi) and**ammo** (voi) and**aste** (loro) and**arono**	a New York negli Stati Uniti

CREDERE		
Quella volta	(io) cred**ei** (cred**etti**) (tu) cred**esti** (lui, lei) cred**é** (cred**ette**) (noi) cred**emmo** (voi) cred**este** (loro) cred**erono** (cred**ettero**)	alle parole di Giorgio

PARTIRE		
A quella notizia	(io) part**ii** (tu) part**isti** (lui, lei) part**ì** (noi) part**immo** (voi) part**iste** (loro) part**irono**	subito per New York per gli Stati Uniti

ESSERE			
A Londra	(io) **fui** (tu) **fosti** (lui, lei) **fu**	ospite	dei signori Smith
	(noi) **fummo** (voi) **foste** (loro) **furono**	ospiti	

AVERE		
Anni fa	(io) **ebbi** (tu) **avesti** (lui, lei) **ebbe** (noi) **avemmo** (voi) **aveste** (loro) **ebbero**	un grave incidente automobilistico

RISPONDERE			
A quell'esame	(io)	rispos**i**	a tutte le domande
	(tu)	rispondesti	
	(lui, lei)	rispos**e**	
	(noi)	rispondemmo	
	(voi)	rispondeste	
	(loro)	rispos**ero**	

CONVINCERE			
Quella volta	(io)	convins**i**	Piero a dare un esame
	(tu)	convincesti	
	(lui, lei)	convins**e**	
	(noi)	convincemmo	
	(voi)	convinceste	
	(loro)	convins**ero**	

SCRIVERE			
In quell'occasione	(io)	scriss**i**	una lunga lettera
	(tu)	scrivesti	
	(lui, lei)	scriss**e**	
	(noi)	scrivemmo	
	(voi)	scriveste	
	(loro)	scriss**ero**	

VENIRE			
Quel giorno	(io)	venn**i**	a lezione in ritardo
	(tu)	venisti	
	(lui, lei)	venn**e**	
	(noi)	venimmo	
	(voi)	veniste	
	(loro)	venn**ero**	

BERE			
Quella sera	(io)	bevv**i**	solo un bicchiere di birra
	(tu)	bevesti	
	(lui, lei)	bevv**e**	
	(noi)	bevemmo	
	(voi)	beveste	
	(loro)	bevv**ero**	

Lucio Dalla

Lucio Dalla, nato a Bologna nel 1943, ha iniziato la sua carriera a Roma come clarinettista in un gruppo jazz; poi ha cominciato a cantare come solista senza riuscire ad affermarsi. Il suo successo è iniziato quando, negli anni Settanta, da cantante è diventato cantautore. Tra le sue canzoni più note ricordiamo *4 marzo 1943* (1971), *Piazza grande* (1971), *Com'è profondo il mare* (1978) e l'album *Anidride solforosa* (1975), i testi sono del poeta Roberto Roversi. Fra gli ultimi cd ricordiamo *Canzoni* (1996), *Ciao* (1999), *Luna Matana* (2001).

1. Ascoltate la canzone (non è registrata: vi invitiamo a ricercare il disco) e descrivete i disegni.

2. Scrivete tutte le parole *alterate* che sono nella canzone:

....

....

3. Completate il testo con le parole mancanti:

Attenti al lupo

C'è una casetta piccola così
.... tante finestrelle colorate
e una donnina .... così
con due occhi grandi per ....
e c'è un omino piccolo ....
che torna sempre tardi da lavorare
.... ha un cappello piccolo così
con .... un sogno da realizzare
e più .... pensa, più non sa aspettare

amore .... non devi stare in pena
questa .... è una catena
qualche volta fa .... po' male
guarda come son tranquilla ....
anche se attraverso il bosco
con ....'aiuto del buon Dio
stando sempre .... al lupo
attenti al lupo, ... al lupo...

laggiù c'è un .... piccolo così
con un gran rumore .... cicale
e un profumo dolce e .... così
amore mio è arrivata l' ....
amore mio è arrivata l'estate
.... noi due qui distesi a far
..............'amore
in mezzo a questo mare .... cicale
questo amore piccolo così
ma .... grande che mi sembra di volare
.... più ci penso più non so
....

amore mio non devi stare in ....
questa vita è una catena
qualche .... fa un po' male
guarda come .... tranquilla io
anche se attraverso il ....
con l'aiuto del buon Dio
.... sempre attenta al lupo
attenti al lupo, attenti al lupo...

Chiedete al vostro compagno:

- che genere di musica preferisce
- se preferisce ascoltare la musica da solo o in compagnia
- se preferisce ascoltare la musica a casa o a un concerto
- di parlare di un concerto che gli è piaciuto particolarmente

Riferite alla classe le informazioni ricevute.

1. – Hai vent'anni ormai: non sei più un **ragazzino**!
– Arrivo subito! Abbi pazienza! Aspetta un **momentino**!
– Andiamo a cena insieme stasera? Conosco un **ristorantino** dove si mangia divinamente!
– Che **casetta** graziosa! È proprio come la vorrei!

2. – Si muore dal caldo oggi: vado un po' all'ombra sotto l'**ombrellone**!
– Conosci il padre di Pietro? È un **omone** grande e grosso... e molto simpatico!
– Ci vuole uno **scatolone** per mettere tutti questi libri!

3. – Dove vai con questo **tempaccio**? Non vedi che piove a dirotto?
– Che **nottataccia** ho passato! Non sono riuscito a chiudere occhio!
– È l'ora di punta e c'è un traffico incredibile: è un **momentaccio** per uscire in macchina!
– Non devi ripetere questa parola: è una **parolaccia**!

Come si dice?

Modi di raccontare

7 maggio 2000.
Furto di un prezioso quadro di Guttuso in casa De Pillis.
Il signor De Pillis ha inventato tutto per prendere i soldi dell'assicurazione?

Alcuni anni dopo
Tribunale di Milano.
Il giudice interroga il signor De Pillis.

■ Signor De Pillis, che cosa successe la sera del 7 maggio 2000?
■ Stavo guardando un film giallo alla TV, **a un tratto** sentii un rumore; **all'inizio** pensai al gatto, **poi** vidi un'ombra dietro i vetri della finestra... **allora** mi alzai dalla poltrona e andai verso la porta che dà sul giardino, **ma** non riuscii a vedere niente e nessuno... sembrava tutto tranquillo.
■ E poi? Continui...
■ **A un certo punto** andò via la luce... mi spaventai moltissimo, col cuore in gola arrivai al telefono... volevo chiamare il 112. Mentre facevo il numero, qualcuno mi prese alle spalle e mi diede un colpo in testa... Da quel momento non ricordo più niente... mi svegliai **più tardi** e... il mio Guttuso non c'era più...

Completate:

Il signor De Pillis stava guardando un film giallo,
a un tratto ....

....

all'inizio ....

....

poi ....

....

allora ....

....

ma ....

....

A un certo punto ....

....

Più tardi ....

....

MODI DI RACCONTARE	
All'inizio All'improvviso A un tratto Poi Dopo Allora Ma A un certo punto A un certo momento Più tardi Alla fine	....

A Raccontate una storia simile alla precedente, utilizzando le seguenti indicazioni:

■ Signor Martini, che cosa successe la sera del 26 giugno 2000?

■ **1.** fare il bagno
2. sentire un rumore
3. andare via la luce
4. pensare al temporale
5. tornare la luce
6. uscire dalla vasca
7. mettere l'accappatoio
8. andare in salotto
9. accendere la TV
10. un uomo legarmi alla poltrona
11. prendere il mio quadro
12. la cameriera liberarmi la mattina seguente

....

....

....

....

....

....

....

....

....

....

....

B **Raccontate un fatto che vi è capitato, immaginando che sia successo tanti anni fa.**

C **Costruite una storia sulla base delle seguenti indicazioni:**

Ambiente:	ostello della gioventù
Il fatto:	è sparita una valigia che conteneva anche soldi e documenti
I personaggi:	*Michele*, il ragazzo proprietario della valigia *Franco*, un compagno di camera di Michele *David*, un altro compagno di camera *Elena*, la portiera *un poliziotto*

Quella sera, quando a mezzanotte Michele rientrò in camera all'ostello, vide subito che la sua valigia era scomparsa. Allora...

....

....

....

....

....

D **Formate gruppi di cinque studenti, assumete i ruoli dei personaggi della storia e rispondete alle domande dello studente che ha assunto il ruolo del poliziotto.**

E **Uno studente esce dall'aula. Gli altri inventano una storia poliziesca e ognuno di loro assume il ruolo di un personaggio. Lo studente rientra in classe e cerca di scoprire il colpevole.**

Completate con le battute che seguono:

1. Non me ne importa niente!
2. Cerca di concludere!
3. Che barba!

È un'ora che parli...

....

La lezione è proprio noiosa...

....

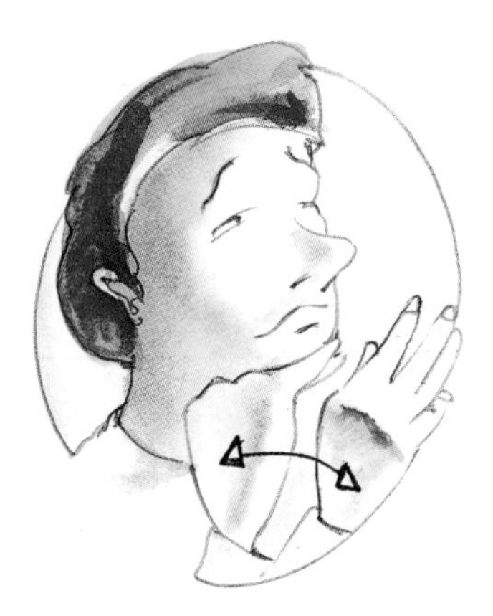

È inutile che mi parli di lui...

....

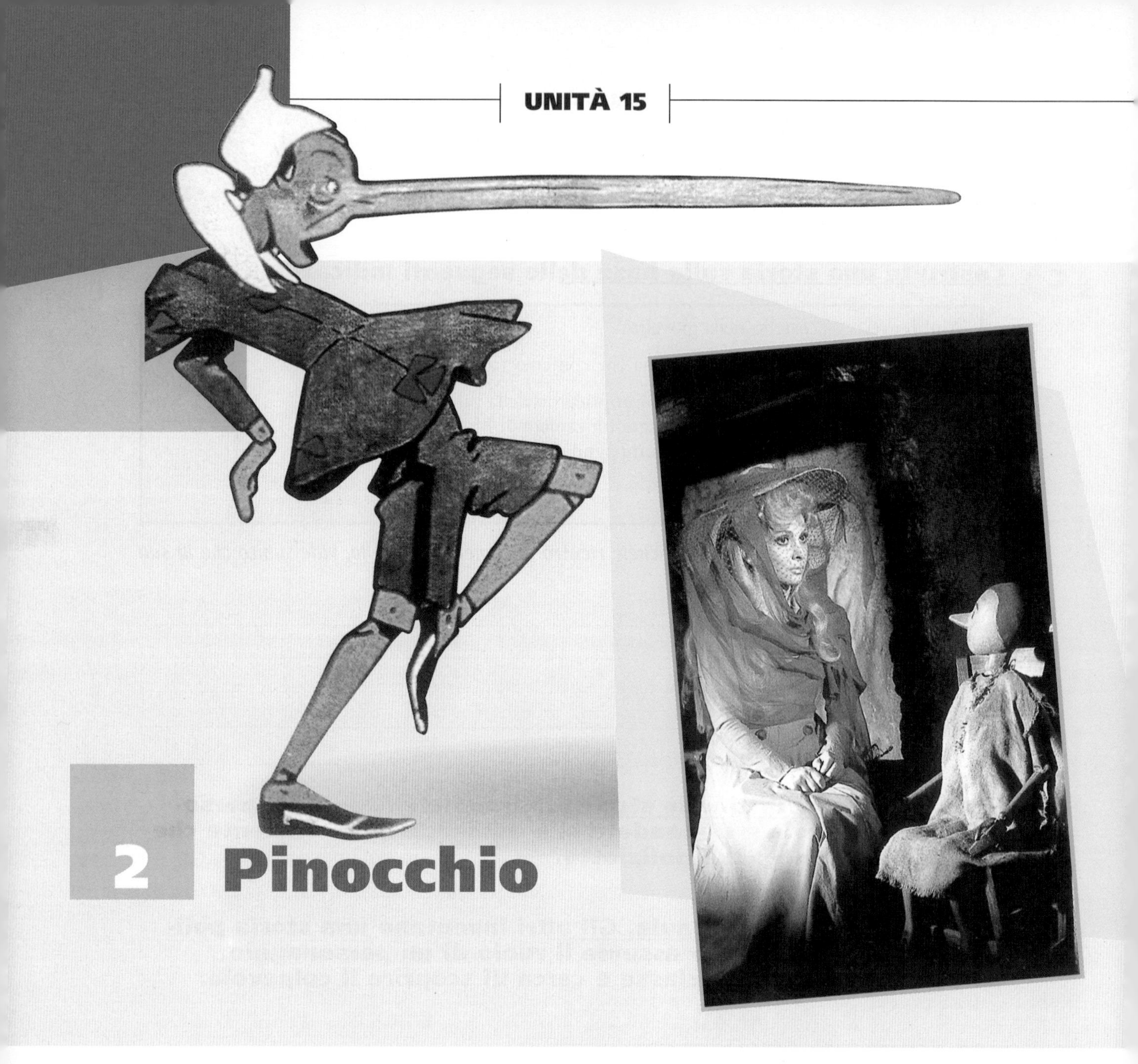

2 Pinocchio

A **Scrivete alcuni nomi delle parti del corpo umano:**

....

....

....

B **Dite:**

- se conoscete la favola di Pinocchio
- se ve l'hanno raccontata
- se l'avete letta
- che cosa vi è piaciuto di questa favola
- che cosa non vi è piaciuto

C Descrivete i disegni:

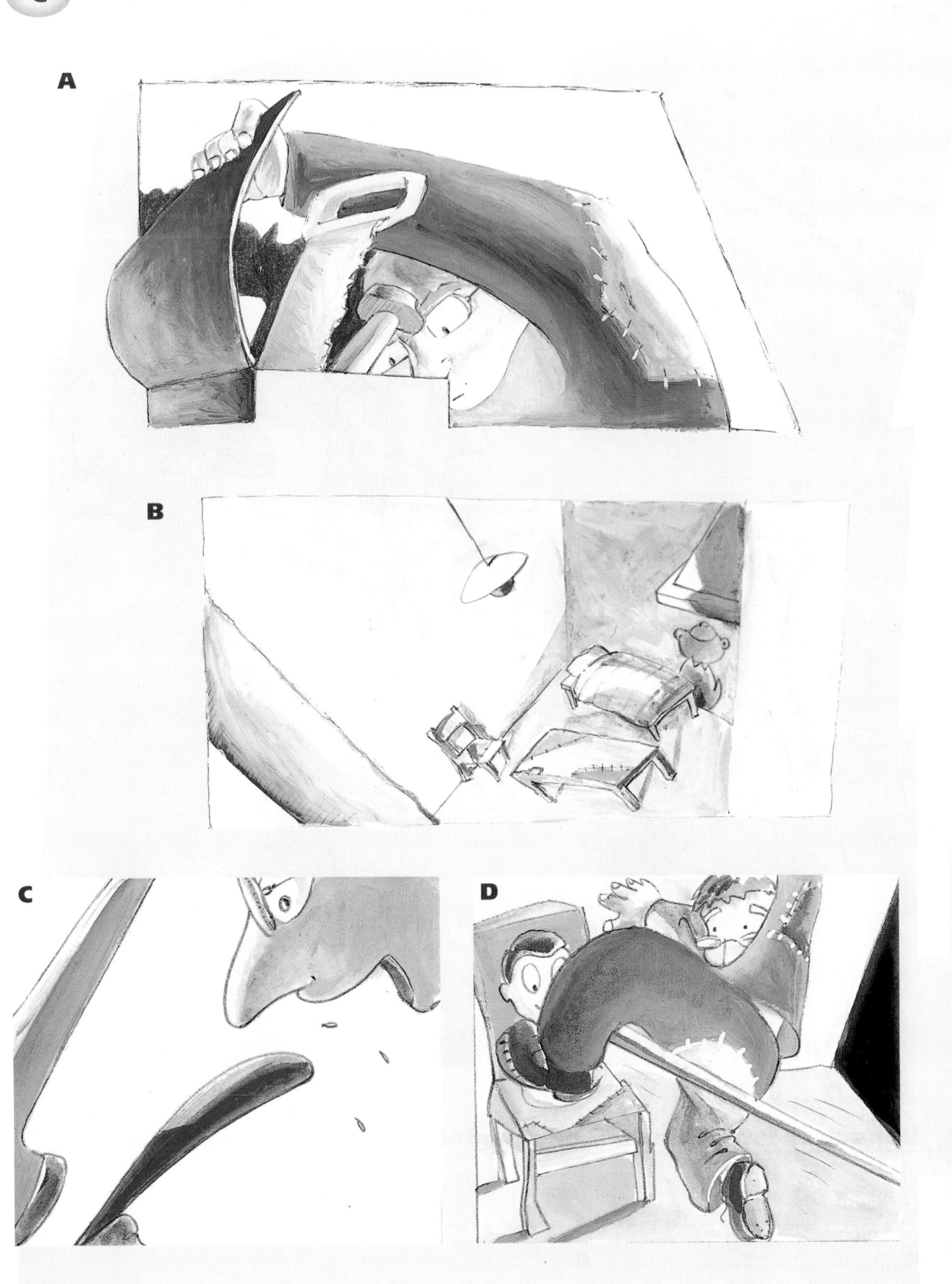

E

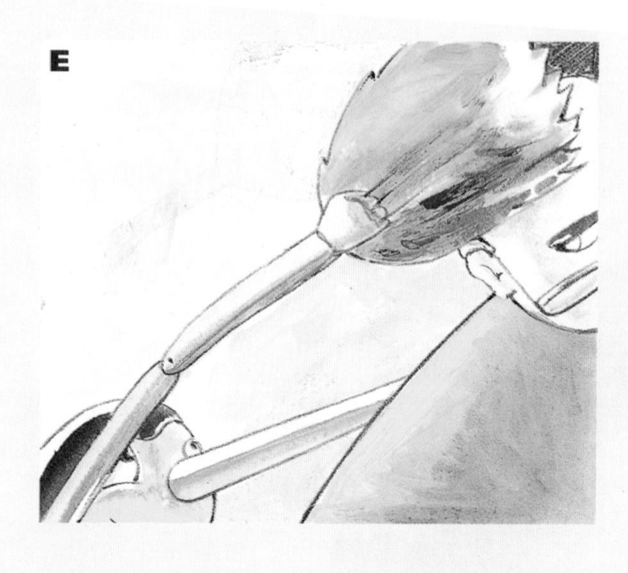

F

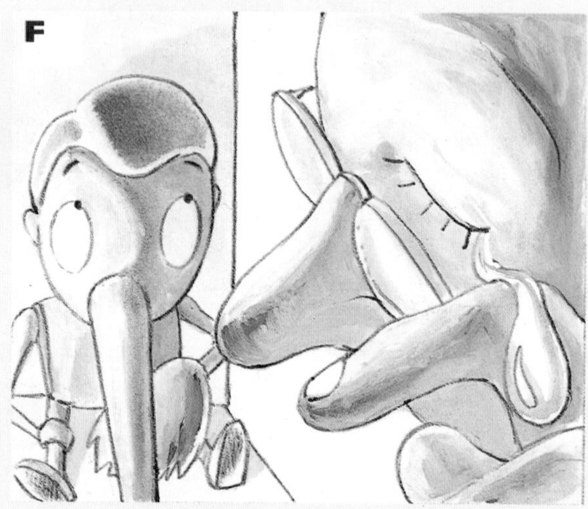

G

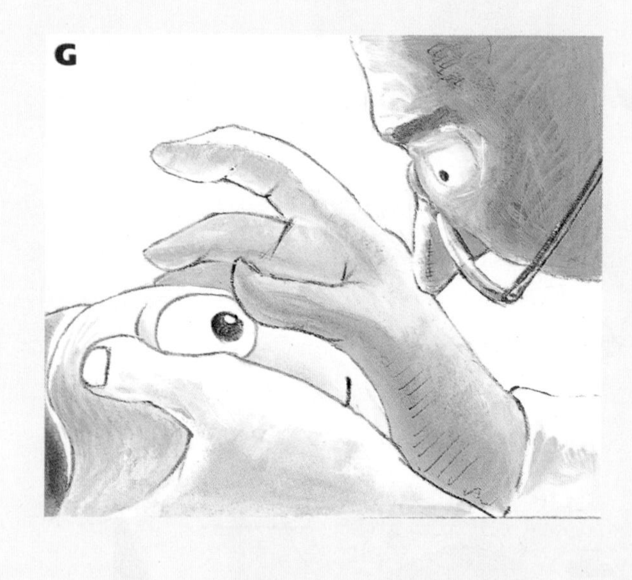

H

D **Dopo aver letto il testo E alla pagina seguente, ordinate i disegni:**

1. .... 2. .... 3. ....

4. .... 5. .... 6. ....

7. .... 8. ....

E Leggete il testo:

GEPPETTO COSTRUISCE UN BURATTINO E LO CHIAMA PINOCCHIO

La casa di Geppetto era una piccola stanza buia a pianterreno. I mobili erano molto semplici: una sedia vecchia, un letto e un tavolino tutto rovinato. In fondo c'era un caminetto col fuoco acceso; ma il fuoco era dipinto e accanto al fuoco c'era dipinta una pentola che bolliva e mandava fuori una nuvola di fumo.
Geppetto entrò in casa, prese gli attrezzi e cominciò a lavorare il pezzo di legno per costruire un burattino.
Gli scelse un nome, Pinocchio, gli fece i capelli, poi la fronte e gli occhi. Rimase a bocca aperta quando vide che gli occhi si muovevano e lo guardavano fisso.
Dopo gli occhi, gli fece il naso; ma il naso, appena fatto, cominciò a crescere e diventò in pochi minuti un naso lunghissimo.
Dopo il naso, gli fece la bocca; ma la bocca, appena fatta, cominciò a ridere e poi tirò fuori tutta la lingua.
Geppetto continuò a lavorare: e dopo la bocca, gli fece il mento, poi il collo, le spalle, lo stomaco, le braccia e le mani.
Appena finite le mani, Geppetto sentì portarsi via la parrucca dalla testa. Si voltò e vide il burattino che teneva in mano la sua parrucca gialla.
Geppetto divenne triste e si asciugò una lacrima.

(Rid. e ad. da Carlo Collodi, *Pinocchio*)

F Sottolineate nel testo appena letto le parti descrittive.

G Completate il testo con i verbi mancanti al passato remoto:

La casa di Geppetto era una piccola stanza buia a pianterreno. I mobili erano molto semplici: una sedia vecchia, un letto e un tavolino tutto rovinato. In fondo c'era un caminetto col fuoco acceso; ma il fuoco era dipinto e accanto al fuoco c'era dipinta una pentola che bolliva e mandava fuori una nuvola di fumo.
Geppetto .... in casa, ... gli attrezzi e .... a lavorare il pezzo di legno per costruire un burattino.
Gli .... un nome, Pinocchio, gli .... i capelli, poi la fronte e gli occhi. .... a bocca aperta quando .... che gli occhi si muovevano e lo guardavano fisso.
Dopo gli occhi, gli .... il naso; ma il naso, appena fatto, ... a crescere e .... in pochi minuti un naso lunghissimo.
Dopo il naso, gli .... la bocca; ma la bocca, appena fatta, ... a ridere e poi .... fuori tutta la lingua.
Geppetto .... a lavorare: e dopo la bocca, gli .... il mento, poi il collo, le spalle, lo stomaco, le braccia e le mani.
Appena finite le mani, Geppetto .... portarsi via la parrucca dalla testa. .... e .... il burattino che teneva in mano la sua parrucca gialla.
Geppetto .... triste e si .... una lacrima.

Chiedete al vostro compagno di raccontare la favola che preferiva quando era bambino e riferite alla classe.

Riflessione grammaticale

<table>
<tr><th colspan="4">PLURALE DEI NOMI MASCHILI IN -A
E DEI NOMI IN -ISTA</th></tr>
<tr><td>Il</td><td>problema
tema
programma
panorama
poeta</td><td>I</td><td>problemi
temi
programmi
panorami
poeti</td></tr>
<tr><td>Il</td><td>giornalista
pianista
tennista
turista</td><td>I</td><td>giornalisti
pianisti
tennisti
turisti</td></tr>
<tr><td>L’</td><td>automobilista
artista</td><td>Gli</td><td>automobilisti
artisti</td></tr>
<tr><td>La</td><td>giornalista
pianista
tennista
turista</td><td rowspan="2">Le</td><td>giornaliste
pianiste
tenniste
turiste</td></tr>
<tr><td>L’</td><td>automobilista
artista</td><td>automobiliste
artiste</td></tr>
<tr><td colspan="4">a → i
ista → isti
ista → iste</td></tr>
</table>

Sintesi grammaticale

PASSATO REMOTO		
-are	**-ere**	**-ire**
(io) ______**ai**	(io) ______**ei (-etti)**	(io) ______**ii**
(tu) ______**asti**	(tu) ______**esti**	(tu) ______**isti**
(lui, lei) ______**ò**	(lui, lei) ______**é (-ette)**	(lui, lei) ______**ì**
(noi) ______**ammo**	(noi) ______**emmo**	(noi) ______**immo**
(voi) ______**aste**	(voi) ______**este**	(voi) ______**iste**
(loro) ______**arono**	(loro) __**erono (-ettero)**	(loro) ______**irono**

ALTRE FORME DI PASSATO REMOTO	
-dere / -ndere	**-ncere / -ngere**
d, **nd** → **s**	**nc**, **ng** → **s**
chiedere → chiesi	convincere → convinsi
chiudere → chiusi	vincere → vinsi
decidere → decisi	giungere → giunsi
perdere → persi	piangere → piansi
prendere → presi	dipingere → dipinsi
rispondere → risposi	spingere → spinsi
spendere → spesi	
accendere → accesi	
dire → dissi	venire → venni
leggere → lessi	volere → volli
scrivere → scrissi	tenere → tenni
vivere → vissi	bere → bevvi
	cadere → caddi
	sapere → seppi
	stare → stetti

io ______**i**
lui / lei ______**e**
loro ______**ero**

I NOMI ALTERATI		
ragazzo	**-ino**	ragazz**ino**
	-etto	ragazz**etto**
	-one	ragazz**one**
	-accio	ragazz**accio**

La musica italiana

Gianna Nannini

Jovanotti

Fabrizio De André

Franco Battiato

Gino Paoli

Biagio Antonacci

Gianni Morandi

Laura Pausini

Chiedete al vostro compagno:

- se conosce la musica leggera italiana
- se conosce qualche cantante italiano
- qual è il suo/la sua cantante preferito/a
- perché
- qual è la canzone che preferisce
- perché

Riferite alla classe le informazioni ricevute.

UNITÀ 16

1 Una giornata senz'auto

Oggi centri storici chiusi in 160 città italiane

UN TRANQUILLO VENERDÌ SENZA MACCHINE

CENTO MILIONI DI EUROPEI PARTECIPANO ALLA

"GIORNATA SENZ'AUTO"

LA GIORNATA ANTITRAFFICO

DOVE SI CHIUDE

CHIUSI TUTTI I CENTRI STORICI DELLE CITTÀ CHE PARTECIPANO ALL'INIZIATIVA

GLI AUTOBUS

IN TUTTE LE CITTÀ AUTOBUS PIÙ FREQUENTI BIGLIETTO UNICO VALIDO TUTTA LA GIORNATA

I MEZZI ALTERNATIVI

IN TUTTE LE CITTÀ VIA LIBERA A PATTINI, MONOPATTINI E BICICLETTE

I NUMERI

160	le città italiane interessate
17	milioni di italiani coinvolti nell'iniziativa
26	i paesi partecipanti, non solo europei

A Collegate secondo l'esempio:

Oggi cento milioni di europei	sono chiusi al traffico.
Alla giornata antitraffico	è aumentato in tutte le città.
I centri storici	**non possono usare la macchina.**
Il numero degli autobus	valido per tutta la giornata.
In tutte le città la gente userà	26 paesi, non solo europei.
Ci sarà un biglietto unico	monopattini, pattini e biciclette.
A questa iniziativa partecipano	partecipano 160 città italiane.

B Completate con le parole mancanti:

Oggi cento milioni di europei partecipano alla "Giornata senz'auto" e perciò lasceranno la .... a casa. Alla giornata antitraffico .... 160 città italiane, dove tutti i centri storici sono chiusi al .... In tutte le città aumenterà il numero degli .... e ci sarà un .... unico valido per tutta la giornata. Sicuramente la gente, ovunque, userà .... alternativi: monopattini, pattini e ....
A questa .... partecipano 26 paesi, non solo ....

Che bello! Oggi la strada finalmente senza macchine! Penso che sia una buona idea questa giornata antitraffico...
Oggi è venerdì, è un giorno di lavoro... io penso che solo di domenica sia possibile fermare il traffico!
Tu pensi? Mi pare che anche l'anno scorso abbiano preso un'iniziativa di questo genere, ma l'aria è sempre inquinata...
Secondo me è favoloso...

Completate con i verbi indicati sotto:

- Penso che chiudere il traffico in un giorno feriale .... sbagliato.
- Credo che questa iniziativa non .... a risolvere il problema dell'inquinamento.
- Ritengo che si ....fare molto di più: per esempio chiudere il centro storico al traffico tutti i giorni.
- Credo che .... meglio usare i mezzi pubblici e lasciare le auto a casa.
- Penso che .... una decisione giusta, mi pare che l'inquinamento dell'aria .... diventando un grave problema.
- Penso proprio che tutto questo traffico .... male alla salute.

faccia – stia – sia – sia – debba – basti – abbiano preso

Completate con i verbi indicati sotto:

120 €

- Che ne dite di questa camicia?
- Penso che .... troppo chiara.
- Ho l'impressione che ti ....larga.
- Credo che.................................. un po' troppo.

150 €

- Come sono queste scarpe?
- Penso che .... strette.
- Ho l'impressione che ....il tacco troppo alto.
- Credo che.................................. troppo.

siano – stia – sia – costi – costino – abbiano

Penso Credo Ho l'impressione	 che	l'inquinamento **sia** un grave problema la gente **debba** usare di più i mezzi pubblici la giacca ti **stia** benissimo

Riflessione grammaticale

Carlo pensa	che	(io)	**sia**	intelligente
		(tu)	**sia**	
		(lui, lei)	**sia**	
		(noi)	**siamo**	intelligenti
		(voi)	**siate**	
		(loro)	**siano**	
	di essere intelligente			

Carlo crede	che	(io)	**abbia**	ragione
		(tu)	**abbia**	
		(lui, lei)	**abbia**	
		(noi)	**abbiamo**	
		(voi)	**abbiate**	
		(loro)	**abbiano**	
	di avere			

Carlo crede	che	(io)	torn**i**	presto
		(tu)	torn**i**	
		(lui, lei)	torn**i**	
		(noi)	torn**iamo**	
		(voi)	torn**iate**	
		(loro)	torn**ino**	
	di tornare			

Carlo pensa	che	(io)	spend**a**	troppo
		(tu)	spend**a**	
		(lui, lei)	spend**a**	
		(noi)	spend**iamo**	
		(voi)	spend**iate**	
		(loro)	spend**ano**	
	di spendere			

Carlo pensa	che	(io)	part**a**	subito
		(tu)	part**a**	
		(lui, lei)	part**a**	
		(noi)	part**iamo**	
		(voi)	part**iate**	
		(loro)	part**ano**	
	di partire			

Paola pensa	che	(io)	**abbia**	mangiato	troppo ieri sera
		(tu)	**abbia**		
		(lui, lei)	**abbia**		
		(noi)	**abbiamo**		
		(voi)	**abbiate**		
		(loro)	**abbiano**		
	di avere				

Franco pensa	che	(io)	**sia**	arrivat**o**/**a**	troppo presto
		(tu)	**sia**		
		(lui, lei)	**sia**		
		(noi)	**siamo**	arrivat**i**/**e**	
		(voi)	**siate**		
		(loro)	**siano**		
	di essere			arrivato	

Leggete i testi, esprimete e motivate la vostra opinione:

Anche in Italia la legge vieta di fumare in tutti i locali pubblici.

Aumenta ancora il prezzo della benzina.

In occasione della "Giornata senz'auto" il sindaco di Palermo ha deciso di tenere aperti i musei tutto il giorno.

Incidenti stradali in aumento il sabato sera.
Tutte le discoteche devono chiudere entro le 2.

I giovani italiani restano in casa dei genitori fino a 30 anni.

<table>
<tr><td colspan="2">Per me
Secondo me</td><td>è</td><td rowspan="2">giusto chiudere al traffico il centro storico
un problema l'aumento del prezzo della benzina
meglio viaggiare con i mezzi pubblici</td></tr>
<tr><td>Penso
Credo</td><td>che</td><td>sia</td></tr>
</table>

Collegate i gesti e le parole alle situazioni:

1. Credo che quei due vadano d'accordo...

....

2. Credo che quei due non vadano per niente d'accordo...

....

... sono come cane e gatto.

... sono sempre insieme.

2 Tutti a piedi

Spero che ***chiudano per sempre il centro al traffico.***

Sono contenta che ***per un giorno si*** *possa* ***camminare tranquillamente!***

Mi dispiace che ***questa iniziativa duri solo un giorno!***

Non è giusto ***dover lasciare la macchina in garage. Prendere l'autobus è scomodo!***

Completate con i verbi indicati sotto:

- Sapete che Marco e Claudia si trasferiscono?
- Ah sì? Mi dispiace che .... questa decisione.
- È proprio un peccato che Claudia .... lasciare la sua bella casa.
- Speriamo che .... a trovarci spesso.
- È meglio che .... di arredare la nuova casa prima di trasferirsi.

prendere – dovere – venire – finire

- L'ingegnere Rossetti ha cambiato lavoro, lo sapete? Adesso lavora in un'azienda agrituristica.
- Mi dispiace che .... lavoro.
- Sono felice che .... un lavoro più interessante.
- Speriamo che .... bene.
- Mi auguro che .... di più.

cambiare – trovare – trovarsi – guadagnare

Sono contento/a Mi fa piacere Spero	che	tu **stia** bene tu **abbia trovato** un buon lavoro

Mi dispiace Non sono contento/a	che	tu **stia** male tu **abbia perso** il lavoro

Ho paura Temo	che	Lucia non **arrivi** in tempo Franco **abbia perso** il treno

Tornate alla pagina 340, rileggete i testi ed esprimete i vostri sentimenti.

Questa è la lettera che avete ricevuto da un'amica. Leggetela ed esprimete i vostri sentimenti e le vostre opinioni:

Carissimo/a, ...
ho dato ieri l'ultimo esame. Ho studiato tantissimo e ora sono stanca morta. Vorrei prendere qualche giorno di riposo e allora ho pensato... perché non andare a trovare ....?
Arriverò sabato sera verso mezzanotte; non ho ancora deciso, ma pensavo di portare con me anche il mio gatto Oreste; non so dove lasciarlo. Spero che non ti dispiaccia. Dimenticavo: la mia amica Sara vorrebbe accompagnarmi, che ne dici? È simpaticissima, sa cucinare un ottimo tiramisù, suona il pianoforte benissimo, vedrai, sarai contento/a di ospitarla. Organizza qualcosa di speciale, ho voglia di divertirmi. Ci vediamo presto

baci

....

Scrivete una lettera di risposta:

....

....

....

....

....

....

....

....

....

....

....

....

....

....

Come si dice?

Modi di esprimere un dubbio

- Che cosa **sarà**? Un accendino?
- Non lo so, **forse è** un portapenne... chissà...
- **Deve essere** un bicchiere da viaggio.
  Ah... ho capito... **penso che sia** un nuovo tipo di pila...
- No... niente di tutto ciò, è un portaocchiali.

L'oggetto misterioso potrebbe essere ....

Invece è ....

<table>
<tr><th colspan="3">ESPRIMERE UN DUBBIO</th></tr>
<tr><td colspan="2">Forse è
Sarà
Deve essere
Potrebbe essere</td><td rowspan="2">un portapenne

un portaocchiali

un bicchiere</td></tr>
<tr><td>Mi pare
Credo
Può darsi
Penso
È possibile</td><td>che sia</td></tr>
</table>

A **Osservate gli oggetti. Provate a immaginare che cosa sono e a che cosa servono, poi controllate se avete indovinato capovolgendo la pagina:**

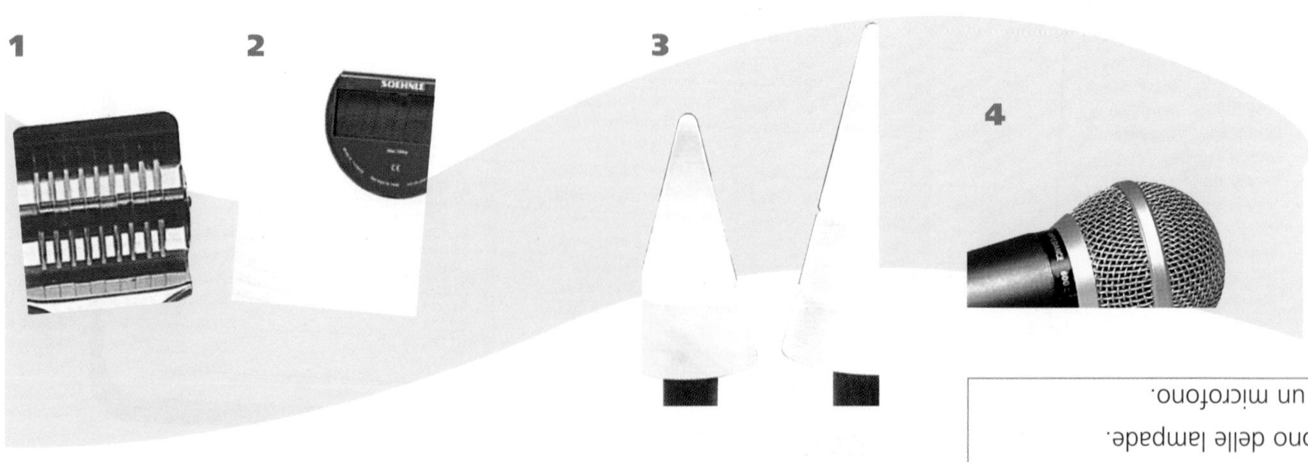

Serve per tritare verdure.
È una bilancia.
Sono delle lampade.
È un microfono.

B **Osservate i disegni e immaginate che cosa succede o è successo, secondo l'esempio:**

1

Un ladro entra dalla finestra; il ragazzo continua a dormire.
È probabile che l'allarme non abbia funzionato.
Forse il ragazzo è andato a letto tardi.
Avrà fatto le ore piccole con gli amici.

2

....

....

....

....

....

....

....

3

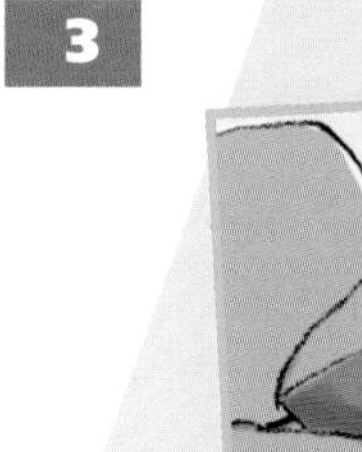

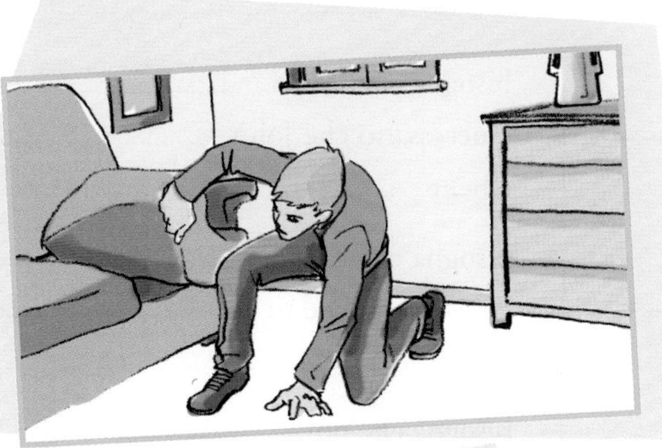

....

....

....

....

....

....

....

4

....

....

....

....

....

....

....

Bisogna ***rispettare la natura!***

È necessario che ***il traffico diminuisca!***

È bene che ***la gente prenda più spesso i mezzi pubblici.***

Per avere l'aria pulita	bisogna è necessario è bene	che **diminuisca** il traffico
		rispettare la natura

3 Aria pulita!

Completate:

1. Per salvare la natura,
   - bisogna che noi ....
   - è necessario che noi ....
   - è bene ....

2. Per imparare bene l'italiano,
   - bisogna che John ....
   - è necessario che John ....
   - è bene ....

3. Per fare carriera,
   - bisogna che tu ....
   - è necessario che tu ....
   - è bene ....

4. Per vivere tranquilli,
   - bisogna che noi ....
   - è necessario che noi ....
   - è bene ....

5. Per mantenervi in forma,
   - bisogna che voi ....
   - è necessario che voi ....
   - è bene ....

6. Per viaggiare comodamente,
   - bisogna che Antonella ....
   - è necessario che Antonella ....
   - è bene ....

4 L'operatrice ecologica

Ha un diploma di scuola media e da bambina voleva diventare una brava segretaria. Ha trent'anni, è sposata e madre di un ragazzino di undici anni che sogna di diventare fisico nucleare. È intelligente, in gamba, carina, sportiva. Fa l'operatrice ecologica. Clelia non crede che per una donna fare questo lavoro sia un passo indietro, anzi, crede che sia una vittoria. A Roma su 7000 operatori ecologici 650 sono donne, tutte con il compito di fare gli stessi lavori pesanti degli uomini.

■ Qual è la cosa che Le dà più fastidio nel suo lavoro?

■ Non certo alzarmi alle quattro e mezzo del mattino, **prima che si sveglino** mio marito e mio figlio: a questo sono abituata, e anche ai cattivi odori, **purché** la mia mascherina **sia** sempre a portata di mano.

■ Qualche richiesta?

■ Sì, alla gente chiederei di essere un po' più civile!

A Completate:

Nome: Clelia

Età: ....

Stato civile: ....

Titolo di studio: ....

Professione: ....

Caratteristiche del lavoro: ....

Progetti da bambina: ....

....

B Completate:

Clelia fa l'operatrice ecologica ma .... fare la segretaria.

È intelligente, ... gamba, carina e sportiva.

È .... e ha un figlio. Pensa .... per una donna fare questo .... sia una vittoria.

Alla .... chiederebbe di essere un po' .... civile.

Scrivete dei testi simili al precedente utilizzando i dati che seguono:

1. Una donna pilota

– Nome:	Giuliana
– Età:	39 anni
– Stato civile:	nubile
– Titolo di studio:	laurea
– Professione:	pilota di una compagnia aerea privata
– Caratteristiche del lavoro:	vita movimentata, molti viaggi, nuove conoscenze, stress fisico, poco tempo libero
– Progetti da bambina:	fare l'insegnante di matematica

....

....

....

■ Quali sono gli aspetti positivi del Suo lavoro?

■ ....

....

■ Quali sono gli aspetti negativi?

■ ....

....

2. Una casalinga

– Nome:	Silvana
– Età:	28 anni
– Stato civile:	coniugata
– Figli:	Marco, 7 anni; Giulia 5 anni; Stefania, tre mesi
– Titolo di studio:	diploma
– Professione:	casalinga
– Caratteristiche del lavoro:	pesante, ripetitivo, poco tempo libero, senza orario fisso, possibilità di seguire i figli
– Progetti da bambina:	fare la donna poliziotto

....

....

....

■ Quali sono gli aspetti positivi del Suo lavoro?

■ ....

....

■ Quali sono gli aspetti negativi?

■ ....

....

Dite quali sono, secondo voi, gli aspetti positivi e negativi delle seguenti professioni:

carabiniere | cuoco | medico | biologo

....

Chiedete al vostro compagno:

- che lavoro fa
- che lavoro voleva fare
- quali sono gli aspetti positivi e quelli negativi del suo lavoro

Riferite alla classe le informazioni ricevute.

PRIMA CHE - PRIMA DI

1. ■ Perché apri la finestra? Mi sembra freddo...
■ Oggi ho fumato e i miei genitori non vogliono: cambio l'aria alla stanza **prima che tornino**!

2. ■ Mi raccomando, Michele, telefona a Massimo per invitarlo a cena!
■ Sì, sta' tranquillo, lo faccio **prima di uscire**.

<table>
<tr><td rowspan="2">(io) Vado a trovare Michele</td><td>prima che</td><td>(lui) parta
arrivi suo fratello
cominci a piovere
i miei genitori prendano l'auto</td></tr>
<tr><td>prima di (io)</td><td>partire
andare al lavoro
venire da te</td></tr>
</table>

A CONDIZIONE CHE - PURCHÉ - A PATTO CHE

1. ■ Vieni da noi stasera?
   ■ Ci vengo volentieri, **a condizione che** non ci **sia** Marco: sai bene che non lo posso sopportare.
2. ■ Andiamo a mangiare fuori stasera?
   ■ D'accordo, **purché paghi** tu; io purtroppo sono completamente al verde.

Ci vengo volentieri	**purché**	non ci **sia** Alberto non **piova** **paghi** tu **vengano** anche loro

BENCHÉ - SEBBENE - QUANTUNQUE

1. ■ Ti consiglio di non uscire; ancora non sei del tutto guarito e fa freddo.
   ■ Devo uscire assolutamente, **benché faccia** freddo e **stia** ancora male: sai quanto è importante per il mio lavoro questo incontro con il direttore dell'azienda!
2. ■ Perché non hai salutato Maria?
   ■ Quella è Maria? **Benché** l'**abbia vista** molte volte e ci **abbia parlato** spesso, non l'ho riconosciuta.

Esco di casa	**benché** **sebbene** **quantunque**	**faccia** freddo (io) **abbia** la febbre **piova** (io) **abbia avuto** l'influenza il medico me l'**abbia proibito**

PERCHÉ - AFFINCHÉ

1. ■ Ho deciso di passare qualche giorno a Francoforte.
   ■ Andrai da Dirk?
   ■ Non credo che lui possa ospitarmi; ma gli telefonerò **perché** mi **prenoti** una camera in albergo!
2. ■ Che stai facendo?
   ■ Sto scrivendo a Marta, **affinché** (**perché**) **sappia** come stanno le cose.
3. ■ Dove stai andando così di fretta?
   ■ Vado alla stazione **per prenotare** due posti sul treno per Parigi.

Scrivo a Marta	**perché** **affinché**	**sappia** come stanno le cose **si renda conto** di ciò che è successo **mi prenoti** una camera in albergo
	per	**informarla** del mio progetto **invitarla** al mio matrimonio

Credo Penso Immagino Suppongo Ritengo Può darsi Mi sembra Mi pare È possibile È probabile	che	Carlo abbia ragione
Spero Sono contento Mi auguro Non vedo l'ora	che	Carlo torni
Temo Ho paura Mi dispiace		Carlo sia malato
Voglio Desidero	che	Carlo studi di più
Bisogna È necessario		

Completate secondo il modello:

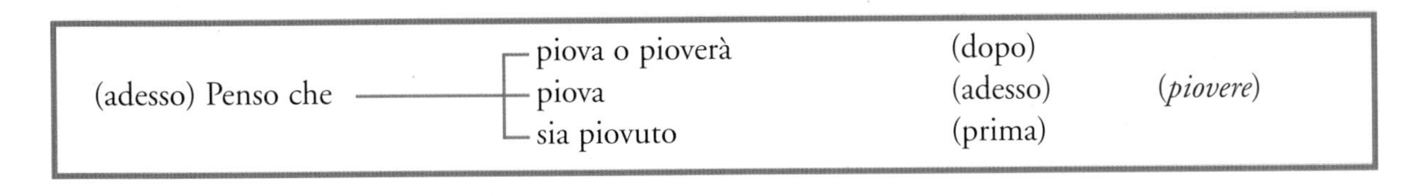

2. Spero che Maria .... in tempo (*arrivare*)

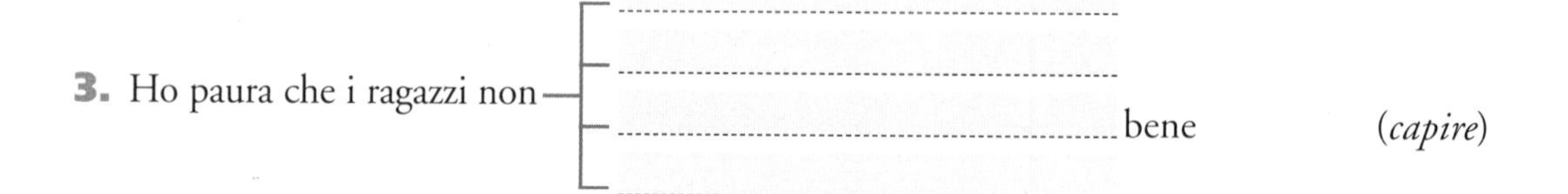

3. Ho paura che i ragazzi non .... bene (*capire*)

4. Mi auguro che tu .... la verità (*dire*)

5. Si dice che .... il bel tempo (*tornare*)

6. Temo che Giovanni .... troppo (*bere*)

oppure

PRESENTE INDICATIVO che
- **PRESENTE CONGIUNTIVO** o **FUTURO SEMPLICE INDICATIVO**
- **PRESENTE CONGIUNTIVO**
- **PASSATO CONGIUNTIVO**

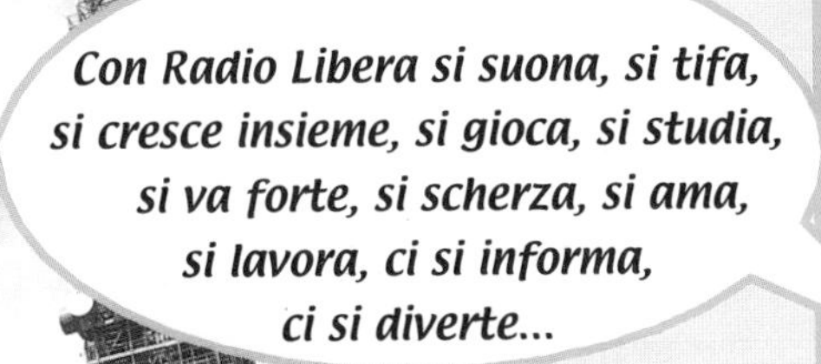
Con Radio Libera si suona, si tifa,
si cresce insieme, si gioca, si studia,
si va forte, si scherza, si ama,
si lavora, ci si informa,
ci si diverte...

Con "Radio Libera"	si	suona tifa cresce insieme gioca studia va forte scherza ama lavora
	ci si	informa diverte

5 "Radio Libera"

A Collegate secondo l'esempio:

Permesso? Si può?	Per dove si va in centro?
Scusi, può parlare a voce più alta?	Non benissimo, ma si spende poco.
In Italia si può fumare nei locali pubblici?	Se si lavora troppo, ci si stanca.
È comodo andare a Firenze con l'autobus	Da qui si sente malissimo.
Scusi, una domanda...	Si muore dal caldo.
Come si mangia alla mensa?	**Si parte alle 7 e si arriva alle 11.**
Lavori troppo!	No, non si può.
Aprite la finestra per favore!	Prego, entri pure!

Dite se nel vostro paese:

- si paga molto per l'affitto di una casa
- si mangia bene alla mensa dell'Università o della fabbrica
- si può entrare in macchina nei centri storici
- si può fumare nei locali pubblici
- si vive bene nelle grandi città
- ci si specializza dopo la laurea

Dite quali sono i vantaggi e gli svantaggi di:

- viaggiare in treno
- viaggiare in automobile
- vivere da soli
- avere un lavoro part-time
- avere uno stipendio fisso
- vivere in una grande città
- avere una famiglia numerosa
- studiare con il computer

Sintesi grammaticale

CONGIUNTIVO PRESENTE		
-are	-ere	-ire
(io) ________**i**	(io) ________**a**	(io) ________**a**
(tu) ________**i**	(tu) ________**a**	(tu) ________**a**
(lui, lei) ________**i**	(lui, lei) ________**a**	(lui, lei) ________**a**
(noi) ________**iamo**	(noi) ________**iamo**	(noi) ________**iamo**
(voi) ________**iate**	(voi) ________**iate**	(voi) ________**iate**
(loro) ________**ino**	(loro) ________**ano**	(loro) ________**ano**

ALTRE FORME DI CONGIUNTIVO PRESENTE			
andare →	vada	potere →	possa
avere →	abbia	sapere →	sappia
capire →	capisca	sedersi →	mi sieda
dare →	dia	stare →	stia
dire →	dica	uscire →	esca
dovere →	debba	venire →	venga
essere →	sia	volere →	voglia
fare →	faccia		

CONGIUNTIVO PASSATO (= congiuntivo presente di ESSERE o AVERE + participio passato)			
(io) **sia**		**abbia**	
(tu) **sia**	________**o/a**	**abbia**	
(lui, lei) **sia**		**abbia**	________**o**
(noi) **siamo**		**abbiamo**	
(voi) **siate**	________**i/e**	**abbiate**	
(loro) **siano**		**abbiano**	

FORMA IMPERSONALE	
si	+ terza persona singolare del verbo
ci si	

Civiltà

Il Sentiero Italia

A piedi dalle Alpi alle Madonie

Ideato nel 1986, il Sentiero Italia è oggi già segnalato e attrezzato in molte regioni.

Su e giù per lo stivale, rigorosamente a piedi. Un lungo tracciato di 5000 chilometri attraversa monti e vallate, coste e corsi d'acqua. Ce n'è per tutti i gusti e tutte le capacità. Basta un paio di buone scarpe.

In Italia gli escursionisti sono circa tre milioni e da alcuni anni hanno una possibilità in più per mettere in pratica la loro passione: il Sentiero Italia. Quando sarà completo con i suoi oltre 5000 chilometri, sarà uno dei più lunghi del mondo: le Alpi da Trieste al Piemonte, tutto l'Appennino, infine la Sicilia e la Sardegna.

1. *Dite:*

- se vi piace fare escursioni a piedi
- se nel vostro paese ci sono percorsi ben attrezzati

2. *Raccontate un'escursione che avete fatto, in particolare:*

- dove siete andati
- quando
- per quanto tempo
- le varie tappe e soste

e descrivete:

- il tempo
- l'equipaggiamento
- le situazioni più significative

UNITÀ 17

Diego Della Valle

Roberto Benigni

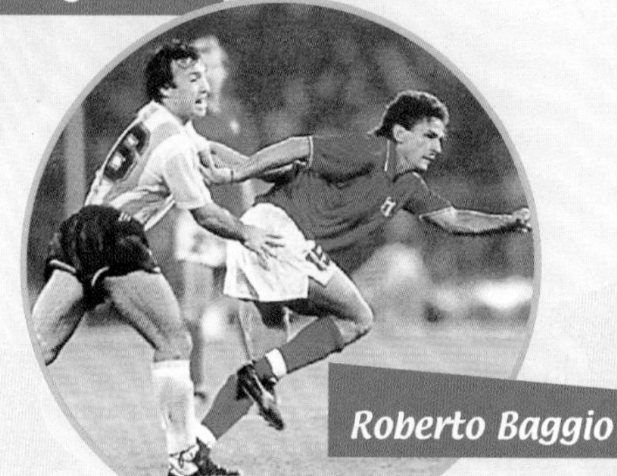
Roberto Baggio

1 Italiani famosi nel mondo

Umberto Veronesi

Sophia Loren

Miuccia Prada

Luciano Pavarotti

Conoscete altri personaggi italiani?
Perché sono famosi?
Conoscete architetti italiani?

Osaka, la facciata dell'aeroporto

Bari, lo stadio

Il Lingotto, lo stabilimento Fiat di Torino trasformato in grande centro servizi per la città

Renzo Piano

Renzo Piano, l'architetto della leggerezza, è genovese ed è nato nel 1937. È famoso in tutto il mondo per le importanti opere che ha progettato sia in Italia, sia all'estero. Ricordiamo il Lingotto di Torino e lo stadio di Bari, il Centro George Pompidou di Parigi, l'aeroporto di Osaka in Giappone, Potsdamer Platz a Berlino. Ha poi progettato le torri di Sydney, il Centro Nazionale per la Scienza e la Tecnologia di Amsterdam, l'ampliamento dell'Accademia delle Scienze di San Francisco...
Alla domanda: «Qual è il progetto a cui tiene di più?», ha risposto: «Il sindaco di Londra ci ha chiesto di costruire una torre di 420 metri sul Tamigi: sarà l'edificio più alto d'Europa. Una città verticale per 15.000 persone con museo, alberghi, residence, uffici».

Completate l'intervista:

- Architetto, Lei è milanese?
- ....
- Ci dica alcune opere che ha progettato all'estero.
- ....
- Quali sono i Suoi progetti italiani più importanti?
- ....
- Qual è il lavoro a cui tiene di più?
- ....

Non pensavo che Renzo Piano **fosse** italiano, credevo che **fosse** italo-americano.

Credevo che **avesse** meno di 60 anni.

Non immaginavo che **lavorasse** tanto all'estero.

Non sapevo che **avesse progettato** l'aeroporto di Osaka.

Credevo che un inglese **avrebbe lavorato** al progetto della torre sul Tamigi.

Milano, Piazza Cadorna (*particolare*)

Gae Aulenti

Gae Aulenti, nata nel 1927 in provincia di Udine, ha riorganizzato il Museo d'Orsay, ha progettato la Galleria d'Arte contemporanea al Centro Pompidou a Parigi, il Museo d'Arte di Barcellona, Palazzo Grassi a Venezia, e la nuova Piazza Cadorna di Milano.

Ha vinto a Tokyo il *Praemium Imperiale*, una specie di Nobel istituito da un principe della casa reale giapponese.

Attualmente progetta e disegna anche mobili. Il legno è il materiale che preferisce.

Completate:

Gae Aulenti .... Palazzo Grassi a Venezia.

È un .... famoso in tutto il mondo.

Attualmente .... e .... mobili.

Come materiale .... il legno.

Non pensavo che Gae Aulenti .... della provincia di Udine; credevo che .... fiorentina.

Credevo che .... meno di 70 anni.

Non immaginavo che all'este[ro] .... molt[o] conosciuta.

Non sapevo che .... il Museo d'Orsay di Parigi.

Non pensavo che .... mobili.

A Completate con i verbi indicati sotto:

Credevo che in Italia ci .... quasi sempre il sole.
Non pensavo che .... anche a Roma.

Speravo che il mare in Italia .... più pulito.
Non immaginavo che in alcune spiagge non si
.... fare il bagno.

Non sapevo che a Padova ....
il centro al traffico.
Pensavo che si ....
in centro con la macchina.

nevicasse – fosse – andasse – fosse – avessero chiuso – potesse

B Completate:

Pensavo che a Milano (*esserci*)
.... quasi sempre la nebbia.
Non credevo che d'estate (*fare*)
.... così caldo.

Credevo che viaggiare in Italia non (*costare*)
.... molto.
Pensavo che l'autostrada (*essere*)
.... meno costosa.
Non immaginavo che (*esserci*)
.... tanti lavori in corso.

Non pensavo che le spiagge italiane
in agosto (*essere*)
.... così affollate.

Riflessione grammaticale

CONGIUNTIVO IMPERFETTO

ESSERE

Carlo pensava	che	(io) **fossi** (tu) **fossi** (lui, lei) **fosse** (noi) **fossimo** (voi) **foste** (loro) **fossero**	a casa
	di essere		in ritardo

AVERE

Carlo credeva	che	(io) **avessi** (tu) **avessi** (lui, lei) **avesse** (noi) **avessimo** (voi) **aveste** (loro) **avessero**	ragione
	di avere		

TORNARE

Carlo sperava	che	(io) torn**assi** (tu) torn**assi** (lui, lei) torn**asse** (noi) torn**assimo** (voi) torn**aste** (loro) torn**assero**	al più presto
	di tornare		

PERDERE

Carlo temeva	che	(io) perd**essi** (tu) perd**essi** (lui, lei) perd**esse** (noi) perd**essimo** (voi) perd**este** (loro) perd**essero**	tempo
	di perdere		

PARTIRE			
Carlo voleva	che	(io) partissi (tu) partissi (lui, lei) partisse (noi) partissimo (voi) partiste (loro) partissero	subito
	partire		

DARE			
Marta pensava	che	(io) **dessi** (tu) **dessi** (lui, lei) **desse** (noi) **dessimo** (voi) **deste** (loro) **dessero**	l'esame di storia
	di dare		

STARE			
Dante credeva	che	(io) **stessi** (tu) **stessi** (lui, lei) **stesse** (noi) **stessimo** (voi) **steste** (loro) **stessero**	male
	di stare		

CONGIUNTIVO TRAPASSATO				
Carlo pensava	che	(io) **avessi** (tu) **avessi** (lui, lei) **avesse** (noi) **avessimo** (voi) **aveste** (loro) **avessero**	già	**mangiato**

Carlo credeva	che	(io) **fossi** (tu) **fossi** (lui, lei) **fosse**	già	partito/a
		(noi) **fossimo** (voi) **foste** (loro) **fossero**	già	partiti/e

Luoghi comuni

Avevo sentito dire che gli italiani non sono alti, hanno i capelli e gli occhi scuri.
Non pensavo che ci fossero anche tanti italiani biondi e con gli occhi chiari.
Immaginavo che quasi tutti fossero di bassa statura.

Penso che questo sia uno dei tanti luoghi comuni sugli italiani.

1. Avevo sentito dire che gli italiani sono poco efficienti, pigri e che non hanno molta voglia di lavorare.
Non pensavo che ....
....
Immaginavo che ....
....

2. Avevo sentito dire che gli italiani sono molto gelosi e che le donne non escono da sole la sera.
Non pensavo che ....
....
Immaginavo che ....
....

3. Avevo sentito dire che gli italiani mangiano sempre pizza e spaghetti.
Non pensavo che ....
....
Immaginavo che ....
....

Chiedete al vostro compagno:

- se è mai andato/venuto in Italia
- che cosa pensava dell'Italia e degli italiani prima di andare/venire in Italia
- che cosa lo ha sorpreso

Il compagno risponderà utilizzando le strutture che seguono:

Pensavo Credevo Immaginavo	che	
Non pensavo Non credevo Non immaginavo	che	

Riferite alla classe le informazioni ricevute.

A **Completate l'elenco degli aggettivi che, secondo i luoghi comuni, si possono attribuire agli italiani:**

Gli italiani sono	pigri	
	gelosi	
	rumorosi	
	aperti	

B **Chiedete al vostro compagno di:**

- esprimere la sua opinione su questi luoghi comuni
- motivarla

Riferite alla classe le informazioni ricevute.

C **Confrontate le vostre opinioni con quelle degli altri studenti.**

D **Scrivete alcuni luoghi comuni sul fisico e sul carattere della gente del vostro paese.**

	sono	

E **Immaginate che cosa direbbero gli stranieri dopo un periodo di soggiorno nel vostro paese. Utilizzate le strutture che seguono:**

Credo Non credo	che		perché
			infatti

F **Dite quali persone del vostro paese sono famose in Italia.**

La gente

Appena ho conosciuto Pino, ho subito pensato che fosse un tipo simpatico e aperto.
Ho pensato anche che fosse molto vivace e ottimista.

Osservate le foto e completate secondo l'esempio precedente:

1. *Appena ho conosciuto Mauro, ho subito pensato che*

....

....

....

....

2. *Appena ho conosciuto Stefania, ho subito pensato che*

....

....

....

....

3. *Appena ho conosciuto Angela,*

....

....

....

4. *Appena ho conosciuto Lucio,*

....

....

....

....

L'oroscopo

La tua personalità nei segni zodiacali. Segno per segno, tutte le caratteristiche per capire meglio voi stessi..., gli amici..., il vero amore.

21 marzo - 20 aprile
I nati sotto il segno dell'Ariete sono pieni di vita, autosufficienti, bravi a superare qualunque ostacolo.

21 aprile - 21 maggio
I Tori sono prudenti, ingrassano facilmente, hanno un approccio immediato e spontaneo con il sesso.

22 maggio - 21 giugno
I Gemelli vantano un innato sex appeal, sono brillanti e attraenti.

22 giugno - 23 luglio
I Cancerini adorano il mare, sono dolci e amabili, hanno la lacrima facile.

24 luglio - 23 agosto
I Leoni riescono a trasmettere nobili ideali alla gente, amano gli scherzi e sono molto popolari.

24 agosto - 23 settembre
I nati sotto il segno della Vergine sono perfezionisti di natura, lavoratori efficientissimi e amano molto gli animali.

24 settembre - 23 ottobre
Le Bilance amano gli abiti stravaganti, cercano sempre un equilibrio e diventano meravigliosi mariti e dolcissime mogli.

24 ottobre - 22 novembre
Gli Scorpioni spesso rendono difficile la convivenza, ma sono passionali e hanno vivaci interessi.

23 novembre - 22 dicembre
I Sagittari sono imprevedibili, mattacchioni e sanno valorizzare le cose.

23 dicembre - 20 gennaio
I Capricorni hanno un forte senso del dovere, dell'efficienza e odiano non essere ben vestiti.

21 gennaio - 19 febbraio
Gli Acquari spesso non hanno senso pratico, ma sono interessati a quello che succede nel mondo e sono indipendenti.

20 febbraio - 20 marzo
I Pesci si preoccupano sempre degli altri, non sono competitivi, sono sensibili e soffrono se causano del male agli altri.

A **Dite quando siete nati e di che segno siete.**

B **Trascrivete l'oroscopo per il vostro segno, individuate ciò che corrisponde e ciò che non corrisponde al vostro carattere e spiegatene le ragioni, secondo l'esempio:**

Sono nato il 24 ottobre e sono del segno dello Scorpione.
L'oroscopo dice che le persone nate sotto questo segno spesso rendono difficile la convivenza, ma sono passionali e hanno vivaci interessi.

È vero che ho molti interessi.
Infatti mi piacciono la letteratura, l'arte, il cinema.
Non è vero che ho un carattere difficile.
Infatti vado sempre d'accordo con tutti.

Sono nato ....

....

....

È vero che ....

Infatti ....

Non è vero che ....

Infatti ....

C **Fate l'elenco degli aggettivi che nel testo a pagina 365 si usano per definire alcuni aspetti del carattere delle persone.**

D **Dite quali possono essere attribuiti a voi.**

E **Attribuite alcuni aggettivi a qualche vostro amico.**

Collegate i gesti e le parole alle situazioni:

1. Paolo, quando ha preso una decisione, non cambia idea... ....

2. Non dovete meravigliarvi delle cose strane che fa Giorgio... ....

a ... è un po' pazzo!

b ... è testardo come un mulo!

Città italiane

Bologna: splendida città, non troppo traffico, tranquilla, molte opere d'arte, la Torre degli Asinelli

Appena sono arrivato/a a Bologna, ho subito avuto l'impressione che fosse una splendida città, che non ci fosse troppo traffico, che fosse abbastanza tranquilla. Ho anche pensato che avesse molte opere d'arte e che avrei potuto visitare la Torre degli Asinelli.

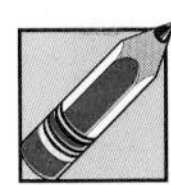

Costruite testi simili al precedente, utilizzando le seguenti indicazioni:

Pisa: piccola città, tranquilla, gente vivace, la Torre pendente

Appena sono arrivato/a a Pisa, ______________________________

Torino: città elegante, ricca di industrie, gente attiva, la Mole Antonelliana

Appena sono arrivato/a a Torino, ______________________________

Palermo: grande città, traffico molto intenso, gente cordiale, il Palazzo dei Normanni

Appena sono arrivato/a a Palermo, ...

....

....

....

Matera: piccola città, gente cordiale, ma riservata, i «Sassi»

Appena sono arrivato/a a Matera, ...

....

....

....

Chiedete al vostro compagno che cosa ha pensato:

1. appena è entrato nella classe dove sta studiando la lingua italiana:
   - dell'ambiente;
   - dei compagni;
   - dell'insegnante
2. appena ha visto il suo attuale ragazzo/la sua attuale ragazza
3. appena è arrivato in una città o in un paese dove ha fatto un viaggio

Riferite alla classe le informazioni ricevute.

Come si dice?

Modi di esprimere un desiderio

Ah, **io vorrei** un uomo forte e coraggioso. **Mi piacerebbe che avesse** gli occhi e i capelli neri. **Dovrebbe essere** un tipo originale, con la passione dei viaggi e dell'avventura...
Non **vorrei** assolutamente che fosse tranquillo o pigro.
Magari avessi già **incontrato** un uomo così!

Il mio uomo ideale dovrebbe essere alto e magro, **vorrei che fosse** biondo e **che avesse** gli occhi azzurri...
Mi piacerebbe che fosse un tipo dolce e sensibile, **che amasse** i bambini e la famiglia. **Non vorrei** assolutamente un uomo geloso e autoritario.
Mio padre è proprio così; **magari potessi** incontrare un uomo come lui!

Collegate secondo l'esempio e completate:

Irene Elena	*vorrebbe un uomo*	alto forte coraggioso magro dolce originale pigro tranquillo biondo sensibile bruno avventuroso geloso autoritario

Irene vorrebbe che
....
....
....

Elena vorrebbe che
....
....
....

Chiedete a un amico/un'amica come dovrebbe essere la sua donna/il suo uomo ideale...

<table>
<tr><th colspan="3">ESPRIMERE UN DESIDERIO</th></tr>
<tr><td>Vorrei
Desidererei
Mi piacerebbe
Preferirei</td><td>che</td><td>tu cercassi un buon lavoro
gli studenti venissero a lezione ogni giorno
voi restaste più a lungo con me
lei parlasse più piano
lui tornasse al più presto</td></tr>
<tr><td>Magari</td><td>potessi incontrare
avessi già incontrato</td><td>un uomo come mio padre!</td></tr>
</table>

Riferite alla classe le informazioni ricevute.

A **Completate con le parole indicate sotto:**

Andrea

Sono .... da tre anni. Ho fatto qualche ...., ma niente di serio. Mi piacerebbe fare il .... Magari potessi trovare un lavoro ....!

lavoretto – disoccupato – meccanico – fisso

Lorenzo

Lavoro all'ufficio anagrafe del Comune da dieci anni. Sono abbastanza soddisfatto dello ...., ma il mio lavoro è .... felice di fare qualcosa di più ....

noioso – sarei – stipendio – creativo

Grazia

Faccio la segretaria in un'agenzia pubblicitaria, non .... male, ma l'orario è molto .... trovare un lavoro part-time.

pesante – mi piacerebbe – mi trovo

Marisa

Sono una .... Prima di sposarmi facevo l'analista in un laboratorio. .... continuare a lavorare, ma con i bambini piccoli non è stato .... Adesso vanno a scuola e io .... di ritornare a lavorare.

possibile – casalinga – avrei voluto – sarei felice

B Completate:

Andrea vorrebbe ....

....

Lorenzo ....

....

Grazia ....

....

Marisa ....

....

Esprimete dei desideri nelle situazioni che seguono:

1

Vorrei essere a casa ....

2

3

SELF SERVICE

4

UNIVERSITÀ

5

AUTOSALONE

6

Riflessione grammaticale

PRIMA CHE – PRIMA DI		
Sono andato a trovare Michele	prima che	**partisse** **arrivasse** suo fratello **cominciasse** a piovere i miei genitori **tornassero**
	prima di	partire andare al lavoro venire da te

PURCHÉ – A PATTO CHE – A CONDIZIONE CHE		
Ho accettato l'invito	purché a patto che a condizione che	non ci **fosse** Gino **venissero** anche loro **tornassimo** a casa presto non si **parlasse** di lavoro

BENCHÉ – SEBBENE – NONOSTANTE CHE		
Benché Sebbene Nonostante che	**facesse** freddo **piovesse** **avessi** la febbre **avessi avuto** l'influenza	sono uscita di casa

PERCHÉ – AFFINCHÉ – PER		
Ho scritto a Giovanna	perché (affinché)	**sapesse** come stavano le cose **si rendesse conto** di ciò che era successo mi **prenotasse** una camera in albergo
	per	invitarla al mio matrimonio informarla del mio progetto

Completate secondo il modello:

(ieri) *Pensavo che*	*sarebbe piovuto* *piovesse* *fosse piovuto*	*(dopo)* *(in quel momento)* *(prima)*	*(piovere)*

1. Pensavo che Mario .... (*partire*)

2. Speravo che Maria .... (*studiare*)

3. Avevo paura che i ragazzi non .... (*capire*)

4. Credevo che tu non .... (*dire* la verità)

5. Sembrava che finalmente .... (*tornare* il bel tempo)

6. Ho temuto che Giovanni .... (*bere* troppo)

tempo passato	*condizionale composto* *imperfetto congiuntivo* *trapassato congiuntivo*

2 Che faresti se vincessi al Superenalotto?

Alcuni abitanti di un piccolo paese della provincia di Napoli hanno giocato una schedina "collettiva"; ogni persona ha pagato 13 €. Ecco le loro risposte alla domanda.

1. La mia vita non **cambierebbe**: lavoro in campagna e finalmente **potrei** comprarmi il trattore.
2. Sono nei guai, ho problemi economici, non so come fare; se **vincessi**, come prima cosa **pagherei** i debiti.
3. Siamo sposati da tanto tempo; con i soldi **faremmo** il viaggio di nozze che non abbiamo mai potuto fare.
4. Ho quattro figli, lavoro quando trovo; che cosa **potrei** fare? Se **vincessi** dei soldi, li **darei** ai miei figli.
5. Messico, Messico, sole, colori. Ma voi ci pensate! Col mio ragazzo non sogniamo altro. **Farei** un viaggio fantastico...
6. Se **vincessi** al Superenalotto, **brucerei** la barca: basta con il mare!

A **Collegate le persone ai desideri:**

a. Antonio, contadino
b. Concetta, studentessa
c. Giorgio, pescatore
d. Matteo, impiegato indebitato
e. Martino, muratore
f. Domenico e la moglie

1 ..... 2 ..... 3 ..... 4 ..... 5 ..... 6 .....

B Completate con i verbi indicati sotto:

- Se .... al Superenalotto, ... una casa al mare.
- Con i soldi, ... un viaggio da sogno.
- Se .... molti soldi, li .... in Borsa.

- Se .... ricco, non .... mai più.
- Con tutti quei soldi, ... vita.

- Se .... tanti soldi all'improvviso, ... al ristorante tutti i giorni e .... molto.

diventare – fare – viaggiare – vincere – cambiare – comprare – investire – vincere – lavorare – avere – mangiare

Completate:

Se io .... 50.000 €, ...
....

Se io .... 250.000 €, ...
....

Se io .... 2.000.000 €, ...
....

IL DIRETTORE MI HA PROMESSO UN AUMENTO DI STIPENDIO. ME LO DARÀ QUASI SICURAMENTE.
SE MI DÀ L'AUMENTO, COMPRO SUBITO UN COMPUTER NUOVO.
IO HO COMINCIATO A LAVORARE DA POCO. PROBABILMENTE IL DIRETTORE NON MI DARÀ L'AUMENTO.
SE MI DESSE L'AUMENTO, PRENDEREI IN AFFITTO UNA CASA PIÙ GRANDE.
1

LAVORO ORMAI DA TRE ANNI. IL DIRETTORE NON MI HA DATO NESSUN AUMENTO.

SE MI AVESSE DATO L'AUMENTO, AVREI COMPRATO UNA MACCHINA NUOVA.

2

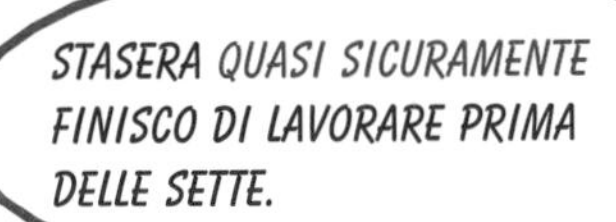
STASERA QUASI SICURAMENTE FINISCO DI LAVORARE PRIMA DELLE SETTE.

SE FINISCO DI LAVORARE PRIMA DELLE SETTE, VADO IN CENTRO A FARE DELLE SPESE.

STASERA PROBABILMENTE NON FINISCO DI LAVORARE PRIMA DELLE SETTE.
SE FINISSI DI LAVORARE PRIMA DELLE SETTE, ANDREI IN CENTRO A FARE DELLE SPESE.

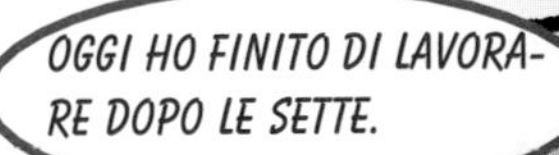
OGGI HO FINITO DI LAVORA-RE DOPO LE SETTE.

SE AVESSI FINITO DI LAVORARE PRIMA DELLE SETTE, SAREI ANDATO IN CENTRO A FARE DELLE SPESE.

A Scegliendo tra le frasi indicate sotto, scrivete ciò che dice ogni persona:

VORREI ANDARE A TEATRO CON LUCIA. È ANCORA PRESTO. TELEFONO ALL'AGENZIA E QUASI SICURAMENTE TROVERÒ UNA BABY-SITTER.

VORREI ANDARE A TEATRO STASERA. È TARDI. TELEFONO ALL'AGENZIA, MA PROBABILMENTE NON TROVERÒ UNA BABY-SITTER.

VOLEVO ANDARE A TEATRO. HO TELEFONATO ALL'AGENZIA, MA NON HO TROVATO UNA BABY-SITTER.

Se avessi trovato una baby-sitter, sarei andata a teatro.	Se trovo una baby-sitter, vado a teatro.	Se trovassi una baby-sitter, andrei a teatro.

B Completate con i verbi indicati fra parentesi:

1. Chiedo la macchina a mio padre. Quasi sicuramente me la presta.
   Se mio padre mi (*prestare*) .... la macchina,
   (io - *accompagnare*) .... Maria a Roma.

2. Chiedo la macchina a mio padre. Probabilmente non me la presta.
   Se mio padre mi (*prestare*) .... la macchina,
   (io - *accompagnare*) .... Maria a Roma.

3. Ho chiesto la macchina a mio padre. Non me l'ha prestata.
   Se mio padre mi (*prestare*) .... la macchina,
   (io - *accompagnare*) .... Maria a Roma.

C Completate le frasi:

1. Quasi sicuramente Aldo mi telefona stasera.
   Se ....
   ....
   ....
   ....

2. Probabilmente Aldo non mi telefona stasera.
   Se ....
   ....
   ....
   ....

3. Aldo non mi ha telefonato.
   Se ....
   ....
   ....
   ....

Riflessione grammaticale

Se	mi **dà** l'aumento,	**compro** un computer nuovo.
	trovo una baby-sitter,	**vado** a teatro.
	finirò di lavorare presto,	**verrò** a trovarti.
	hai bisogno di me,	**telefonami**!

Se	mi **desse** l'aumento,	**comprerei** un computer nuovo.
	trovassi una baby-sitter,	**andrei** a teatro.
	vincessi al Superenalotto,	**sarei** felice.

Se	mi **avesse dato** l'aumento,	**avrei comprato** un computer nuovo.
	avessi trovato una baby-sitter,	**sarei andata** a teatro.
	trovavo una baby-sitter,	**venivo** a trovarti.

Rispondete alle domande e motivate le vostre risposte:

1. Se potessi essere una persona famosa, in quale campo vorresti esserlo?

....

....

2. Se fossi solo/a in un'isola, che cosa ti mancherebbe di più?

....

....

3. Se avessi la possibilità di cambiare una cosa della tua vita, che cosa cambieresti?

....

....

4. Se fossi un uomo/una donna, che cosa faresti?

....

....

5. Se fossi un pittore, quale quadro vorresti dipingere?

....

....

6. Se avessi la possibilità di cambiare qualcosa nella gente, che cosa cambieresti?

....

....

7. Se scrivessi un libro, quale soggetto sceglieresti?

....

....

8. Se potessi essere un animale, quale vorresti essere?

....

....

9. Se potessi fermare il tempo, in quale momento lo fermeresti?

....

....

10. Se potessi, ti piacerebbe vivere fino a 150 anni?

....

....

11. Se potessi fare miracoli, che cosa faresti?

....

....

Preparate tre domande con il periodo ipotetico del tipo delle precedenti. Fate le domande al vostro compagno. Riferite alla classe le sue risposte.

Uno studente esce dalla classe. Fra i compagni rimasti se ne sceglie uno. Lo studente rientra in classe e deve indovinare chi è lo studente scelto facendo a turno ai compagni domande del tipo:

- se fosse una città, quale città sarebbe?
- se fosse un animale, quale animale sarebbe?
- se fosse un fiore, quale fiore sarebbe?

....

Attraverso le risposte, lo studente dovrà indovinare l'identità della persona scelta dai compagni.

Sintesi grammaticale

CONGIUNTIVO IMPERFETTO

-are	-ere	-ire
(io) ....assi	..........................essi	..........................issi
(tu) ....assi	..........................essi	..........................issi
(lui, lei) ....asse	..........................esse	..........................isse
(noi) ....assimo	..........................essimo	..........................issimo
(voi) ....aste	..........................este	..........................iste
(loro) ....assero	..........................essero	..........................issero

ALTRE FORME DI CONGIUNTIVO IMPERFETTO

essere → fossi dare → dessi stare → stessi	dire → dicessi fare → facessi	tradurre → traducessi bere → bevessi

CONGIUNTIVO TRAPASSATO

Congiuntivo imperfetto di **avere** o **essere** + *participio passato*

(io) avessi (tu) avessi (lui, lei) avesse (noi) avessimo (voi) aveste (loro) avessero	.... o	(io) fossi (tu) fossi (lui, lei) fosse	.... o/a
		(noi) fossimo (voi) foste (loro) fossero	.... i/e

PERIODO IPOTETICO

1.	**Se** + presente indicativo, presente indicativo. **Se** + futuro indicativo, futuro indicativo. **Se** + presente indicativo, imperativo.
2.	**Se** + imperfetto congiuntivo, condizionale semplice.
3.	**Se** + trapassato congiuntivo, condizionale composto (imperfetto indicativo + imperfetto indicativo)

Magari + *congiuntivo imperfetto* / *congiuntivo trapassato*

Civiltà

La terra promessa

Il 7 agosto 1991 una nave carica di albanesi arriva nel porto di Bari. Per la prima volta l'Italia, dopo secoli, diventa meta di una massiccia immigrazione dai paesi poveri.

Che cosa faremmo senza di loro?

Più di un milione e mezzo di contadini, operai, artigiani e domestici sono stranieri. La comunità più numerosa è quella dei marocchini, seguiti dagli albanesi e dai filippini. Le comunità di stranieri sono in tutta Italia: in Lombardia soprattutto egiziani e cinesi, nel Lazio polacchi, indiani e filippini, in Liguria ecuadoregni e in Sardegna senegalesi.

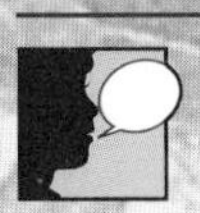

1 *Rispondete alle domande:*

- quando è cominciato il movimento di migrazione verso l'Italia?
- da quali paesi vengono gli immigrati?
- quanti sono gli stranieri extracomunitari che lavorano in Italia?
- che lavori fanno?

2 *Dite:*

- se nel vostro paese ci sono persone che emigrano per lavorare
- dove vanno e quali lavori fanno

e/o

- se nel vostro paese ci sono immigrati che lavorano
- da dove vengono
- che lavori fanno
- come gli immigrati sono inseriti nella società

UNITÀ 18

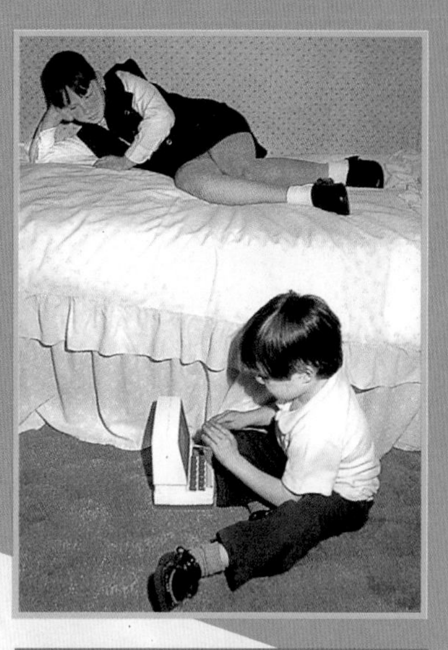

bambini – ladri – rubare – terrorizzare – aggredire – paura – madre

L'avventura di due bambi

Soli in casa con i ladri

1 Soli in casa con i ladri

Osservate le immagini, leggete le parole nel riquadro blu e immaginate il contenuto del testo che leggerete.

Lecco – Erano soli in casa, hanno sentito dei rumori, hanno visto due uomini, sono corsi in cucina e sono rimasti lì, immobili. Una bambina di 9 anni e il suo fratellino di 6 **sono stati terrorizzati** dai ladri, entrati da una finestra mentre la madre era uscita per accompagnare il figlio maggiore a una fermata dell'autobus. I due ladri non si sono preoccupati dei due bambini, hanno rubato alcuni gioielli e se ne sono andati. Il fatto è accaduto in un paesino vicino a Lecco.
«La bambina aveva la febbre e mio figlio doveva andare al corso di pallacanestro» ha spiegato la madre. «Non riesco a crederci. Sarò stata fuori non più di dieci minuti. Erano le 19 e altri appartamenti della casa **sono abitati** da nostri parenti».
Nei giorni scorsi a Sirone e Rogeno, due paesi vicini a Lecco, ci sono stati altri episodi del genere: una famiglia **è stata derubata** da due sconosciuti nel sonno e una donna **è stata aggredita** e **derubata** da un uomo mentre andava a fare la spesa.

A Completate lo schema con il maggior numero possibile di informazioni :

Dove? ....
Chi? ....
Quando? ....
Che cosa? ....
Conclusione ....

B Utilizzando i dati precedenti, riassumete il testo:

....

C Trovate un titolo alternativo a quello di pagina 384:

....

D Completate l'intervista:

- Signora, che cosa è successo?
- ....
- E Lei, dov'era?
- ....
- È stata fuori molto tempo?
- ....
- I bambini che cosa hanno fatto quando hanno visto i due uomini?
- ....
- Che cosa sono riusciti a portare via?
- ....
- Nella casa, abitano altre persone che voi conoscete?
- ....
- Lei sa se sono successi altri episodi del genere, da queste parti?
- ....

È avvenuto ieri pomeriggio in una borgata di Roma. L'assassino è stato arrestato

Commessa uccisa da un corteggiatore

È accaduto ieri pomeriggio verso le 15.30 alla periferia di Roma. Una ragazza è stata uccisa da un ragazzo che lei aveva sempre rifiutato. La vittima, M.R., è una ragazza di 22 anni, commessa in un negozio di autoricambi; lui, G.V., è un giovane disoccupato di 24 anni. È stato fermato pochi minuti dopo il fatto, ha subito confessato e ha detto: "Era la mia ragazza, mi tradiva e l'ho punita!". Eppure tra i due giovani non c'era mai stata neanche una semplice amicizia. Ieri pomeriggio il ragazzo ha aspettato per ore la sua vittima passeggiando nervosamente davanti al negozio. Quando l'ha vista uscire, le è andato incontro, l'ha colpita con un coltello alla gola, al fianco e alla gamba e l'ha uccisa. Poi è scap-

La giovane vittima

2 In una borgata di Roma

È accaduto ieri pomeriggio verso le 15.30 alla periferia di Roma. Una ragazza **è stata uccisa** da un ragazzo che lei aveva sempre rifiutato. La vittima, M.R., è una ragazza di 22 anni, commessa in un negozio di autoricambi; lui, G.V., è un giovane disoccupato di 24 anni. **È stato fermato** pochi minuti dopo il fatto, ha subito confessato e ha detto: «Era la mia ragazza, mi tradiva e l'ho punita!». Eppure tra i due giovani non c'era mai stata neanche una semplice amicizia.
Ieri pomeriggio il ragazzo ha aspettato per ore la sua vittima passeggiando nervosamente davanti al negozio. Quando l'ha vista uscire, le è andato incontro, l'ha colpita con un coltello alla gola, al fianco e alla gamba e l'ha uccisa. Poi è scappato. Ma ha fatto solo pochi metri: **è stato raggiunto** dai poliziotti, **è stato arrestato** e **portato** alla prigione Regina Coeli.

A Rispondete alle domande:

1. Quando è successo il fatto? ....
2. Dove? ....
3. Che cosa è successo? ....
4. Quanti anni aveva la ragazza? ....
5. Che cosa faceva? ....
6. Quanti anni ha il ragazzo? ....
7. Che cosa fa? ....
8. Come si è conclusa la vicenda? ....

B Utilizzando le risposte date, riassumete il testo:

....

....

C Trovate un titolo alternativo a quello di pagina 386:

....

D Completate:

Ieri pomeriggio alle 15.30 alla .... di Roma una ragazza è .... uccisa da un ragazzo che lei .... sempre rifiutato. La vittima .... 22 anni e faceva la .... in un negozio di autoricambi; .... ha 24 anni ed è .... Dopo pochi minuti l'assassino .... stato raggiunto dalla polizia, è .... arrestato e portato a Regina Coeli.

Questa casa **è abitata** da molti stranieri.
Questo palazzo **è abitato** da poche persone.
Questi appartamenti **sono abitati** da studenti.
Queste ville **sono abitate** da gente molto ricca.
La "Punto" **viene fabbricata** dalla Fiat.
La "Vespa" **è fabbricata** dalla Piaggio.
Lo "Scarabeo" **viene fabbricato** dall'Aprilia.
Le biciclette "Spillo" **vengono fabbricate** dalla Bianchi.
I motorini "Sorriso" **vengono fabbricati** dalla MBK.

Completate:

Quel professore (*stimare*) .... molto dagli studenti.
Franca (*stimare*) .... molto dai colleghi.
I signori Bianchi (*stimare*) .... molto dai vicini.
Paola e Beatrice (*stimare*) .... molto dagli amici.
Questo programma (*seguire*) .... da molti.
Questa rete della TV (*seguire*) .... da molte persone.
Queste macchine (*fabbricare*) .... all'estero.
Queste scarpe (*fare*) .... in Italia.
Questi formaggi (*produrre*) .... in Italia.

Una ragazza è **stata uccisa** da un giovane di 24 anni.
Un uomo è **stato ucciso** dalla moglie gelosa.
Due donne sono **state uccise** durante una rapina.
Due ragazzi sono **stati uccisi** da un rapinatore.

Completate:

Paola (*derubare*) .... da un uomo con la barba.
Giorgio (*derubare*) .... da un gruppo di giovani.
Due donne (*derubare*) .... in autobus.
I signori Rossi (*derubare*) .... mentre tornavano a casa.
L'assassino (*arrestare*) .... dalla polizia.
La donna (*arrestare*) .... dopo pochi minuti.
I ladri (*arrestare*) .... mentre scappavano.
Le due ragazze (*arrestare*) .... dalla polizia.

Riflessione grammaticale

LA FORMA PASSIVA

La Fiat	fabbrica	la "Punto"
La "Punto"	è fabbricata	dalla Fiat

La "Punto"	**è** **viene**	fabbricata	dalla Fiat
Anche la "500"	**era** **veniva**	fabbricata	dalla Fiat
Una nuova macchina	**sarà** **verrà**	fabbricata	dalla Fiat

LA FORMA PASSIVA

Mauro	è	**considerato**	simpatico
Carla		**considerata**	intelligente
I signori Rossi	**sono**	**considerati**	molto seri
Elena e Maria		**considerate**	ragazze simpatiche

La polizia	ha arrestato	i ladri
I ladri	sono stati arrestati	dalla polizia

Una ragazza	è	**stata uccisa**	da un rapinatore
Un uomo		**stato ucciso**	
I ladri	**sono**	**stati arrestati**	dalla polizia
Le due donne		**state arrestate**	

Un uomo	**fu** **venne**	**ucciso**	davanti a un cinema

Chiedete al vostro compagno di raccontare un fatto di cronaca.

Riferite alla classe quello che avete ascoltato.

Il parmigiano reggiano

Il parmigiano reggiano **si produce** nell'Emilia Romagna ed considerato "il re dei formaggi". **Viene prodotto** con latte prima qualità. **Può essere utilizzato** come ingrediente come condimento nella preparazione dei piatti più gustosi, come secondo; è l'ideale per uno spuntino. È un cil nutriente e digeribile, per questo è consigliato per i bambi e le persone anziane.

Va conservato in luogo fresco e asciutto oppure **va tenu** in frigorifero nella zona meno fredda.

Luogo di produzione: Emilia Romagna.
Possibilità di utilizzo: ingrediente, condimento, secondo piatto, spuntino.
Istruzioni: conservare in luogo fresco e asciutto oppure in frigorifero.

3 Prodotti alimentari tipici

Costruite un testo, sul modello del precedente, utilizzando le indicazioni a lato delle foto:

La grappa

Luogo di produzione: Veneto, Friuli, Trentino, Piemonte.
Possibilità di utilizzo: digestivo, correttivo del caffè.
Istruzioni: conservare a temperatura ambiente.

La grappa si produce ....

....

....

....

....

....

L'olio di oliva

Luogo di produzione: molte regioni d'Italia (Umbria, Toscana, Liguria, Puglia, Calabria).
Possibilità di utilizzo: cucinare, condire, friggere.
Istruzioni: usare preferibilmente crudo, in ogni tipo di dieta.

L'olio di oliva ....

....

....

....

....

....

La pasta "Voiello"

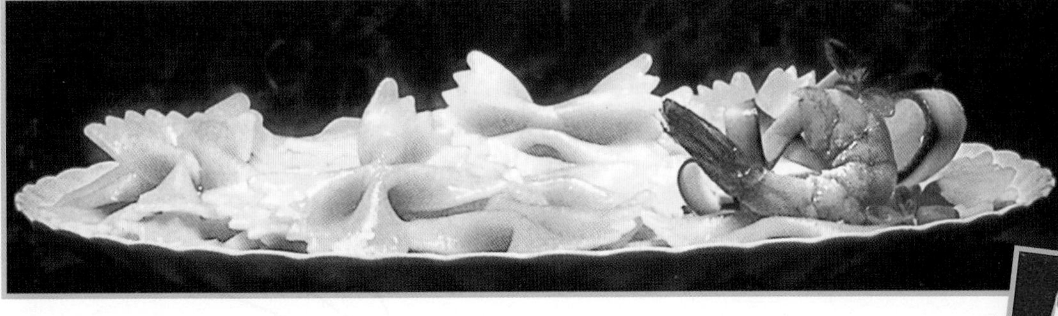

DAL 1879
Voiello
Pasta di semola di grano duro

Luogo di produzione: Napoli.
Possibilità di utilizzo: molte ricette di primi piatti.
Istruzioni: cuocere in acqua salata, mangiare al dente.

La pasta "Voiello" ....

....

....

....

....

....

Il Chianti

Luogo di produzione: Toscana.
Possibilità di utilizzo: con vari tipi di carne arrosto e cacciagione.
Istruzioni: aprire qualche ora prima, servire a temperatura ambiente, circa 20 °C.

Il vino Chianti ....

....

....

....

I tortellini

Luogo di produzione: prevalentemente Emilia Romagna.
Possibilità di utilizzo: molte ricette di primi piatti, in bianco o al sugo o in brodo.
Istruzioni: cuocere in molta acqua salata, condire abbondantemente.

I tortellini ....

....

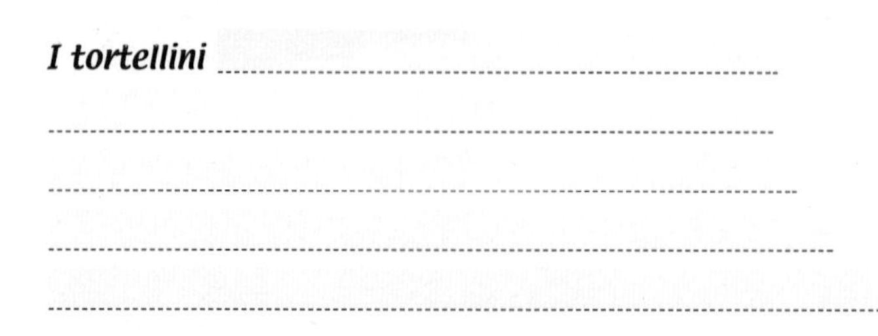

....

....

Chiedete al vostro compagno:

- quali sono i prodotti alimentari tipici del suo paese
- qual è il luogo di produzione
- le possibilità per utilizzarli
- le istruzioni per un uso migliore

Riferite alla classe le informazioni ricevute.

Riflessione grammaticale

<table>
<tr><th colspan="4">LA FORMA PASSIVA</th></tr>
<tr><td rowspan="6">Il parmigiano reggiano</td><td>è
viene</td><td>prodotto</td><td rowspan="2">in Emilia Romagna</td></tr>
<tr><td colspan="2">si produce</td></tr>
<tr><td colspan="2">può essere utilizzato</td><td rowspan="2">come ingrediente
o come condimento</td></tr>
<tr><td colspan="2">si può utilizzare</td></tr>
<tr><td>deve essere
va</td><td>conservato</td><td rowspan="2">in un luogo fresco
e asciutto</td></tr>
<tr><td colspan="2">si deve conservare</td></tr>
</table>

<table>
<tr><td rowspan="6">I tortellini</td><td>sono
vengono</td><td>prodotti</td><td rowspan="2">in Emilia Romagna</td></tr>
<tr><td colspan="2">si producono</td></tr>
<tr><td colspan="2">possono essere conditi</td><td rowspan="2">in mille modi</td></tr>
<tr><td colspan="2">si possono condire</td></tr>
<tr><td>devono essere
vanno</td><td>cotti</td><td rowspan="2">in molta acqua salata</td></tr>
<tr><td colspan="2">si devono cuocere</td></tr>
</table>

Come si dice?

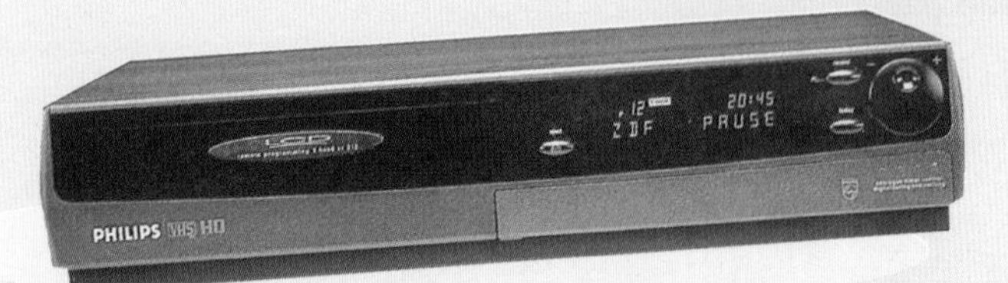

Registrazione dei programmi TV

1. Inserire la cassetta.
2. Premere il pulsante "channel" per selezionare il canale che si vuole registrare.
3. Premere il pulsante "rec" per registrare.
4. Premere il pulsante "stop" per interrompere la registrazione.

b

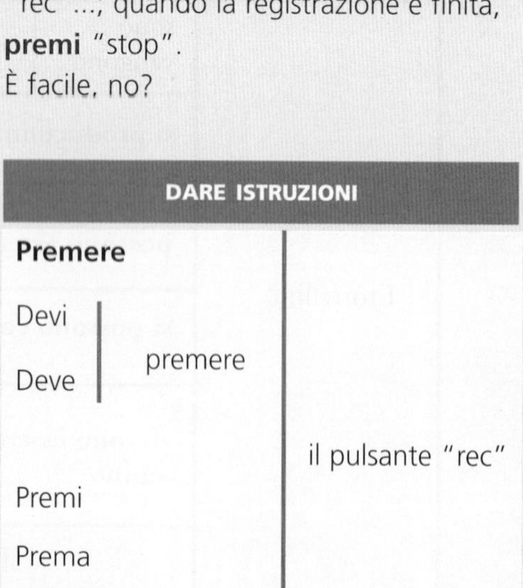

- Papà, come si fa per registrare?
- Prima **inserisci** la cassetta, poi **scegli** il programma da registrare con il pulsante "channel", poi **devi premere** "rec"...; quando la registrazione è finita, **premi** "stop". È facile, no?

- Può dirmi come si usa?
- Come prima cosa **inserisca** la cassetta, poi **scelga** il programma da registrare...
- Con questo pulsante rosso?
- No... questo **va premuto** dopo per registrare. Prima **deve premere** il pulsante "channel".

DARE ISTRUZIONI		
Premere		
Devi / Deve	premere	il pulsante "rec"
Premi		
Prema		
Va premuto		

Bancomat

1. Inserire la carta.
2. Digitare il numero di codice.
3. Premere il pulsante "prelievo".
4. Premere il pulsante in corrispondenza della somma desiderata.
5. Ritirare le banconote e la carta personale.

1. Immaginate di essere un impiegato di banca e di dare istruzioni a un cliente sull'uso del Bancomat.

2. Spiegate a un amico/un'amica l'uso del Bancomat.

Alberghi

Perugia

Relais San Clemente

Questo monastero del Seicento, che si trova a quindici chilometri da Perugia, fu trasformato in villa patrizia nell'Ottocento e in un raffinato albergo nell'aprile del 1990. È circondato da 15 ettari di parco, dove sono state inserite varie strutture sportive (piscine, campi da tennis, ecc.). Le 64 stanze sono state arredate con gusto; la chiesetta del 1050, totalmente restaurata, viene utilizzata per celebrare matrimoni; è il luogo ideale per cene di lavoro e congressi. L'albergo ospita spesso i calciatori delle squadre italiane per il ritiro prima di partite importanti.

Completate:

Relais San Clemente

Origine: ....

Luogo: ....

Aprile 1990: ....

Esterno: ....

Interno: ....

Utilizzazione: ....

Curiosità: ....

Utilizzando le indicazioni che seguono costruite un testo sul modello del precedente:

Hotel San Domenico

Origine: convento del Quattrocento.
Luogo: Golfo di Taormina, Sicilia.
1896: raffinato albergo.
Esterno: giardini ricchi di fiori e profumi, piscina, vista panoramica sul mare e sull'Etna.
Interno: arredamento antico, saloni lussuosi.
Utilizzazione: matrimoni, cene di lavoro, congressi.
Curiosità: fra gli ospiti: Luigi Pirandello, Thomas Mann, Ernest Hemingway.

Hotel San Domenico

Questo antico convento del Quattrocento, che ....

....

....

....

....

....

....

....

....

....

Sintesi grammaticale

LA FORMA PASSIVA

1. Verbo **essere** + participio passato – tempi semplici e composti	**3.** Verbo **andare** + participio passato – tempi semplici – obbligo / necessità
2. Verbo **venire** + participio passato – tempi semplici	**4.** **Si** passivante (terza persona singolare e plurale dei verbi) – tempi semplici e composti

L'Italia? Ce ne sono due

58 milioni di italiani vivono lontano dalla penisola, in tutto il mondo. Ecco chi sono e che cosa fanno.

1 **Turisti.** Nel 2000 più di 16 milioni di italiani hanno fatto una vacanza all'estero. Sono andati in Francia, Svizzera e Spagna, ma anche alle Maldive, a Cuba, a Santo Domingo, in Kenya, a Bali, a New York, in Egitto, in Tunisia. Ci sono quindi alcuni luoghi in cui, per qualche mese l'anno, si parla più la nostra lingua che la lingua del posto.

2 **Residenti all'estero.**

ITALIANI RESIDENTI ALL'ESTERO

Paese	n. residenti	Paese	n. residenti
Germania	656.128	Venezuela	124.882
Argentina	536.636	Canada	117.168
Svizzera	514.793	Australia	111.023
Francia	372.593	Uruguay	51.815
Brasile	287.112	Cile	31.519
Belgio	278.686	Spagna	30.839
Stati Uniti	204.055	Paesi Bassi	29.363
Gran Bretagna	143.126	Sudafrica	26.741

3 **Scienziati.** Le basi di ricerca scientifica italiane più conosciute sono la piramide sull'Everest, la base di Baia Terra Nova in Antartide e il CERN di Ginevra.

4 **Religiosi.** I religiosi italiani sono un po' dappertutto, in tutti i continenti.

Nelle foto, dall'alto verso il basso: la base internazionale in Antartide; lo scienziato Carlo Rubbia; turisti italiani alle Seichelles; suore missionarie in Africa.

Dite:

- se nel vostro paese ci sono italiani
- chi sono (residenti, turisti, religiosi, scienziati...)
- se conoscete qualche italiano che vive nel vostro paese

UNITÀ 19

Perugia, Palazzo dei Priori

1 Città gentile

Un giorno mi trovavo in una città straniera, piena di persone gentili. Stavo andando verso la stazione con due grosse valigie, ero molto stanco e avrei voluto riposarmi, ma non sapevo quanto tempo mancava alla partenza del treno perché il mio orologio si era fermato: perciò ho chiesto l'ora a un passante. L'uomo è arrossito **dicendo** che non aveva l'orologio; **levandosi** il cappello, mi ha pregato di aspettare un momento ed è andato da un signore lì vicino; neanche lui aveva l'orologio; allora è andato da un negoziante. Questo mi ha guardato **allargando** le braccia e **dicendo** che aveva lasciato il suo orologio a casa. Poi ha cominciato a correre e ha raggiunto un ciclista. Il ciclista, **levandosi** il berretto e **mostrando** il polso nudo, mi ha fatto cenno di attendere un momento. A questo punto ho posato le valigie. Il ciclista ha fermato un automobilista, che ha chiesto a un poliziotto. Il poliziotto ha chiamato una signora affacciata a una finestra del primo piano: neanche lei aveva l'orologio.
Tutti mi guardavano con simpatia, ma nessuno mi diceva l'ora. Ha risolto il problema un ragazzo, che **correndo** ha girato l'angolo e dopo un minuto è tornato **gridando** che l'orologio del campanile faceva le cinque e un quarto...

(Ad. da Gaetano Neri, *Dimenticarsi della nonna,* Marcos y Marcos)

A **Completate con le azioni compiute da ciascun personaggio, secondo l'esempio:**

1. *Un passante è arrossito dicendo che non aveva l'orologio; levandosi il cappello, mi ha pregato di aspettare un momento ed è andato da un signore lì vicino.*

2. *Il signore* ....

....

3. *Il negoziante* .... allargando le braccia e dicendo che aveva lasciato il suo orologio a casa. Poi ....
e ....

4. *Il ciclista* levandosi il berretto e mostrando il polso nudo, ...
e ....

5. *L'automobilista* ....

....

6. *Il poliziotto* ....

....

7. *La signora* ....

....

8. *Un ragazzo* correndo ....
e .... gridando che l'orologio del campanile faceva le cinque e un quarto.

B Rispondete alle domande:

1. Dove stava andando il signore del racconto? ....
....
2. Qual era il suo problema? ....
....
3. Chi ha incontrato? ....
....
4. Chi ha risolto il problema e come? ....
....

C Completate:

Un uomo si trovava in .... città straniera: stava andando alla ...., ma non sapeva quanto mancava .... partenza del treno perché il .... orologio si era fermato.

Perciò .... chiesto l'ora a un ...., a un signore, a un ...., a un ciclista, a un ...., a un poliziotto, a una .... affacciata a una finestra del .... piano, ma nessuno aveva l'.....................................

Alla fine un ragazzo, guardando ....'ora all'orologio del campanile, ... risolto il problema.

D Completate con le forme di gerundio indicate sotto:

1. Un uomo è arrossito .... che non aveva l'orologio; .... il cappello, mi ha pregato di aspettare un momento.
2. Il negoziante mi ha guardato .... le braccia e .... che aveva lasciato il suo orologio a casa.
3. Un ciclista .... il berretto e .... il polso nudo, mi ha fatto cenno di attendere un momento.
4. Un ragazzo ha girato l'angolo .... e dopo un minuto è ritornato .... che erano le cinque e un quarto.

dicendo – mostrando – levandosi – dicendo – levandosi – correndo – allargando – gridando

Passeggiando nel parco, trovai un mazzo di chiavi.
Mangiando, guardiamo sempre la TV.
Aspettando l'autobus, ho dato uno sguardo al giornale.

Non **sapendo** l'orario di partenza del treno, ho telefonato alla stazione.
Essendo molto pigro, la mattina Giorgio non vuole mai alzarsi.
Non **conoscendo** bene la strada, arrivammo tardi a casa di Stefano.

Dopo pranzo mi riposo un po', **ascoltando** la musica.
Andrea e Simone si sono divertiti, **giocando** a carte.
Giorgio ha passato la domenica **leggendo**.

Completate:

(*Viaggiare*) .... in treno, leggo tanti giornali e ascolto la musica con la cuffia.
(*Tornare*) .... a casa, ho incontrato Lucia.
L'anno scorso, (*sciare*) ...., caddi e mi feci male a una gamba.

(*Avere*) .... paura di sbagliare, Hans parla poco in italiano.
(*Abitare*) .... fuori città, dovevamo sempre prendere l'autobus per andare all'Università.
Non (*avere*) .... l'ombrello, Carlo tornò a casa bagnato fradicio.

Quando è nervoso, Alberto esce di casa (*sbattere*) .... la porta.
Mentre il treno partiva, Paola mi ha salutato (*agitare*) .... una mano.
Mi sono riposata (*guardare*) .... la TV.

Avendo studiato poco, Valeria non ha superato l'esame.
Avendo mangiato troppo, Claudio si sente male.
Avendo perso anche l'ultimo autobus, tornammo a casa a piedi.
Avendo finito di leggere il libro, lo riportai in biblioteca.

Essendosi divertiti molto, Carlo e Stefano hanno deciso di tornare nella stessa discoteca.
Essendosi alzato tardi, Marco arriverà in ufficio in ritardo.

Completate:

(*Trovare*) .... un mazzo di chiavi, le ho consegnate al portiere.
(*Studiare*) .... fino a tardi, stamattina non riesco ad alzarmi.
Non (*pagare*) .... in tempo la bolletta del gas, dovetti pagare una multa.
Non (*ricordarsi*) .... di presentare la domanda in tempo, non potrò fare l'esame.

A Rispondete alle domande, secondo l'esempio:

1. Come si impara bene una lingua?
   - *- Andando all'estero.*
   - *- Frequentando un corso.*
   - *- Parlando con la gente.*
2. Come si fa carriera?
   ....
   ....
3. Come è possibile tenere lontano lo stress?
   ....
   ....
4. Come ci si tiene in forma?
   ....
   ....

5. Come ci si riposa veramente?

6. Come ci si fa una cultura?

B Completate secondo l'esempio:

1. **Paolo**
   Paolo è uscito dalla stazione

   - *correndo*
   - *tenendo in mano una enorme valigia*

2. **Io**
   Io ho incontrato Lucia

3. **Laura**
   Laura ha passato tutto il pomeriggio

4. **La bambina**
   La bambina è corsa a casa

Riflessione grammaticale

Facendo colazione **Aspettando** l'autobus	leggo leggi legge leggiamo leggete leggono	sempre il giornale

Me Te Se Ce Ve Se	ne	sono andato/a sei andato/a è andato/a siamo andati/e siete andati/e sono andati/e	**sorridendo** **piangendo** **sbattendo** la porta

Ho incontrato Hai incontrato Ha incontrato Abbiamo incontrato Avete incontrato Hanno incontrato	Eugenio	**uscendo** di casa **venendo** a lezione

Avendo finito di studiare	esco esci esce usciamo uscite escono	di casa

Avendo bevuto un po' troppo	stamattina ieri sera	mi sono sentito/a ti sei sentito/a si è sentito/a ci siamo sentiti/e vi siete sentiti/e si sono sentiti/e	male

Essendo uscito/a presto di casa,	arrivai arrivasti arrivò	alla stazione in anticipo
Essendo usciti/e presto di casa,	arrivammo arrivaste arrivarono	

1. VALORE DI TEMPO

Guardando la partita, (= Mentre guarda la partita)	Antonio fuma una sigaretta dopo l'altra
Pensando ai suoi problemi, (= Mentre pensa ai suoi problemi)	
Scrivendo la lettera, (= Mentre scrive la lettera)	

2. VALORE DI CAUSA

Non **dovendo** lavorare, (= Poiché non devo lavorare)	esco
Essendo di buon umore, (= Poiché sono di buon umore)	

3. VALORE DI MODO

Paolo ha passato il fine settimana	**studiando**
	leggendo
	dormendo

Come si dice?

Modi di esprimere sorpresa

«A chi non trova le parole vendo le mie lettere d'amore»

C'è un uomo che vive scrivendo lettere d'amore. Si chiama Lucio, ha 46 anni, abita a Roma e ha inventato un nuovo lavoro: scrive a richiesta messaggi e biglietti che fanno nascere grandi amori. Ha capito che molte persone hanno grosse difficoltà a esprimere i propri sentimenti. Le sue lettere costano pochi euro.

A Completate il dialogo con le parti mancanti:

Giorgio: Hai letto il giornale, Aldo? Un uomo scrive ....

....!

Aldo: **Davvero? Non pensavo che** una cosa simile potesse accadere.

Giorgio: Ogni lettera costa ....!

Aldo: **Veramente?!** Non ci posso credere!

Giorgio: La cosa più .... è questa: ogni lettera è .... dalle altre, ma nelle sue c'è sempre scritto: «Ti amo»!

Aldo: È proprio vero che può accadere di tutto!

B Completate:

Aldo è sorpreso perché:

....

....

....

....

....

....

ESPRIMERE SORPRESA

Veramente!?
Davvero!?
Scherzi?!
Sul serio!?
Incredibile!!
Non pensavo che...
Non è possibile che...

Intossicato da Internet

A Roma un uomo di 30 anni ha passato tre giorni davanti al video del computer ininterrottamente: ha navigato nella rete saltando da un sito all'altro, ha controllato la sua posta elettronica e ha scritto molte e-mail. Non è mai andato a dormire o a riposare. Alla fine è caduto a terra privo di sensi ed è stato ricoverato in ospedale.

C Completate il dialogo con le parti mancanti:

Giorgio: Lo sai che un uomo .... in ospedale perché
....

Aldo: ....?! E che cosa ha fatto in tutto questo tempo?

Giorgio: ....nella rete e .... la sua posta elettronica.

Aldo: .... una persona potesse passare tanto tempo al computer!

Giorgio: E poi per tre giorni non .... mai!

Aldo: .... un uomo possa resistere tanto tempo senza dormire!

Esprimete sorpresa di fronte ad alcune affermazioni del testo precedente.

Chiedete al vostro compagno:

- se ha un computer
- quanto tempo ci passa
- per che cosa lo utilizza
- se gli piace

Riferite alla classe le informazioni ricevute.

2 Jogging

Ogni mattina, prima di **andare** in ufficio, un signore di Roma andava a Villa Borghese a **fare** un po' di jogging, con la speranza di **mantenersi** in forma.
Un giorno, mentre stava correndo in un viale ombroso, con molta altra gente, una donna lo urtò violentemente.
Dopo **aver guardato** nelle tasche della tuta, il signore si accorse di non **avere** il portafoglio. «Devo **fare** qualcosa» pensò, e accelerando raggiunse la donna che lo aveva urtato e le disse con tono minaccioso: «Dammi subito il portafoglio!». Lei si spaventò e glielo diede.
Dopo **aver finito** la sua corsa, l'uomo tornò a casa per **farsi** una doccia e **cambiarsi**.
Ma, dopo **aver fatto** la doccia ed **essersi cambiato**, vide sulla tavola della cucina il suo portafoglio e si rese conto che quello che aveva in tasca era in realtà della donna.

(Ad. da *99 leggende urbane*, a cura di M.T. Carbone, Mondadori)

A Rispondete alle domande:

1. Che cosa faceva ogni mattina questo signore romano?
2. Che cosa gli successe un giorno?
3. Che cosa pensò?
4. Che cosa fece?
5. Che cosa disse alla donna?
6. Lei che cosa fece?
7. Di che cosa si accorse dopo essere tornato a casa?

B Completate:

- Ogni mattina un signore di Roma ....
- Un giorno mentre ....
- Dopo aver guardato nelle tasche della tuta ....
- Accelerando ....
- Dopo aver finito la sua corsa ....
- Dopo essere tornato a casa ed essersi cambiato ....

Completate:

- Prima di ...., faccio colazione.
- Prima di ...., studio molto.
- Prima di ...., preparo tutto il necessario.
- Prima di ...., chiedo consiglio ai miei genitori o ai miei amici.
- Prima di ...., vado dal medico.
- Prima di ...., ci penso bene.

Ogni mattina, dopo **aver fatto** colazione, esco di casa e vado al lavoro.
Ieri sera, dopo **aver guardato** la TV, Giorgio è andato a dormire.
Stasera, dopo **aver studiato**, usciremo con un gruppo di amici.

La mattina, dopo **essermi vestito**, esco in fretta senza fare colazione.
Ieri mattina, dopo **essere uscito** di casa, mio padre si è accorto di **aver dimenticato** le chiavi della macchina.
Oggi pomeriggio, dopo **essere andato** alla stazione a prendere Giorgio, lo accompagnerò a casa tua.

Completate:

Dopo (*ascoltare*) .... un po' di musica, vado a dormire.
Dopo (*prendere*) .... la medicina, ti sentirai meglio.
Dopo (*dormire*) .... un po', sono uscito a fare spese.
Dopo (*vestirsi*) ...., leggo il giornale.
Dopo (*tornare*) .... dal lavoro, hanno guardato la TV.
Dopo (*abbracciarsi*) .... per la felicità, si sono raccontati ogni cosa.

La giornata di Stella e Rita a Roma

Rita racconta

Siamo partite da Firenze molto presto con la macchina.
Dopo essere arrivate a un parcheggio del centro, abbiamo preso un taxi e siamo andate in Piazza San Pietro.

Piazza San Pietro

La scalinata di Piazza di Spagna

La Pietà di Michelangelo

Dopo ....

....

....

....

L'Antico Caffè Greco

Dopo ....

....

....

Via del Corso

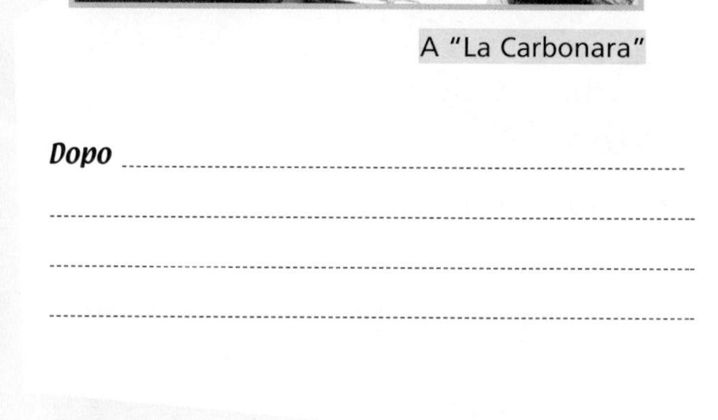

A "La Carbonara"

Dopo ....

....

....

....

La Fontana di Trevi

Piazza Navona

Dopo ....

....

....

....

Verso le otto siamo andate a Piazza Navona
dove abbiamo passato una serata indimenticabile.

Leggete la prima parte della storia, poi continuate il racconto con l'aiuto dei disegni:

Un fratello e una sorella, tutti e due anziani e poveri, vivevano insieme. Un giorno la sorella decise di andare in città a fare spese. Il fratello le diede una banconota da 50 euro. In treno viaggiò in uno scompartimento dove c'era un'altra donna. Si addormentò e al risveglio ....

....

....

....

Riflessione grammaticale

Dopo	aver	**mangiato** **studiato** **finito di lavorare**	esco usciamo è uscito sono usciti uscirai uscirete uscì

<table>
<tr><td rowspan="2">Dopo</td><td rowspan="2">essere</td><td>tornato/a</td><td>guardo
ha guardato
guarderai</td><td rowspan="2">la TV</td></tr>
<tr><td>tornati/e</td><td>guardano
hanno guardato
guarderanno</td></tr>
</table>

Collegate i gesti e le parole alle situazioni.

1. Lo so che tu hai tanti problemi... ....

2. Per uscire da una situazione così difficile... ....

... bisogna usare l'intelligenza!

... ma io che cosa posso farci?

3 Qualcosa di sorprendente

FATTA LA BARBA

UN UOMO DOVREBBE
SENTIRSI GIÀ IN FORMA...

Finalmente vacanza. La Svizzera è vostra.
REGALATA.
Arrivando a Barbados
il colpo d'occhio è splendido.

Dopo che ha fatto **Dopo aver fatto** **Avendo fatto** **Fatta**	la barba	un uomo dovrebbe sentirsi già in forma
Dopo che avrò fatto **Dopo aver fatto** **Avendo fatto** **Fatto**	l'esame	andrò qualche giorno al mare
Dopo che avevano fatto **Dopo aver fatto** **Avendo fatto** **Fatti**	i compiti	i bambini sono usciti
Dopo che hanno fatto **Dopo aver fatto** **Avendo fatto** **Fatte**	le vacanze	le persone dovrebbero sentirsi meglio

Completate secondo l'esempio:

Fatta la doccia, ti sentirai di nuovo in forma.

1. ....

dovresti sentirti meglio!

2. ....

siamo tornati subito a casa.

3. ....

sono uscito subito.

1

2

3

4. ....
siamo andati a lavorare.

5. ....
sono andata a dormire.

4

5

Sintesi grammaticale

GERUNDIO SEMPLICE		
-are	→	-ando
-ere	→	-endo
-ire	→	-endo

GERUNDIO COMPOSTO
avendo + participio passato
essendo + participio passato

INFINITO SEMPLICE		
-are	-ere	-ire

INFINITO COMPOSTO
avere + participio passato
essere + participio passato

PARTICIPIO PRESENTE		
-are	→	-ante
-ere	→	-ente
-ire	→	-ente

PARTICIPIO PASSATO		
-are	→	-ato
-ere	→	-uto
-ire	→	-ito

Civiltà

Gente d'Italia

Italian Style

Il folclore

La cordialità e...

un buon bicchiere

La bellezza

Le bancarelle

Lo sport

ragazzi del muretto

INDICI

Indice analitico

A

C

D

E

F

G

I

J

L

M

N

O

P

R

S

T

U

V

Indice generale

Indice generale

Indice generale

Referenze fotografiche

Fonti delle illustrazioni:
Olympia, Milano: 28(1), 253(4), 368(1), 386
Romaniello C.: 28(2)
Streiber A.: 29
Bajetta: 34, 43, 44(1,4), 51(1,2), 76, 79s, 176(2), 189, 249a, 251(1), 353s
Greenberg J.: 52
Fua G./Eikona: 107d
Granata Press, Milano: 154
Minischetti: 171s
Rigaux J.L.: 176(1)
Lazzari: 182c
Barone G.: 204b
Scianna F.: 219
Oddo N.: 253(1,2)
Spampinato R.: 274(3)
Stock Image: 275(5)
Flexform: 282(1)
Lancia: 282(2)
Valsoia: 282(3)
Sanna e Biasi: 356bd
Chiaramonte G.: 358s
Marari G.: 358d
Bussono M./Davoli M.: 417bs

Alcune illustrazioni provengono da volumi o riviste e precisamente:
6, 10(1), 44bs, 87(4), 227(4), 274(2), 275(3), 302, 318bd, 334(1,4), 335(1), 349(1), 356(2,6), 357: "Specchio", inserto "La Stampa"
13, 17: *Sono spenti i plotter*, IBM, Milano 1992
16(1), 71(3), 79d, 147(5): "Panorama Travel"
26(1), 27(1,2): *Il patrimonio dell'umanità*, Editoriale Corriere della Sera, Milano 1999
27(3): *Arte nel tempo*, vol.2/1, De Vecchi/Cerchiari, Bompiani, Milano 1999
50, 304, 316(2), 367(2), 416(2): "Bell'Italia"
51(4), 72, 91(3,4): *Italia*, D.V. Gast, Edicart, Legnano (MI) 1994
60, 204a, 205(3,4), 270(4), 271(1,5), 346, 356(7), 416(1): "Il Venerdì", inserto "La Repubblica"
64(4), 204c: "Donne", inserto "La Repubblica"
65(1): "Riflessi", novembre 1999
65(2,3), 118(2), 169s, 200, 206(2,3), 251(3), 315, 316(3), 334(3), 341(2), 364(1), 370, 407: "Meridiani"
88(4), 89(2,3), 367((1): "Famiglia cristiana"
93, 126, 175, 180(2), 181(5,6), 182bs, 205(1,2), 227(1), 232(1), 233(11), 252(3,4), 262(1,2), 271(2,4), 272, 273, 300, 336(2), 353d, 371b, 392, 410(2): "Io Donna", inserto "Corriere della Sera"
97, 108(2): Catalogo Conbipel
100(1): Publimania
104, 213(1), 217(1), 224c, 242, 271(3), 335(4), 337, 356(3): "Sette", inserto "Corriere della Sera"
106(3), 214, 227(5,6), 270(1): "L'Espresso"
111, 112, 116(2), 139(1), 228(2): *Viaggio nella scienza*, a cura di P. Angela, Ed. La Repubblica, Roma 1997
120(1): *Arizona*, Edimar, Milano 1994
123: "Focus Extra" n.2, 2000
125: *Un giorno nella vita della: Italia*, Rizzoli, Milano 1990
138: "Newton"
140, 243, 398: *Arte e storia dell'Umbria*, Bonechi, Firenze 1999
144(1), 146a: *Il vino*, Giunti, Firenze 1999
149, 150, 151, 233(12), 251(4), 274(2), 349(4): "Focus"
152(2): "Qui Touring" n.3, 1993
164: "Millelibri" n.1, 1987
169a: ClubMed
181(10): "Stern" n.50, 2000
210a: "Ville e giardini" n.370
231: "Automobilismo" n.9, 1999
234: "Corriere del Lavoro"
245, 314: "Qui Touring"
252bd: *1000 Families*, V. Ommer, Taschen, Köln 2000
252bs, 275(6): Catalogo Heine
253(1), 319, 323: "Carnet"
255: "Oggi"
257(2): *Il libro dell'anno 2000 Treccani*, Istituto della Enciclopedia Italiana, Roma 2001
259(2): "Autosprint", dicembre 2000
283: "Cucina italiana"
305(2): Dépliant del Comune di Varese Ligure
318(a, bs): IGDA
328: *Pinocchio al cinema*, S. Annibaletto, La Nuova Italia, Firenze 1992
334(2): "Palomar" n.7, 1995
341(1): *Berlino*, White Star, Vercelli 1991
349(3): "Panorama" n.38, 1999
355: "I Viaggi", inserto "La Repubblica"
371a: *Umbria*, APA, 1992
375: *Napoli e Campania*, M. Mastroglio/F. Cuomo, Magnus, Udine 1994
397bc: *Immaginare la Costituzione*, Leonardo Arte, Milano 1998
401(2): "Panorama" n.28, 2000
409(1), 410(3,4,): *Rome from the air*, G. Rossi/F. Lefevre, Rizzoli International, New York 1989
409(4), 410(2): "Meridiana"
416(3): Dépliant E.P.T.
416(4): Dépliant Cariplo

Le fotografie che non compaiono in questo elenco provengono dall'Archivio Le Monnier, Firenze.

Appunti

Appunti